조선의 미식가들

주영하 지음

조선의 미식가들

이색의 소주, 영조의 고추장, 장계향의 어만두
맛 좀 아는 그들의 맛깔스런 문장들

　나는 2011년에 한국국학진흥원에서 기획한 '한국유교문화심층연구: 음식문화' 연구팀의 일원으로 경상북도 북부 지역의 몇몇 문중을 방문하여 옛 음식을 먹는 호사를 누린 적이 있다. 그때 조선시대 요리책《수운잡방(需雲雜方)》에 나오는 요리법을 재현하여 만든 음식 몇 가지를 맛보았다. 이름도 잘 모르는 조선 중기의 음식을 마주하고서 무엇을 먼저 먹어야 할지 망설이다 '육면(肉麵)'에 젓가락을 옮겼지만 그 맛은 기대와는 달랐다.

　《수운잡방》에 나온 대로 "기름진 쇠고기를 반쯤 익혀서 국수처럼 가늘게 썰어 밀가루를 골고루 묻힌 다음 된장국에 넣어 여러 차례 더 끓인"[1] 육면은 그간 먹어왔던 쇠고기 맛이 아니었다. 함께 간 일행도 비슷한 심경인 듯 표정이 편치 않아 보였다. 이런 분위기를 눈치채고 종부(宗婦)가 배추김치를 내왔다. 그제서야 모두들 옛 음식을 즐기기 시작했다. 요사이 사람들의 입맛에 익숙한 배추김치가 곁들여지면서 낯선 옛 음식이 먹기 편해진 것이다.

이렇듯 맛에 대한 취향은 시대마다 다르다. 한 사람의 음식 경험에는 개인의 삶은 물론이고 그 사람이 살아가는 시대의 정황과 역사가 담겨 있다. 이 점에 주목하여 나는 2011년부터 '음식에 관한 글'을 쓴 조선시대 지식인들을 저자별로 나누어 자료를 정리해왔다. 조선시대 음식 관련 기록에는 직접 경험한 것과 앞선 문헌에서 옮긴 것이 섞여 있는 경우가 많다. 그래서 실제 경험을 기록한 '음식 글'을 저자별로 작업하면 조선시대 500년의 실재(real) 식생활과 음식의 역사를 재구성할 수 있을 것이라 생각했다.

처음에 내가 다루려고 했던 인물은 100명이 넘는다. 이들을 모두 다루려면 앞으로도 10년 이상의 공부가 더 필요하다. 특히 '음식의 역사'를 학문적으로 다루려면 독창적인 방법론이 있어야 하는데, 나는 아직 그것을 정립하지 못했다. 이런 상태에서는 자칫 나열식 '분야사(分野史)'에 지나지 않는 '음식의 역사'로 귀결될 터였다. 결국 계층·성별·직업 등과 개인적 경험 등을 고려하여 15인을 가려냈다. 그리고 이들이 활동한 시대를 기준으로 삼기보다는 남긴 글을 중심으로 내용을 살펴 책을 구성했다.

최근 한국 사회는 유사 이래 가장 화려한 식생활을 누리는 듯하다. 그러나 우리 중 누군가는 시간도 돈도 없어 끼니를 거르거나 컵라면 하나로 하루하루를 버티며 살고 있다. 이 책의 시대적 배경인 조선시대는 지금과는 비교도 안 될 정도로 경제 수준이 낮았던 때다. 그러나 온갖 산해진미를 매일같이 먹었던 탐식가도 더러 있었다. 하지만 이 책은 그러한 탐식가를 소개하는 데 목적을 두지 않았다.

프랑스의 법률가 장 앙텔므 브리야사바랭은 "당신이 무엇을 먹는지 말해달라. 그러면 당신이 어떤 사람인지 말해주겠다"[2]라며 개인의 음식 경험과 취향을 통해 그의 삶을 파악할 수 있다고 설파했다. 이 책에 나오는 조선의 미식가 15인은 자신이 무엇을 먹었는지를 글로 남겼다. 나는 그들의 '음식 글'을 통해 그들이 어떤 사람인지를 밝혀보려고 노력했다. 그들이 어떤 사람인지를 알게 되면 조선시대 실재했던 '음식의 역사'에 한 발 더 다가갈 수 있을 것이라고 믿는다. 지금부터 조선시대 미식가 15인이 남긴 음식 글을 통해 조선시대 음식문화사를 읽어보자.

2019년 6월 청계산 남쪽 기슭 장서각에서
주영하

차례

옛글로 맛보는 조선시대 음식문화사

미식가와 지미자

장 앙텔므 브리야사바랭(Jean Anthelme Brillat-Savarin, 1755~1826)은 1825년에 펴낸 《미각의 생리학(Physiologie du goût)》에서 '미식(gourmandise)'이란 "미각을 즐겁게 하는 사물에 대한 정열적이고 사리에 맞는 습관적인 기호다"라고 정의하며 "미식은 과도함의 적이다. 폭식·폭음하는 모든 사람은 미식가의 명단에서 제명될 위험을 무릅쓰는 것이다"라고 덧붙였다.[1] 이 책에서 브리야사바랭은 어떤 사람이 '미식가'인지 특별히 언급하지 않았지만 '미식가가 아닌 사람'에 대해서는 이렇게 기술했다. "미각 기관이 섬세하지 못하거나 주의력을 갖고 있지 못하면 가장 맛있는 요리도 맛을 자각하지 못하고 삼키게 되는데, 이러한 자질을 자연으로부터 부여받지 못한 사람들이 있다."[2] 그렇다면 이 설명을 거꾸로 해서 '미식가'란 어떤 사람인지 짐작할 수 있다. 즉 미식가는 미각 기관이 섬세하고 주의력이 있어 맛있는 요리를 자각하면서 먹는 사람이다. 그의 이러한 주장은 1789년 프랑스혁명의 주체로서 부르주아라면 인간의 생물학적 탐식을 통제할 수 있어야 한다는 믿음에서 나왔다.[3]

오늘날 미식가는 음식을 두고 맛을 가려내고 맛이 좋은지 나쁜지 품평을 잘하는 사람을 가리킨다. '미식학(美食學)'을 뜻하는 영어 '가스트로노미(gastronomy)'는 고대 그리스어에서 위장을 가리키는 '가스테르(gastér)'에 지배적인 법칙을 뜻하는 '노모스(nómos)'가 붙어서 만들어진 말이다. 즉 미식학은 먹고 마시는 것에 담긴 자연과학과 사회문화를 연구하는 학문이다. 또 서양 음식에서 매우 고급스러운 요리를 가리키는 '고메이(gourmet)'는 프랑스어로 '미식'을 뜻하는 '구르망디즈(gourmandise)'에서 유래한 말이다. 그러니 맛있고 특별한 음식을 즐기는 일이 미식이라 할 수 있다.

그러나 조선시대 글에는 이러한 의미의 '미식'이나 '미식가'라는 단어가 나오지 않는다. 그 대신에 맛을 안다는 뜻의 '지미(知味)' 또는 '지미자(知味者)'라는 말이 나온다. '지미(知味)'는 고대 중국의 《중용(中庸)》에 실린 공자(孔子)의 말에서 유래했다. 또한 공자는 도(道)가 제대로 행해지지 않는다고 한탄하면서 "사람은 누구나 먹고 마시지만, 그 맛을 제대로 아는 사람이 드물다"[4]고 빗대어 말했다. 공자는 군자라면 먹고 마시는 일을 즐기지 말고 피해야 한다고 보았다.[5] 조선시대 많은 지식인은 공자처럼 살고자 했다. 그러니 그들의 글에 음식 이야기가 자주 나올 리 없다.

하지만 먹고 마시는 일은 인간이 생명을 지속하는 데 없어서는 안 되는 행위다. 이 책에서 조선의 미식가로 소개하는 허균(許筠, 1569~1618)은 "식욕과 성욕은 인간의 본성이요, 특히 식욕은 생명과 관계된다"[6]고 했다. 그런데 "옛 선현들이 먹고 마시는 일을 천히 여겼던 것은 먹는 것을 탐해 이익을 좇는 일을 경계한 것이지, 어찌 먹는 일을 폐하고 음식에 관해서는 말도 꺼내지 말라는 것이겠는가?"[7]라고 강변했다.

유학을 삶의 도리로 여겼던 선비들도 '음식에 관한 이야기'를 문집이나 일기, 편지에 남겼다. 이 책은 조선시대 문헌에서 음식 이야기를 남긴 사람을 가려 뽑아서 그들이 먹고 마셨던 음식 경험과 취향을 정리하고 엮어서 서술했다. 나는 이 책을 쓰면서 조선시대에 쓰인 요리책뿐 아니라 시집·문집·일기·여행기·세시기(歲時記)·편지 등을 비롯해《조선왕조실록》과《승정원일기》같은 역사 기록도 두루 살폈다.

다섯 가지 사건과 시기로 본 한반도의 음식 역사

캐나다 토론토대학 역사문화학과의 제프리 필처(Jeffrey M. Pilcher)는 "맛(taste)을 역사화(historicizing) 하는 일은 식탁의 관점에서 쓰는 음식의 문화사가 추구하는 가장 기본적인 목표"[8]라고 했다. 한 시대에 유행한 '맛'에는 사회적 계층 구조(social hierarchies)가 반영되어 있다.[9] 즉 음식의 역사를 '시대 구분'하기 위해서는 한 사회의 지배층이 향유한 '맛'에 담긴 이데올로기를 파악해야 한다. 한반도에서 전개된 음식의 역사를 살필 때도 이러한 관점을 적용할 수 있다. 나는 한반도의 음식 역사를 살필 때 다섯 가지 사건과 그 시기에 주목해야 한다고 생각한다.

첫 번째는 불교의 유입과 지배층의 육식 기피다. 삼국시대 이후 불교의 유입으로 생겨난 대표적인 계율은 육식 금기다. 지배층에서 불교를 신앙하면서부터 육식 금기가 시작되어 피지배층에까지 널리 퍼져나갔다. 북송의 서긍(徐兢, 1091~1153)은 1123년 고려의 수도 개성에서 한 달간 머물면서 쓴 《선화봉사고려도경(宣和奉使高麗圖經)》에서 당시 고려 왕실의 도축 기술이 매우 서투르다고 적고 있다. "양과 돼지를 잡을 때 다리를 묶어 타는 불 속에 던져 숨이 끊어지고 털이 없어지면 물로 씻는다. 만약 다시 살아나면 몽둥이로 쳐서 죽인다. 그 뒤 배를 갈라 내장을 모두 자르고 똥과 더러운 것을 씻어낸다. 비록 국이나 구이를 만들더라도 고약한 냄새가 없어지지 않는다. 그 서투름이 이와 같다."[10] 즉 부처를 좋아하고 살생을 경계하다 보니 도축 기술마저 서툴러 보일 정도로 육식 문화가 위축되었던 것이다. 하지만 육식을 기피하는 문화는 오히려 나물을 비롯한 채소 음식의 종류와 요리법이 다양해지는 계기가 되었다.

이 책에서 다루지는 않지만 이규보(李奎報, 1168~1241)는 《동국이상국집(東國李相國集)》에서 '음식 이야기'를 여러 군데 남겼다. 이규보는 시와 거문고, 술을 매우 좋아했기 때문에 스스로를 '시금주삼혹호선생(詩琴酒三酷好先生)'이라고 불렀다.[11] 그가 지은 〈국선생전(麴先生傳)〉은 누룩이 술로 만들어지는 과정을 의인화해 쓴 글이다. 〈가포육영(家圃六詠)〉이란 시에서는 집의 텃밭에서 가꾸는 외〔苽〕·가지〔茄〕·순무〔菁〕·파〔葱〕·아욱〔葵〕·박〔瓠〕의 여섯 가지 채소에 대해 읊조렸다. 그중 순무를 읊조린 시에는 각각 간장과 소금에 절인 음식이 나온다. 이외에도 토란〔芋〕·만두〔饅飩〕·게〔蟹〕·쇠고기〔牛肉〕·차(茶), 그리고 막걸리와 청주 계통의 술과 관련된 시도 남겼다. 이처럼 이규보는 사물을 관찰하여 묘사하는 영물시(詠物詩)를 잘 지었는데 음식 이야기를 자주 다뤘다.[12]

두 번째는 원나라 간섭기에 이전까지 위축되었던 육식 문화가 다시 확대되고 새로운 음식이 도입되었다는 점이다. 이를 뒷받침할 만한 확실한 증거는 없지만 이 시기에 몽골의 여러 가지 고기 요리법이 고려 왕

조선의 미식가들

실에 소개된 것으로 추정된다. 1260년대부터 1390년대까지 약 140년 사이에 고려의 지식인 150여 명이 원나라의 수도였던 대도(大都, 지금의 베이징)를 방문했고, 그중 일부는 아예 원나라 관리가 되어 장기간 체류했다. 그 과정에서 증류주인 소주와 두부 등이 한반도에 소개되었다. 또 원나라 황실에서 일했던 고려 여성도 많았기 때문에 상추쌈 같은 고려 음식도 몽골인들에게 전해졌다.

서양 역사학자들은 이 시기를 '팍스 몽골리카(Pax Mongolica, 몽골의 평화)'라고 부른다.[13] 즉 13~14세기에 몽골제국이 유라시아 일대를 정복하면서 사회·문화·경제적으로 안정을 이룬 시기라는 것이다. 음식의 역사에서 보면 이 시기에 유라시아 여러 곳의 식재료와 요리법이 서로 전파되었다. '팍스 몽골리카'의 영향은 고려 말과 조선 초를 살았던 이색(李穡, 1328~1396)의 시에도 담겨 있다. 이색의 《목은시고(牧隱詩稿)》에서는 원나라에서 들어온 두부와 소주에 관한 글이 두드러진다.

세 번째는 고려 말에 유입되어 조선왕조의 통치 이념이 된 성리학의 영향이다. 성리학자들은 조상 제사를 으뜸으로 여기며 예서(禮書)에 나온 대로 제사음식을 마련하여 의례를 치르는 일을 중시했다. 특히 중국 남송의 주희(朱熹, 1130~1200)가 지은 《가례(家禮)》는 각종 가정의례의 예법과 상차림에 중요한 기준이 되었다. 처음 《가례》를 읽은 조선 초기의 사대부들은 이 지침을 그대로 따르기가 쉽지 않았다. 기존의 관습과 제례의 규칙 때문이었다.

조선 초기의 문인 이현보(李賢輔, 1467~1555)는 당시 제례가 일정한 격식 없이 집집마다 달리 행해지는 것을 안타깝게 여기고, 이를 바로잡기 위해 〈제례(祭禮)〉를 저술했다.[14] 이현보는 《가례》의 내용이 당시 조선의 풍속과 달라서 그대로 따르기 어렵다고 보았다. 그래서 《가례》의

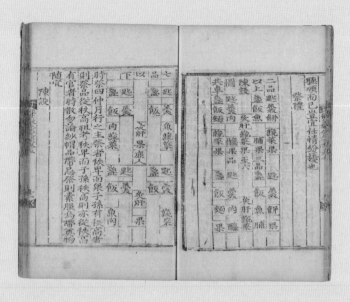

이현보가 지은 《농암선생문집(聾巖先生文集)》 〈잡저(雜著)〉에 나오는 제례의 '진설도'. 제례 음식 중에 서 '밥(飯)+국(羹)'이 중심에 놓여 있다. 서울대학교 규장각한국학연구원 소장.

일부 절차를 생략하고 시속(時俗), 즉 당시의 관습대로 하도록 서술했다. 그가 제시한 '진설도(陳設圖)'는 얼핏 보면 주희의 《가례》에 나오는 제례 상차림 규칙과 비슷해 보이지만 실제로는 약간 다르다. 특히 '반(飯, 밥)'과 '갱(羹, 국)'이 중심에 자리를 잡고 있다. 하지만 17세기 이전에 쓰인 요리책이나 음식 이야기에는 밥과 국에 대한 언급이 많지 않다. 일상적인 음식이라서 그랬던 듯하다.

'밥+국' 다음으로는 술이 중요했다. 이 책에서 소개하는 김유(金綏, 1491~1555)와 김령(金玲, 1577~1641)이 각각 지어 합본한 《수운잡방(需雲雜方)》과 장계향(張桂香, 1598~1680)의 《규곤시의방(閨壼是議方)·음식디미방》(이하 《음식디미방》), 이 두 책은 경상도 양반가의 선비와 부인이 정리한 요리책으로 조선시대 사대부가에서 제사와 손님맞이에 필수적이었던 각종 술 빚는 법이 자세하게 나와 있다. 15세기 중반 세조(世祖, 1417~1468) 때 어의(御醫)였던 전순의(全循義, 생몰년 미상) 역시 민간에서 필요한 농사법을 비롯해 각종 음식의 요리법과 저장법, 술 빚는 법을 《산가요록(山家要錄)》에 적어두었다.

이 책에서 다루는 조극선(趙克善, 1595~1658)은 일기에서 음력 1월 1일을 정조(正朝)라 적고, 이날 아침에 가묘(家廟)에서 제사를 모신 다음, 집안사람들끼리 서로 세배를 하고, 그다음에 조상 묘소에 가서 성묘를 한다고 했다.[15] 이언적(李彦迪, 1491~1553)은 《봉선잡의(奉先雜儀)》에서 《가례》와 기타 의례서, 그리고 당시의 속례(俗禮)를 참조해 제사의식의 절차를 서술하면서, "시속에서 정월 초하루·한식(寒食)·단오(端午)·추석(秋夕)에 모두 묘소에 가서 절하고 청소하므로 지금 폐할 수 없다. 이날 새벽에 사당에 가서 음식을 올린 뒤 묘소 앞에 나아가 전(奠, 묘소 앞에 술과 과일 등을 차리는 일)을 올리고 절을 한다"[16]고 했다. 주희는 《가례》에서 청명(淸明)·한식·중오(重午, 단오)·중원(中元, 음력 7월 15일)·중양(重陽, 음력 9월 9일)을 제사 지내는 명절로 제시했지만, 이언적은 당시 조선의 풍속에 근거해 정월 초하루·한식·단오·추석 때 가묘와 묘소에서 제사를 올린다고 했다. 이 점은 조극선도 마찬가지였다.

성리학의 영향을 받은 조선시대 선비들은 음식의 절제를 중요한 덕목으로 삼았다. 허균을 탐식가로 보는 연구자도 있지만,[17] 엄격하게 말하면 탐식이 아닌 절제의 미식가였다. 그는 자신의 음식 경험을 적은 〈도문대작(屠門大嚼)〉에서 "세상의 현달한 자들이 음식 사치를 끝없이 벌이며 절제하지 못하고 있지만 부귀영화라는 것이 영원할 수 없다는 점에

경각심을 불러일으키고자"[18] 글을 썼다고 밝혔다. 실학자이자 저술가였던 이덕무(李德懋, 1741~1793) 역시 음식을 탐하면 안 된다는 생각을 글로 남겼다. 따라서 두 사람이 남긴 음식 이야기에는 음식에 대한 선비의 태도가 담겨 있다.

네 번째는 17세기부터 본격적으로 시작된 연행사(燕行使)의 청나라 방문이다. 연행사는 연경(燕京, 지금의 베이징)으로 갔던 사신들을 가리킨다. 이들은 연경을 다녀오면서 일기 형식의 '연행록(燕行錄)'을 남겼다. 이 연행록에는 청나라에서 맛보았던 식재료와 음식 이야기가 많이 나온다. 이를 통해 청나라의 신기한 식재료와 음식이 조선의 지식인들 사이에 알려졌다.[19]

이 책에서 다루지는 않았지만, 숙종(肅宗, 1661~1720) 때 인물인 이기지(李器之, 1690~1722)는 아버지 이이명(李頤命, 1658~1722)이 연행사로 연경에 갈 때 따라가 천주당(天主堂, 성당)에서 카스텔라로 여겨지는 서양떡[西洋餠]을 맛보았다.[20] 그가 남긴 연행록 《일암연행일기(一庵燕行日記)》에는 자신보다 먼저 카스텔라를 먹어본 적이 있는 이시필(李時弼, 1657~1724)에 대한 이야기가 나온다. 이기지는 숙종이 말년에 음식에 물려 색다른 맛을 찾자, 어의였던 이시필이 내의원에서 카스텔라를 만들도록 했지만 끝내 좋은 맛을 낼 수 없었다고 썼다.[21] 이시필은 청나라를 다녀온 경험도 있지만, 동래(東萊, 지금의 부산)의 일본인 집단 거주지인 왜관(倭館)에 가서 일본 음식을 맛본 적이 있는데, 그중 건강에 좋은 음식을 《소문사설(謏聞事說)》〈식치방(食治方)〉에 적어두었다. 이 책에서 소개하는 김창업(金昌業, 1658~1721)도 연행사를 따라 연경에 다녀온 인물이다.

다섯째는 최근 서양의 음식 역사에서 중요한 사건으로 꼽히는 '콜럼버스 교환(Columbian Exchange)'의 영향이다. '콜럼버스 교환'은 1492년 크리스토퍼 콜럼버스(Christopher Columbus, 1451~1506)가 아메리카 대륙에 도착한 이후, 아메리카의 감자·옥수수·땅콩·강낭콩·고추·호박·파인애플·카카오·바닐라·토마토 등이 유라시아로 건너오고, 유라시아의 양파·올리브·커피·복숭아·배·바나나·사탕수수·포도 등이 아메리카 대륙으로 건너간 역사적 사건을 가리킨다.[22] 16~17세기 한반도에 들어온 감자·옥수수·강낭콩·고추·호박 등의 식재료는 100여 년의 적응 기간을 거쳐 18세기에 비로소 조선 사람들의 식탁 위에 올랐다. 특히 감자나 옥수수는 하층민의 기근을 해결해주는 중요한 먹을거리였다. 고추역시 18세기에 각종 음식의 양념으로 쓰였다.

이 책에서 자주 언급되는 홍만선(洪萬選, 1643~1715)의 《산림경제(山林經濟)》와 유중림(柳重臨, 1705~1771)의 《증보산림경제(增補山林經濟)》에는 고추가 들어간 요리법이 나온다. 또 이 책에서 본격적으로 살필 이옥(李鈺, 1760~1815), 김려(金鑢, 1766~1822), 홍석모(洪錫謨, 1781~1850), 빙허각 이씨(憑虛閣 李氏, 1759~1824), 여강 이씨(驪江 李氏, 1792~1862)의 글에도 '콜럼버스 교환'을 통해 한반도에 들어온 아메리카 원산지의 식재료를 소비하는 모습이 담겨 있다. 그중 압권은 고추장을 좋아했던 영조(英祖, 1694~1776)와 고추 마니아 이옥이다.

15인의 조선시대 미식가들

나는 이 책에서 다루는 15인을 성리학의 우산 아래에 있었던 사람들로 본다.[23] 그들 중에는 왕도 있고 사대부가의 남성과 여성도 있고 어의도 있다. 이 15인만으로 '조선시대 음식의 역사' 전체를 살피는 데는 한계가 있다. 아마도 이들의 몇 배가 되는 인물들을 다룬다 하더라도 조선시대 음식사를 제대로 살피기는 쉽지 않을 것이다. 더욱이 조선시대 문헌에 나오는 음식 이야기에는 실제로 경험한 일과 그렇지 않은 일이 뒤섞여 있는 경우가 많다. 그래서 구체적인 인물이 실제로 경험한 '음식 이야기'를 살펴 조선시대 식생활의 실체에 조금이라도 더 다가가려는 것이 이 책의 목적이다.

1부에서는 '음식 글'을 각각 한시(漢詩)·일기·세시기의 형식으로 집필한 이색·김창업·홍석모를 다룬다. 이들은 각기 고려 말과 조선 초, 17~18세기, 18~19세기를 살았던 지식인들이다. 비록 글의 형식은 달라도 그들의 음식 경험과 취향을 오롯이 들여다볼 수 있다.

2부에서는 여느 지식인과 달리 음식 자체에 집중해 글을 쓴 허균·김려·이옥을 살핀다. 이들처럼 음식을 대상으로 글쓰기를 한 지식인은 조선시대에 많지 않았다. 이옥은 자신이 산나물과 매운 것을 좋아하는 것이 천성(天性)이라고 했다.[24] 귀양살이를 하던 김려는 박물학적(博物學的) 관심에서 《우해이어보(牛海異魚譜)》를 집필했지만 글 속에는 식욕이 가득하다.

3부에서는 어의와 왕의 음식 경험을 다룬다. 전순의와 이시필은 세조와 숙종의 어의로서 요리책을 썼다. 두 사람이 요리책을 쓴 이유는 달랐지만 어의로서 삶은 큰 차이가 없었다. 사직(社稷)의 운명을 좌우하는 왕의 건강과 장수를 위해 음식에 신경을 쏟으면서 그 기록으로서 요리책을 남기게 된 것이다. 조선시대 왕 중에서 가장 장수한 영조는 음식에 관한 글을 직접 남기지는 않았다. 그러나 《승정원일기》를 통해 영조의 음식 경험과 취향을 살필 수 있다.

4부에서는 스스로 군자임을 자임했던 김유·조극선·이덕무가 남긴 글을 읽는다. 김유가 쓴 요리책 《수운잡방》에서 '수운(需雲)'은 "군자가 잔치를 베풀고 음식을 즐기는 것"이라는 의미가 담겨 있다. 인조 때 문인 조극선은 《인재일록(忍齋日錄)》이란 '독서일기' 사이사이에 짧게나마 자신이 먹었던 음식과 사건들을 기록해 시골 선비의 제사와 식생활을 알려주고 있다. 이덕무는 사대부가의 선비와 아내, 자녀가 갖추어야 할 음식 예절을 가장 적극적으로 주장한 지식인이다.

5부에서는 사대부 여성으로서 한글로 요리책을 쓴 장계향과 빙허각 이씨, 여강 이씨를 다룬다. 최근 많은 연구자는 장계향과 빙허각 이씨가 직접 요리책을 썼기 때문에 부엌에서 손수 해본 요리법을 글로 정리했다고 추정한다. 그러나 그들이 남긴 요리법을 엄밀하게 살펴볼 필요가 있다. 어떤 요리법은 책에서 읽은 내용을 한글로 옮겨 썼고, 어떤 요리법은 부엌에서 실제로 만들어본 것을 정리한 것이기도 했다. 한편 여강 이씨는 집을 떠나 임지에서 살고 있던 남편에게 편지를 보내며 요리법이나 음식의 맛에 대한 이야기를 전했다. 19세기 초·중반 경상도 양반가의 부인이 들려주는 당시 음식 이야기를 편지글을 통해 살필 수 있다.

이 사대부 여성들은 서재에서도 요리법을 궁구하고 부엌에서도 음식을 만들었던 사람들이다. 전근대 시기 여성은 사적 영역에서 요리 행위의 주체였다. 이 책의 1부에서 4부까지 다룬 남성들이 주로 먹는 일에 치중했다면 여성들은 전해 들었거나 직접 만들었던 요리법을 글로 남겼다. 이런 의미에서 사대부 여성들이 쓴 요리법과 음식에 관한 글은 조선시대 지배층의 식생활을 살피는 데 매우 중요한 자료다.

최근에 발간된 책이나 글 중에 조선시대 음식문화사와 관련된 것을 자주 보게 된다. 그러나 조선시대 전체를 관통하는 음식사(飮食史)를 다룬 경우는 드물다.[25] 500년 조선시대를 '음식'이라는 키워드로 훑어내기가 여간 어렵지 않기 때문이다. '음식의 역사' 또한 역사학의 한 분야이므로 음식이나 요리법의 연대기와는 달리 시대적 보편성과 특수성을 설명할 수 있어야 한다. 나는 언젠가 한반도의 음식 역사를 집필할 생각이다. 이 책은 신작로처럼 활짝 펼쳐질 '조선시대 음식의 역사'로 가기 위한 징검다리가 될 것이다.

1부

선비의 음식 체험:
한시로, 일기로, 세시기로

"훈기가 뼛속까지 퍼지니"

이색의 소주

"반 잔 술 겨우 넘기자마자 훈기가 뼛속까지 퍼지니"

술 속의 영특한 기운만 있으면, 어디에 기대지 않아도 되네, 가을 이슬처럼 둥글게 맺혀 밤이 되면 똑똑 떨어지네. 청주의 늙으신 종사(靑州老從事, '오래된 좋은 술'을 뜻함)[1]를 생각하면 웃음이 나오니, 마치 하늘의 별과 같이 뽐내게 만드네. 도연명이 이 술을 맛보면 깊이 고개 숙일 터, 굴원이 맛을 보면 홀로 깨어 있으려 할지. 반 잔 술 겨우 넘기자마자 훈기가 뼛속까지 퍼지니, 표범 가죽 보료 위에 앉아 금으로 만든 병풍에 기댄 기분이네.[2]

이 글은 고려 말과 조선 초의 격변기를 살았던 이색의 《목은시고》에 나온다. 이색을 연구한 역사학자 이익주에 따르면, 이 한시는 이색이

55세였던 1382년(우왕 8)에 썼다. 시의 제목은 〈서린(西隣)의 조판사(趙 判事)가 아랄길(阿剌吉)을 가지고 왔다. 그 이름을 '천길(天吉)'이라고 했 다〉이다. 서린은 고려의 수도 개성의 태평관(太平館) 서쪽에 있던 양온 동(良醖洞)을 가리킨다. 조판사는 고려 말의 문신이었던 조운흘(趙云仡, 1332~1404)이다.

주당이라면 빈속에 술 한 잔 털어 넣었을 때의 느낌, 즉 알코올이 식 도를 타고 쫄쫄 내려가며 위장에 이르는 그 느낌을 알고 있을 것이다. 이색은 그 느낌을 '뼛속까지 퍼진다'고 했다. 더욱이 술맛을 잘 아는 사 람(도연명)과 술 취하기를 거부한 사람(굴원)조차 반할 정도라고 읊조렸 다. 그렇다면 굴원(屈原, B.C. 343?~B.C. 278?)과 도연명(陶淵明, 365~427) 이 살았던 시대에는 이 술이 없었다는 말인가? 도대체 이 술의 정체는 무엇일까? 이색의 표현으로 미루어 이 술은 증류식 소주가 틀림없다.

증류식 소주를 만들기 위해서는 잘 익은 막걸리가 있어야 한다. 이 막 걸리를 가지고 밑술을 거르는데, 술항아리에 싸리나 대오리로 엮어 만 든 둥글고 긴 용수를 박는다. 그러면 용수의 위쪽에 맑은 술인 청주(淸 酒)가 떠오른다. 이것을 조심스럽게 떠내서 밑술로 삼는다.

이 밑술을 증류하려면 소줏고리가 필요하다. 한반도의 소줏고리는 20세기 초반만 해도 지역마다 형태가 약간씩 달랐다. 한반도의 중남부 지역에서 주로 사용했던 소줏고리는 대부분 눈사람 모양처럼 가운데가 잘록하다. 이 잘록한 부분에 주둥이가 달려 있다. 소줏고리를 청주가 담 긴 솥 위에 올려놓고 중간 정도의 세기로 불을 때서 가열하면 청주가 곧 수증기로 변한다. 그다음 소줏고리 윗부분에 올려놓은 자배기에 차가운 물을 채워 넣으면 뜨거운 수증기와 온도 차가 생기면서 위쪽 자배기에 닿은 수증기가 액화된다. 이때 주둥이를 타고 똑똑 떨어져 내리는 액체

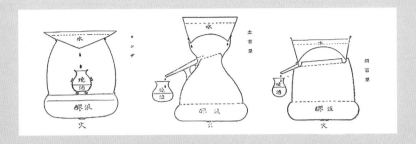

조선총독부의 산하 단체였던 조선주조협회가 조선 술의 역사와 현황을 정리해 발간한 자료집 《조선주조사》(1935)에 소개된 조선식 고리. 왼쪽부터 첫 번째는 '는지'라고 불린 함경북도식 고리다. 옹기로 만든 몸체와 뚜껑으로 이루어졌다. 두 번째는 제일 많이 사용되었던 고리로 옹기로 만들었다. 세 번째는 서울에서 많이 사용한 고리로, 동으로 만들었다. 저자 제공.

가 바로 증류식 소주다. 조선시대 서울의 부잣집에서는 값비싼 놋소줏고리를 사용하기도 했다.

함경북도 사람들은 '는지'라 불린 소줏고리로 소주를 내렸다. 는지는 간장 항아리처럼 생겼는데, 주둥이가 달려 있지 않아서 증류하기 전에 청주가 담긴 솥 위에 발을 깔고 증류액을 모을 단지를 올려놓아야 한다. 또 찬물을 담아 뚜껑처럼 올려놓는 자배기의 모양도 끝이 뾰족한 원뿔형이다. 는지 안의 수증기가 냉각되면 증류액이 자배기의 경사면을 따라 뾰족한 부분에 모여 단지로 똑똑 떨어져 내린다.

"번에서는 아리걸이라고 부른다"

세계 여러 나라에 백주(白酒, 고량주, 중국)·고구마소주(일본)·아르히

(몽골)·보드카(러시아)·브랜디(프랑스)·위스키(스코틀랜드)·테킬라(멕시코) 등의 증류주가 있는데, 모두 증류 과정에 기계가 도입되기 전까지는 함경도의 는지형이나 주둥이가 달린 소줏고리형 증류기 중 하나로 제조되었다. 증류기는 나무·자기·구리 등 지역마다 쉽게 구할 수 있는 재료로 만들었다. 이색이 살던 시대에 사용된 증류기 역시 두 가지 형태 중 하나였을 것이다.

이색이 지칭했던 술 이름 '아랄길'은 본디 땀을 뜻하는 아랍어 '아라크(arrack)'의 한자 표기다. 무더운 날씨에 피부에 땀이 맺히는 모양처럼 증류기에 술이 맺힌다고 하여 증류주를 '아라크'라고 불렀다. 영국의 중국과학사학자 조지프 니덤(Joseph Needham, 1900~1995)은 고대 중국의 증류기술(distillation)이 아랍의 연금술(alchemy)에서 유래되었다고 보았다.[3] 즉 연금술에서 비금속 재료를 가지고 귀금속을 만들 때 쓰던 관이 달린 기구가 있는데, 이것이 바로 술을 내리는 증류기의 원형이라는 것이다. 학교 실험실의 유리 증류기를 떠올려보라.

니덤은 칭기즈칸(Chingiz Khan, 1162~1227)의 몽골제국이 아랍의 연금술용 증류기를 유라시아에 전파했으며, 증류주도 그때 생겨났다고 보았다. 그래서 몽골·중앙아시아·시베리아에 살았던 사람들이 말의 젖으로 만든 술인 쿠미스(kumys)나 아이락(airag)을 증류하여 '아르히(arkhi)'라는 증류주를 만들었고, 이 증류기술이 유라시아 대륙에 퍼져나가면서 황주(黃酒)와 청주에서 소주[4]를, 와인에서 브랜디를, 맥주에서 위스키를 증류했다는 것이다.

그러나 최근 들어 다른 주장도 있다. 미국의 언어학자 댄 주래프스키(Dan Jurafsky)는 무슬림과 중국인의 만남에서 그 연원을 찾는다.[5] 즉 13세기 중반 지금의 인도네시아 자와섬 동쪽에 있던 마자파힛(Madjapahit)

몽골의 민속화가 샤라브(Baldugiin Sharav, 1869~1939)가 그린 〈몽골의 하루(provenance not verified)〉(1912~1913년경 제작)에 증류주 제조법이 묘사되어 있다. 몽골자나바자르기념미술관 소장.

왕국에 아랍과 중국 남방에서 온 상인들이 모여 살았다. 중국인들은 고향에서 즐겨 마시던 황주를 가지고 왔는데, 더운 기후 탓에 못 마실 정도로 쉬어버렸다. 이때 무슬림들이 아랍의 증류법을 알려주어 소주가 만들어졌다는 것이다. 이런 주장을 뒷받침하듯, 원나라 때 목판으로 인쇄한 《거가필용사류전집(居家必用事類全集)》에는 "번(畨, 番)에서는 아리걸(阿里乞)이라고 부른다"[6]는 '남번소주법(南番燒酒法)'이 실려 있다. 여기에서 '번'은 곧 '남번'으로, 오늘날의 동남아시아를 가리킨다. '아리걸'은 '아랄길'의 다른 한자 표기다.

그런데 이색은 시의 제목에서 조운흘이 아랄길을 '천길(天吉)'이라 불렀다고 했다. 이색은 아랄길을 마시면 "마치 하늘의 별과 같이 뽐내게 만드네"라고 감탄했다. 이로 미루어 보면 천길은 바로 소주를 마시고 느낀 기분을 두고 조운흘이 붙인 아랄길의 별칭이 아닐까.

이색과 《목은시고》

이색은 고려 말 원나라 간섭기에 명문가 한산 이씨(韓山 李氏)의 자제로 태어나, 오늘날로 치면 미국의 아이비리그 격인 원나라 국자감에 입학한 최초의 고려인이다. 이색은 1348년(충목왕 4) 3월 21세의 나이로 원나라의 수도 대도에 가서 국자감에 입학했다. 당시 원나라 조정에서 국자감과 관련된 관직에 있던 아버지 이곡(李穀, 1298~1351) 덕분이었다. 이색은 1356년 1월에 완전히 귀국하기 전까지 여섯 차례나 대도와 개성을 왔다 갔다 했다. 그는 유학생과 관리로서 원나라 문화를 체험했던 대표적인 고려 말 지식인이었다.

이색이 살던 당시 고려 사회는 격변기였다. 원나라의 힘이 약해지자 고려는 반원 정책을 펼치면서 동시에 개혁을 시도하고 있었다. 또 불교에서 유교로 문화적 주도권이 넘어가는 '유-불 교체'의 사상적 과도기였다.[7] 여기에 과거에 급제하여 관리가 된 신흥유신(新興儒臣)들이 정치적 주도권을 쥐게 된 시기였다.[8] 이색은 신흥유신의 지도자 중 한 명이었다. 그런데 신흥유신들 사이에서 개혁정치를 두고 입장이 갈리면서 이색의 제자였던 정몽주(鄭夢周, 1337~1392)와 정도전(鄭道傳, 1342~1398)이 대립했다. 그 과정에서 결국 1392년 음력 4월 4일 정몽주가 죽임을 당하고, 이색도 연좌되어 유배를 갔다.

이색이 남긴 수천 편의 시와 글은 1404년(태종 4)에 《목은시고》와 《목은문고(牧隱文藁)》로 편집되어 《목은집(牧隱集)》으로 간행되었다. 비록 새 왕조 개창에 반대한 인물이었지만 이성계가 친구로 여기고 정도전마저도 대학자인 유종(儒宗)으로 받들었기 때문이었을까. 《목은집》은 이색이 세상을 떠난 8년 뒤에 간행되었다. 임진왜란을 거치면서 여러 판본이 소실되어 이색의 10대손이 1626년 8월에 다시 목판본으로 찍어냈다. 오늘날 전하는 시집 《목은시고》는 이때 중간된 《목은집》에 담겨 있다.[9]

《목은시고》에는 증류식 소주는 물론이고 차·두부·팥죽·찰기장밥[粘黍飯]·침채장(沈菜醬, 채소를 간장에 절인 장김치)·밤·홍시·수박 등을 두고 읊조린 100여 편의 '미식시(美食詩)'가 실려 있다. 《목은시고》를 가지고 이색을 연구한 역사학자 이익주는 한시를 통해 이색의 '생각'을 읽어냈다.[10] 나는 여기에 덧붙여 '아랄길'의 사례에서 보았듯이, 《목은시고》에서 그 당시 사람들이 즐겼던 음식의 실체를 파악할 수 있는 단서를 찾아보려 한다.

"하얀 속살은 얼음처럼 시원하고, 푸른 껍질은 빛나는 옥 같구려"

6월이라 여름이 이제 끝나가려 하니, 어느새 서과를 맛볼 수 있겠네. 아들이 근교를 유람하고, 늙은 아비는 집에 있었더니, (아들이 얻어 왔네)[11] 하얀 속살은 얼음처럼 시원하고, 푸른 껍질은 빛나는 옥 같구려. 달고 시원한 물이 폐에 스며드니, 신세가 절로 맑고도 서늘하구나.[12]

신사임당(申師任堂, 1504~1551)이 그린 〈초충도병(草蟲圖屛)〉 가운데 '수박과 들쥐'. 고려 말에 들어온 수박은 당시만 하더라도 일부 계층에서만 즐길 수 있을 정도로 아주 귀한 과일이었다. 국립중앙박물관 소장.

　　〈서과(西瓜)를 먹다. 승제(承制)가 얻어온 것이다〉라는 제목의 이 한시에서는 당시 일부 계층에서 즐겨 먹었던 과일을 만날 수 있다. '서과'는 오늘날의 수박이다.[13] 원산지는 아프리카다. 명나라 때의 서광계(徐光啓, 1562~1633)는 《농정전서(農政全書)》에서 '서과'라는 이름의 유래를 두고 "서역에서 품종이 나왔기 때문에 이렇게 부른다"[14]고 했다. 이 책의 주석에는 당나라 이후인 오대(五代) 때 서역의 회흘(回紇), 즉 지금의 위구르인이 살던 중앙아시아에서 전해졌다고 적혀 있다. 이로 미루어 보아 수박은 10세기경 중국 서북부에서 내륙으로 퍼지기 시작했던 것 같다.

그런데 조선 중기에 허균이 쓴 〈도문대작〉을 보면 "고려 때 홍차구(洪茶丘, 1244~1291)가 처음 개성에다 심었다"[15]라고 나온다. 홍차구는 본래 고려 사람인데, 원나라에 귀화하여 장수가 된 인물이다. 허균의 주장을 따른다면, 중국에 퍼지기 시작한 지 200년이 지나서야 수박이 한반도에 들어온 셈이다. 그러나 《고려사(高麗史)》에는 홍차구의 수박 전래 기사가 보이지 않는다.

다만 홍차구보다 80여 년 뒤에 살았던 이색과 그 시대 사람들이 남긴 기록은 허균의 주장을 뒷받침해준다. 이색의 제자 권근(權近, 1352~1409)은 "형체는 둥글어 모남을 드러내지 않네, 땅 위에 뻗은 덩굴 개미인들 용납하랴, 쟁반에 베어놓으매 파리 또한 오지 않네"[16]라고 읊조렸다.

권근과 비슷한 시기에 살았던 허기(許耆)는 어렵게 약을 보내준 이직(李稷, 1362~1431)에게 수박을 선물하면서 "운 좋게 커다란 수박을 얻었"[17]다고 했다. 그러자 이직은 "수박이 큰 독만 한데, 안부 묻고 선물 보내니 은혜가 남다르네"[18]라고 답시(答詩)를 지었다. 이색 역시 수박을 선물 받고서 "이런 문안 받는 것이 어찌 쉬운 일이겠는가"[19]라고 감동한 적이 있다. 이렇듯 이색은 당시 유행하던 수박에 관해서도 빼놓지 않고 기록으로 남겼다.

"이 땅에서는 이것을 귀하게 여기나니"

이색은 팥죽에 관한 시도 남겼다. 아홉 편에 이르는 팥죽 관련 시 역시 당시 풍속을 잘 전해준다. 1379년 11월 동지에 지은 시 〈팥죽〉이다.

우리나라 풍속에 동짓날 팥죽을 진하게 쑤어, 비취색 사발〔靑瓷〕에 가득 담으면 그 색이 하늘로 날아오르네. 낭떠러지에서 구한 꿀을 여기에 타서 목구멍으로 적셔 내리면, 사악한 기운을 모두 씻고 뱃속까지 적시네.[20]

팥죽을 먹고 사악한 기운을 씻어낸다고 한 이색의 생각은 어디에서 나왔을까? 중국 창강(長江) 중류에 위치한 형초(荊楚) 지역의 6세기경 세시풍속을 기록한 《형초세시기(荊楚歲時記)》에 이런 글이 나온다. "동지일에 팥죽을 쑤어 역질귀신〔疫鬼〕을 물리친다."[21] 그 이유에 대해 중국 고대 신화에 나오는 공공씨(共工氏)의 이야기를 들어 "공공씨의 재주 없는 아들이 동지에 죽어 역질 귀신이 되자 (사람들이) 동지에 팥죽을 쑤어 물리친다"[22]고 풀이했다. 동지에 붉은 팥죽을 쑤는 풍속은 송나라 때가 되면 창강 일대는 물론이고 화북(華北)과 화남(華南)에도 퍼졌다. 이 풍속이 고려 말 지배층 사이에서도 널리 행해졌음을 이색의 팥죽 시에서 확인할 수 있다.

이색은 두부에 관한 시도 다섯 편이나 남겼다. 그중에서 압권은 그의 나이 55세였던 1382년 10월에 쓴 〈대사(大舍)가 두부를 구해 와서 대접하다〉이다.

오랫동안 맛없는 채솟국만 먹다 보니, 두부가 마치 금방 썰어낸 비계 같네, 성긴 이로 먹기에는 두부가 그저 그만, 늙은 몸을 참으로 보양할 수 있겠도다, 오월(吳越)의 객(客)은 농어와 순채(蓴菜)를 생각하고, 오랑캐 사람들의 머릿속엔 양락(羊酪)인데, 이 땅에선 이것을 귀하게 여기나니, 하늘이 백성을 잘 먹인다 하리로다.[23]

이 시에서 '오월의 객'은 바로 서진(西晉)의 장한(張翰, ?~359?)을 가리킨다. 장한은 어쩔 수 없이 관리를 하다가 가을이 되자 고향 강소성(江蘇省) 소주(蘇州)의 맛있는 순챗국과 농어회를 먹겠다는 핑계를 대고 고향으로 돌아갔다.[24] '양락'은 양젖으로 만든 요구르트와 치즈로, 북방 유목민족의 대표 음식이다.

이에 비해 고려 사람들은 두부를 가장 맛있는 음식으로 꼽는다고 했다. 이색이 살던 시대에 두부가 유행했음을 알 수 있는 대목이다.[25] 한시 〈새벽에 한 수를 읊다〉에서는 아예 두붓국 요리법을 적어두었다. "기름에 두부를 튀겨 잘게 썰어서 국을 끓이고, 여기에 파를 넣어서 향기를 보태네, 잘된 멥쌀밥은 기름이 자르르 흐르고, 깨끗이 닦은 그릇들은 눈에 환히 빛나누나"[26]라며 고소하고 시원한 두붓국과 기름이 잘잘 흐르는 멥쌀밥이 놓인 밥상을 실감 나게 묘사했다.

원나라는 몽골제국 중 중국 대륙을 통치했던 나라였다.[27] 몽골제국은 유라시아 대륙 대부분을 통치했기 때문에 중국의 문화가 유라시아의 다른 지역으로 전파되기도 했고, 유라시아의 다양한 문화가 원나라로 유입되기도 했다. 특히 원나라의 수도 대도에는 몽골제국의 온갖 음식문화가 집중되었다. 대도 유학생 출신 이색의 시에 나오는 아랄길·수박·두부는 바로 몽골제국 내부에서 진행된 '남과 북', 또는 '서와 동' 사이의 문화교류가 만들어낸 결과물인 셈이다. 이색의 음식 한시는 몽골제국 시대 문화교류의 영향이 한반도까지 미쳤음을 알려준다.

"돼지고기를 찍어 먹으니
참으로 맛있었다"

김창업의 감동젓

"돼지고기를 찍어 먹으니 참으로 맛있었다"

(저녁에) 장역(張譯)이 소릉하(小凌河)에서 감동즙(甘冬汁) 한 병을 사 왔는데 맛이 아주 좋다고 하는 것을 듣고서, 바로 가져오라고 했다. 그 즙이 기름처럼 맑았는데, 돼지고기를 찍어 먹으니 참으로 맛있었다.[1]

이 글은 1712년(숙종 38) 음력 11월에 사은 겸 동지사(謝恩兼冬至使) 의 일원으로 연경을 다녀온 김창업이 쓴《노가재연행일기(老稼齋燕行日 記)》의 일부다. 이 글을 쓴 날짜는 1712년 음력 12월 14일이다. 이날 사 신 일행은 소릉하를 지나 고교포(高橋鋪, 지금의 중국 랴오닝성遼寧省 후루 다오시葫蘆島市 소재)에 묵었다.

이 일기에 나오는 '장역'은 '한학상통사(漢學上通事)', 즉 중국어 통역

관인 장원익(張遠翼, 1654~?)이다. 장원익은 김창업을 많이 따랐던 모양이다. 이날 저녁 늦게 장원익과 유봉산(柳鳳山, 황해도 봉산군 군수 출신으로 추정)이 김창업의 방에 찾아와 이런저런 이야기를 나누었다. 이야기 중에 소릉하에서 사온 '감동즙'이 맛있다는 말이 나오자, 김창업은 장원익에게 바로 가져오라고 청했다.

도대체 감동즙은 어떤 음식일까? 김창업은 이틀 전인 음력 12월 12일 일기에 "자하젓〔紫蝦醢〕을 파는 자가 있었는데, 우리나라에서는 '감동(甘冬)'이라고 부르는 것이다. 젓 속에 담근 오이가 굉장히 컸다"[2]라고 썼다. 이 글로 미루어 보아 감동즙은 젓갈의 일종임을 확인할 수 있다. 국물이 젓갈보다 넉넉하여 즙이라고 불렀던 듯하다. 김창업은 감동즙이 '자하젓'과 같다고 했다. 자하젓은 자하(紫蝦)로 담근 젓갈을 말한다. 자하는 갑각류의 한 종류로, 생김새가 새우와 비슷하지만 크기는 겨우 1~2센티미터에 지나지 않는다. 갑각의 색이 자주색이라서 '자하'라는 이름이 붙었다. 우리말로는 '곤쟁이'라고 하며, 젓갈 이름도 '곤쟁이젓'이라고 부른다.

《세종실록》〈지리지〉에서는 경기도 남양만(南陽灣)을 비롯하여 황해도의 해주(海州)와 연안(延安)의 바닷가에서 자하가 난다고 기록하고 있다.[3] 즉 조선 초 한반도의 황해 중부에서 자하가 어획되었음을 알 수 있다. 그런데 김창업은 《노가재연행일기》의 서론에 해당하는 〈산천풍속총록(山川風俗總錄)〉에서 "대릉하(大陵河)와 소릉하의 것이 맛도 좋고 흔했다"[4]고 적고 있다. 한반도의 황해에서 주로 나는 자하가 중국 발해만의 제일 북쪽인 대릉하와 소릉하가 흘러드는 능해(凌海)에서도 어획된다는 말이다.

자하젓의 다른 이름으로는, 이만영(李晚永, 1748~?)이 《재물보(才物

譜)》(1798)에서 새우[鰕]의 한 종류로 '노하(鹵鰕)'를 언급하면서, 한글로 '권쟝이'이며 민간에서는 '자하'라고 한다고 남긴 기록이 있다.[5] '권쟝이'는 한자로 '권정(權丁)'이라고도 적었다. 그것이 지금의 '곤쟁이'가 된 것이다.

김창업은 대릉하와 소릉하의 자하젓을 '감동젓[甘冬醢]'이라고도 적었다. '감동(感動)'을 받을 정도로 맛이 좋아서 '감동젓'이 되었다는 설도 있다.[6] 이렇듯 감동즙은 자하젓·감동젓·곤쟁이젓 등으로 불렀다. '감동유(甘冬油)'도 감동젓의 또 다른 이름이다.

1924년에 출판된《조선무쌍신식요리제법(朝鮮無雙新式料理製法)》에는 감동젓을 담그면 위쪽에 기름 조각이 떠오르는데, 이를 '감동유'라고 부른다고 적혀 있다.[7] 그러면서 고기를 지져 먹거나 육회를 먹을 때 이 감동유를 조금 떠서 먹으면 맛이 달고 고소한 것이 참기름 같다고 했다. 또《조선무쌍신식요리제법》에서는 "장흥이나 해주에서 (감동젓을) 담글 때 떠내어 모아둔다. 얼마나 귀한가 하면 감사에게 귀한 것을 모르고 더 드리려 했다가 (모자라) 감사도 못 얻어먹었다고 한다. 먹어본 사람이 본토 사람 외에 다른 사람은 매우 드물다"[8]고 했다. 인용 출처를 밝히지 않아 언제 적 이야기인지 알 수 없지만, '감사'라는 단어가 나오니 조선시대 이야기인 듯하다.

김창업은 감동즙이 "기름처럼 맑았"다고 했다. 이렇게 귀한 감동유에다 돼지고기를 찍어 먹었으니, 김창업은 대단한 호사를 누린 셈이다. 그것도 중국 땅에서 말이다. 그래서 그는 그 맛을 '최미(最美)', 즉 "참으로 맛있었다"라고 적었던 것이다.

"우리나라에서 사로잡혀온 사람들에게서 나와서 퍼진 것이다"

김창업은 소릉하에서 파는 '자하젓(감동즙)'을 두고 "젓 속에 담근 오이가 굉장히 컸다"고 했다. 그렇다면 자하젓은 단지 자하를 소금에 절인 젓갈 자체가 아니라는 말이다. 젓 속에 큰 오이가 들어 있다고 했으니, '오이자하젓'이라고 불러도 무방할 듯하다. 이와 비슷한 내용이 1426년(세종 8) 음력 6월 16일자 《세종실록》에도 나온다. 명나라 사신 백언(白彦)의 요청으로 영접도감(迎接都監)에서 "어린 오이와 섞어 담근 자하젓 두 항아리"[9]를 보냈다고 나온다.

김창업은 귀국길이던 1713년 음력 2월 29일자 일기에서 "대릉하에 도착하니 거리에서 '감동'을 팔고 있는 사람이 갈 때보다 훨씬 많았다. 일찍이 중국에 이런 물건이 있다는 소리를 들은 적이 없는데, 유독 이곳에서만 이처럼 많고 흔하니, 그 요리법은 틀림없이 우리나라에서 사로잡혀온 사람들에게서 나와서 퍼진 것이다"[10]라고 했다.

병자호란 이후 많은 조선인이 청나라의 포로가 되어 심양(瀋陽, 선양)과 연경 일대에 끌려와 있었다. 김창업의 증조부인 김상헌(金尙憲, 1570~1652)도 청나라에 반대하다가 심양으로 압송되었다. 김창업은 그때 포로로 잡혀온 조선 사람들이 자하젓을 퍼뜨렸다고 생각한 듯하다. 그렇다면 조선시대 요리책에 자하젓 요리법이 있지 않을까?

김창업보다 40여 년 뒤에 활동한 영조 때의 의관(醫官) 유중림은 《증보산림경제》(1766)에서 자하젓 만드는 법을 이렇게 적어두었다.

젓갈로만 담가 먹는데, 먼저 전복·소라·오이·무(네 조각으로 썰면 된다)를 마련하여 소금을 많이 뿌리고 갈무리해둔다. 자하가 날 때를 기다려서 소금에 절여둔 네 가지 재료를 가져다가 소금기를 뺀다(짠맛을 조금 남겨둔다). 자하도 여느 방법대로 소금을 뿌리고, 네 가지 재료와 함께 항아리에 켜켜이 넣는다. 다 담고서 기름종이로 항아리 입구를 단단히 막아 땅속에 묻는다. 뚜껑을 꼭 덮고 다시 항아리 입구를 잘 타고 남은 재로 둘러 바르고 흙을 덮어 묻는다. (이렇게 하면) 개미는 물론 비와 습기도 막을 수 있다. 오래도록 두었다가 먹으면 더욱 맛있다.[11]

이 요리법은 이후 한문으로 편찬된 대부분의 요리책에서 인용되었다. 이쯤에서 김창업이 중국에서 자하젓을 먹어보고 "젓 속에 담근 오이가 굉장히 컸다"고 남긴 소감을 상기할 필요가 있다. 전복·소라·오이·무에 자하젓을 버무려 담근, 《증보산림경제》에 소개된 자하젓은 김창업이 중국에서 맛본 자하젓과 달리 좀더 다양한 맛이 우러났을 것이다. 그러나 18세기 이후 이 요리법이 얼마나 널리 쓰였는지는 확인할 길이 없다.

최근 세상에 알려진 일명 《주초침저방(酒醋沈菹方)》[12]이란 국한문 혼용 필사 요리책에도 《세종실록》에 나온 자하젓처럼 어린 오이를 소금물에 절였다가 물기를 반 정도 뺀 다음 자하젓에 버무려 담그는 요리법이 적혀 있다.[13] 요리법 이름도 '감동저(甘動菹)'라고 되어 있다. 국어학과 서지학을 전공한 학자들의 연구에 따르면 이 책은 늦어도 17세기 초반 이전에 필사된 것이라고 한다.

김창업의 글과 여타 요리책을 통해 자하젓(감동젓) 요리법의 역사를 추정할 수 있다. 먼저 16세기까지는 일반적으로 어린 오이를 함께 넣어 담그는 방법으로 자하젓을 만들었다고 볼 수 있다. 세종 때 어린 오이를 넣은 자하젓을 요청했던 명나라 사신 백언은 본래 조선인이었고, 본가가 수원에 있었다.[14] 그렇다면 혹시 백언이 어린 시절에 수원과 가까운 황해안 쪽에서 나는 자하젓을 즐겨 먹었기 때문에 명나라 사신으로 조선에 왔을 때 자하젓을 요청했던 것이 아닐까? 《세종실록》에서는 이런 배경을 강조하기 위해 '어린 오이'라는 내용을 적어놓았을지도 모른다. 17세기 초반 이전에 필사된 《주초침저방》에 나오는 '감동저' 역시 어린 오이를 넣은 자하젓이다. 어린 오이를 구하지 못할 경우 김창업이 소릉하에서 맛보았던 것처럼 큰 오이를 넣어 자하젓을 담갔을 것이다.

한편 유중림이 기록한 자하젓 요리법은 18세기 중반 왕실의 요리법일 가능성도 있다. 유중림은 조선식이거나 민간의 요리법이면 해당 부분에 '속방(俗方)'이라고 써놓았는데, 자하젓 요리법에는 이런 표시가 없다. 숙종 대 이후 대동법이 전국적으로 시행되면서 왕실의 재정도 넉넉해졌다. 그 덕분에 왕실의 주방에서는 오이뿐 아니라 전복과 소라, 무도 넣어 자하젓을 화려하게 담그지 않았을까? 유중림이 왕실의 의관이었던 점도 이런 추정을 가능하게 한다. 19세기 이후 해주에서는 전복·소라·오이 없이 무채만 넣고 담근 '무채감동젓'이 등장했고, 20세기 초반에는 자하젓과 양념을 넣어 버무린 '감동젓깍두기'가 서울을 중심으로 만들어졌다.

김창업과 《노가재연행일기》

김창업의 증조부 김상헌은 인조 때 청나라에 맞서 싸울 것을 주장한 척화파의 거두였다. 그뿐만 아니라 김창업의 집안은 부친 김수항(金壽恒, 1629~1689)의 3형제, 그리고 김창업의 6형제가 후세로부터 '삼수

요리연구가 김숙년(1934~2018)이 만든 감동젓깍두기. 여느 깍두기와 달리 무를 납작하게 사각형으로 썰고, 먼저 자하젓으로 버무린 다음에 양념하여 만든다. ©주영하

육창(三壽六昌, '수壽' 자와 '창昌' 자 항렬 양대에서 가장 출중했던 9인)'이라고 불릴 정도로 벼슬이나 학문으로 이름을 날렸던 명문가였다. 그런데 1689년(숙종 15) 후궁 소의 장씨(昭儀 張氏)의 소생을 원자로 정호(定號)하는 문제로 남인이 서인을 몰아낸 기사환국(己巳換局) 때 김수항이 유배되어 진도에서 사약을 받았다. 김수항은 자식들에게 벼슬에서 요직을 피하고 학문에 전념하라는 유언을 남겼다.

김창업의 형제들은 부친의 유언을 지키려 노력했다. 김창업 역시 1681년 24세에 진사(進士)가 되었지만, 부친의 유언에 따라 벼슬길에 나아가지 않았다. '가재(稼齋)'라는 김창업의 호(號)에는 농사지으며 살겠다는 그의 각별한 의지가 담겨 있다. 그러나 1694년(숙종 20) 폐비 민씨 복위에 반대하던 남인이 실권하고 소론과 노론이 재집권한 갑술환국

(甲戌換局) 이후, 이 명문가의 형제들에게 중앙 정계로 복귀해달라는 요청이 빗발쳤다. 장남 김창집(金昌集, 1648~1722)은 1695년에 철원 부사를 맡으면서 중앙 정계 복귀 요청을 무마하려 했지만, 계속된 요청에 결국 1700년 봄에 예조 참판, 1701년에 호조 판서가 되었다. 그리고 1712년 음력 6월 23일, 같은 해 음력 11월에 출발할 '사은 겸 동지사'의 정사(正使)로 임명되었다.

조선시대 연행사의 정사와 부사(副使), 서장관(書狀官)은 아들이나 동생, 조카 등 친인척 한 명을 수행원으로 데려갈 수 있었다. 이들의 공식 자격은 '자벽군관(自辟軍官)' 또는 '자제군관(子弟軍官)'이다. 김창집은 중병을 앓은 지 얼마 되지 않아 아들이든 누구든 수행원이 필요한 상황이었다. 그런데 50대 전후의 형제들 모두가 가고 싶어 했다. 처음에 셋째 김창흡(金昌翕, 1653~1722)이 가겠다고 나섰다가 그만두었고, 결국 넷째 김창업이 가게 되었다.

김창업은 '타각(打角)'의 직책을 맡는 것으로 임금의 재가를 받았다. 타각은 사신의 행차에 쓰는 모든 기구를 감독하고 지키는 직책으로 공식 행차 때 군복을 입었다. 주위 사람들은 군복을 입고서라도 중국에 가려는 김창업을 조롱했다. 친구들도 만류했다. 그러나 김창업은 일생에서 다시 없을 중국행 기회를 포기할 수 없었다. 증조부가 구금되었던 땅, 책에서만 보아온 유적지와 명승지, 김창업은 직접 현장에 가보고 싶은 마음이 간절했다. 결국 55세의 적지 않은 나이에 주위의 조롱을 무릅쓰고 큰형의 연행을 따라나섰다.

김창업은 귀국 후에 9권 6책의 문집 체제로 연행일기를 엮었고, 책 제목을 《가재연행록(稼齋燕行錄)》이라고 지었다. 그런데 책의 각 권에는 《노가재연행일기》라는 제목을 적었다. 이 책이 일기임을 강조하기 위해서일 것이다. 수백 권이 넘는 조선시대 연행록과 구분하기 위해 학자들은 대부분《노가재연행일기》라고 부른다.[15]

김창업은 제1권의 〈왕래총록(往來總錄)〉에서 자신의 여정을 "임진년(1712, 숙종 38) 11월 3일에 서울을 떠나서 22일에 의주에 도착하여 나흘을 묵었다. 26일에 강을 건너 12월 27일에 북경(연경)에 도착했고, 옥하관(玉河館)에서 46일을 지냈다. 2월 15일 귀국길에 올라 3월 13일 다시 강을 건넜고, 30일에 서울에 들어왔다"고 간추렸다. 그러면서 "왕복 5개월, 날짜로 146일"을 여행했다고 전체 기간을 밝히고, 다닌 거리도 계산하여 "서울에서 의주까지 1,070리, 의주에서 북경까지 1,949리, 합하여 3,039리다. 북경에서의 나들이와 도중의 유람 및 우회한 거리가 또 653리다"[16]라고 적고 있다. 주로 말을 타고 이동했으며, 유람할 때는 노새를 빌려 타기도 했다. 자동차로 다녀온다고 해도 만만찮은 여정이다.

게다가 김창업은 여행 중에 하루도 빠짐없이 일기를 썼으니 매우 성실한 여행가라 할 수 있다. 매일의 일기는 날짜와 그날의 간지(干支), 날씨를 기록하는 것으로 시작된다. 다음에는 어디에서 언제쯤 출발했고, 아침이나 점심을 어디에서 먹었으며, 도착한 곳과 숙소가 어디인지를 적었다. 이러한 기본 사항들은 하루도 빠지지 않고 매일 기록했다. 그다음에 나오는 내용은 여정에서 있었던 일과 만난 사람, 현지인과 나눈 대화 등이다. 또 자신의 생각을 갈무리하는 것도 빼놓지 않았다. 심지어 방문한 사찰과 유적지, 숙소에 걸려 있는 시를 옮겨 적기도 했다. 시를 잘 지었던 김창업은 여행 중에 402수를 지었다. 이 시들은 김창업의 문집인《노가재집(老稼齋集)》에 실려 있다.

"오늘 죽통에 넣어두었던 초장을 꺼내어 먹었다"

김창업이 연행을 떠나던 날, 바로 아래 동생 김창즙(金昌緝, 1662~1713)
은 여행 안내서 세 가지를 챙겨주었다. 여행길에 있는 명산·대천(大川)·
고적이 기록된 책과 이정구(李廷龜, 1564~1635)의 여행기《각산여산천산
유기록(角山闆山千山遊記錄)》,《여지도(輿地圖)》중 〈의주북경사행로(義
州北京使行路)〉한 장이다. 김창업은 도중에 이 자료들을 보고 지리를
확인하고, 간혹 본진에서 떨어져 나와 명산대천을 유람하기도 했다. 그
는 여행 안내서들과 함께 단검·호리박·가죽주머니도 챙겼다. "호리박
에는 술을 담고 가죽주머니엔 붓과 벼루, 요기할 음식을 넣었다."[17] 붓과
벼루는 현지인과 필담을 나누거나 메모를 할 때 사용했다.

김창업은 간식거리로 전복·쇠고기·꿩고기·홍합·대추·인삼 등을 말
린 것을 준비했고 전약(煎藥)·약과(藥果)·청심원(淸心元)도 챙겼다. 아
마도 매일 아침 길을 나설 때마다 그중에서 몇 가지를 가죽주머니에 덜
어 넣었을 것이다. 김창업은 간식거리를 현지에서 만난 중국인에게 선
물로 주기도 했다. 어느 중국인은 전약과 약과를 선물로 받고서 그 만드
는 방법을 묻기도 했다. 간식거리 중에서 특히 청심원이 인기였다. 청심
원을 받은 중국인들은 약효가 좋다고 칭찬을 아끼지 않았다.[18]

조선 후기 연행사의 규모는 많게는 500여 명, 적게는 250여 명이었다.
이와 같은 대규모 인원이 4~5개월 동안 먼 거리를 이동하기란 결코 쉽
지 않았다. 그래서 효율적으로 이동하고, 숙소와 식사 문제 등을 원활하
게 해결하기 위해 삼사(三使, 정사 1인과 부사 2인)의 경우 35인 내외로 구
성된 '방(房)'을 각각 조직했다. 정사인 김창집의 조직은 '상방(上房)'이
라 불렸는데, 여기에는 김창업을 포함해 36인이 소속되었다.

한 개의 방에는 군관·역관·의관·인로(引路, 길 안내자)·건량마두(乾糧馬頭)·주자(廚子)·마부·노비 등 업무별 담당자가 배속되어 연행을 도왔다. 이 중 '건량마두'는 사신의 양식을 싣고 가는 역마를 담당했다. 김창업이 소속된 상방의 건량마두는 용천(龍川, 지금의 평안북도 용천)의 관노 한 명이 맡았다. '주자'는 요리사로 지방 관아의 소주방(燒廚房, 음식 만드는 부서)에 소속된 노비가 차출되었다. 김창집의 상방에는 곽산(郭山, 지금의 평안북도 정주)과 선천(宣川)에서 관노 두 명이 차출되었다.

압록강을 건너서 중국 땅에 도착하면 주자 두 명이 미리 지급받은 은화로 현지의 식재료를 구입하여 식사 준비를 했다. 간혹 구입 과정에서 청나라 상인에게 속아 과도한 지출을 하는 경우도 있었고, 구입한 식재료의 값을 높게 보고하고 중간에 착복하는 일도 있었다. 이러다 보니 귀국길에 식재료비가 거덜 나서 식사 준비를 못하는 일도 생겼다. 그래서 '삼사'는 물론이고 따라가는 사람들도 개인적으로 먹을거리를 싸가야 했다.

1713년 음력 1월 3일 연경에 머물던 김창업은 일기에 이렇게 썼다.

오늘 죽통에 넣어두었던 초장(炒醬)을 꺼내어 먹었다. 올 때에 역관들이 초장은 맛이 쉽게 변해서 먹을 수 없다 했다. 하지만 나는 큰 죽통 한 마디를 둘로 잘라, 각각에 초장을 넣은 뒤, 모두 입구를 막고 다시 전과 같이 (하나로) 합쳐서, 종이로 바깥을 발라 바람이 들어가지 않게 했다. 마침내 꺼내보니 맛이 조금도 변하지 않았다.[19]

'초장(炒醬)'의 한자를 보면 '볶은 장'이지만, 김창업의 글로는 고추장인지 된장인지 무엇을 볶았는지 확인하기 어렵다. 이후에 나온 요리책에서도 초장 또는 볶은 장의 요리법은 한글로 쓰인 《주식시의(酒食是儀)》에만 나온다. 제목은 '장 볶는 법'이다. 주재료는 같은 분량의 고추장과 쇠고기다. 솥 밑바닥에 다진 쇠고기를 깔고 그 위에 고추장을 올린다. 맛이 짜질 수 있으니 물을 약간 붓고, 식성에 따라 꿀도 친다. 거기에 파와 생강을 다져 조금 넣고 기름도 많이 부어 약한 숯불에 볶으면서 눋지 않도록 자주 저어준다. 끓어오르면 불을 줄이고 고운 실깨를 넣고 볶아서 완성한다.[20]

《주식시의》는 대전의 은진 송씨(恩津 宋氏) 동춘당(同春堂) 송준길(宋浚吉, 1606~1672)의 둘째 손자인 송병하(宋炳夏, 1646~1697)의 집안에서 내려오다 최근에 공개된 요리책이다. 학자들은 이 책이 19세기 초에 쓰인 것으로 추정한다. 그런데 주목할 부분은 김창업의 집안과 송준길 집안이 학파도 당파도 같다는 점이다. 아직 확실한 근거 자료를 확보하지 못했지만, 이 정도 인연이라면 미루어 짐작건대 《주식시의》의 장 볶는 법으로 김창업이 싸 간 초장을 만들었을 가능성이 있다.

김창업은 연경에서 술도 직접 담갔다. 1713년 음력 1월 7일자 일기를 보면, 김창업은 연경의 숙소에서 백화주(百花酒)의 밑술을 만들어 중국식 온돌인 캉(炕, 실내 한쪽에 벽돌을 쌓아 바닥 일부분만 난방을 하는 온돌시설) 위에 두고 익혔다.[21] 사람들은 연경의 물맛이 좋지 않아 술이 잘되지 않을 것이라고 하면서 말렸다. 김창업 역시 걱정이었다. 술을 빚는다고 쳐도, 중국의 술독이 조선의 독과 달리 밑이 좁고 위가 넓으며 두께도 두꺼워 술이 잘 익지 않을 수도 있었다.

김창업이 살던 시대에 편찬된 요리책을 보면 백화주 빚는 법은 두 가지가 나온다. 18세기에 쓰인 것으로 추정되는 《주방문초(酒方文鈔)》에는 쌀과 누룩, 그늘에 말린 여러 가지 꽃으로 빚고, 《주식방문(쥬식방문)》

에는 쌀과 누룩, 밀가루로 빚는다고 했다. 김창업은 일기에 "올 때 백화주방(百花酒方)을 베껴 가지고 왔다"[22]고 썼는데, 어떤 책이었을까?

아마도 《주식방문》일 가능성이 크다. 국립중앙도서관에 소장된 《주식방문》은 '안동 김씨 노가재공'과 '유와공(牖窩公) 종가 유품'이라는 글이 적혀 있어 김창업 집안에 전하던 요리책임을 확인할 수 있다.[23] '노가재'는 김창업이고, '유와공'은 그의 증손자 김이익(金履翼, 1743~1830)이다. 이 책에 적힌 '백화춘 술방문'이 바로 김창업이 연행을 떠날 때 베껴 간 백화주 제조법일 가능성이 있다. '백화춘'의 '춘(春)'은 술을 뜻한다.

백미 한 말 매우 씻어 하룻밤 담갔다가, 이튿날 작말(作末, 가루로 만듦)해놓고 끓인 물 세 병을 풀어 덩이 없이 주물러 익게 쑤어 채우고, 가루누룩 한 되, 진말(眞末, 밀가루) 한 되, 좋은 술 한 보(보시기)를 넣어두었다가, 3일 만에 백미 두 말을 정히 씻어 매우 쪄 채우고, 밑술에 버무려 넣되 가루누룩 다섯 홉 넣고 물 여섯 병을 넣고, 맵게(독하게) 하려면 한 병을 덜 넣으라, 익은 후에는 물을 더 붓지 말라.[24]

만약 이 제조법을 베껴 갔다면, 김창업은 서울 집을 떠나면서 가루누룩을 챙겨 갔을 것이다. 그런데 걱정은 현실로 다가왔다. 1713년 음력 2월 8일자 일기를 보면, 밑술을 담근 지 32일이 지났는데도 익지 않았다. 그래서 며칠 전에 중국의 청주인 계주주(薊州酒) 두 잔을 술에 넣었더니 이날에서야 비로소 약간의 변화가 생기기 시작했다.[25]

김창업은 1713년 음력 2월 14일 저녁에 술독에서 술을 퍼서 맛을 보고 매우 기뻤다. 술맛이 좋았기 때문이다. 그는 역관 장원익에게 술지게미도 거르지 않은 채 한 사발을 보냈다.[26] 이렇게 어렵게 백화주를 만들었는데, 아쉽게도 다음 날인 15일에 연경을 떠나야 했다. 어쩔 수 없이 술독에서 술을 퍼서 일행들에게 나누어주었더니 다들 맛있다고 칭찬이 자자했다.[27] 김창업 자신도 직접 빚은 백화주가 아까워 황제에게 하사받은 병에 술지게미도 거르지 않고 그대로 담아서 말안장에 매달았다. 다음 날 숙소에서 형 김창집에게도 마시라고 권하고 자신도 마셨다.[28]

"나는 일찍이 그 맛이 좋음을 알았기 때문에 연거푸 두 잔이나 마셨다"

이쯤 되면 해외여행을 가면서 고추장이나 깻잎장아찌 따위를 짐 속에 챙겨 넣는 요사이 한국인과 김창업 일행이 다를 바 없어 보인다. 그렇다고 김창업이 중국에서도 조선 음식만 찾았다고 생각하면 오해다. 그는 여행 중에 중국 음식이 나오면 꼭 먹어보았고, 조선 음식과 비교해보며 맛을 음미한 소감을 일기에 남겼다.

의주에서 심양을 향하는 중이었던 1712년 음력 12월 12일, 김창업은 시장에서 파는 국수가 맛있다는 말을 듣고 사 오라고 했다. 그리고 먹어본 소감을 이렇게 적었다. "가늘고 길게 이어진 이곳의 국수는 모두 밀가루로 만드는데, 그 맛이 메밀국수보다 훨씬 좋았다."[29] 조선에서는 겨울에 밀가루를 구하기가 어려워 주로 메밀가루로 만든 거칠거칠한 국수를 먹어왔을 터, 김창업이 한겨울 연행길에 먹어본 중국 밀국수는 부드럽고 특별한 맛이었을 것이다.

연경 가는 길에 묵었던 사하(沙河, 지금의 중국 랴오닝성 선양시 남부)의 중국인 민박집에서 먹은 식사는 모두 중국 음식이었다. 집주인이 감귤(柑橘)·증정(橙丁, 채 썬 오렌지를 설탕에 조린 음식)·민강(閩薑, 채 썬 생강

18세기 청나라 건륭(乾隆) 연간에 제작된 〈만국래조도(萬國來朝圖)〉 부분. 여러 나라 사신들이 정초에 황제를 조회하는 의식을 그린 그림이다. 왼쪽 아래 코끼리 뒤에 선 일행이 조선 사신단이다. 베이징고 궁박물원 소장.

을 설탕에 조린 음식)·개암·수박씨·산사정과(山査正果, 산사로 만든 정과)·
돼지고기·계란 등 열 접시 정도의 음식을 대접했다. 김창업은 이 음식
들이 "매우 정교하고 맛있었다"라고 평가했다. 또 집주인은 술도 한 항
아리 대접했다. "물처럼 맑으면서 약간 푸른색을 띠었다. 향이 강했지만
맛은 순했다." 김창업은 연거푸 네 잔이나 마셨지만 그리 취하지는 않았
다. 이것을 두고 김창업은 "하기야 잔이 작아서 한 잔이라야 우리나라의
반 잔"에 지나지 않기 때문이라고 했다.[30]

의주에서 심양, 심양에서 산해관까지 가면서 먹은 현지 음식은 그런

대로 입에 맞았다. 여행 중에 간혹 조선의 김치와 비슷한 배추김치·동치미·갓김치도 먹을 수 있어서 연행사 일행은 음식 때문에 고생하는 일이 적었다. 그러나 연경에 도착해서는 사정이 달라졌다. 특히 황제를 알현하기 위해 방문한 자금성(紫禁城)에서 대접받은 음식이나 음료는 유목민족인 만주인 특유의 식성을 따른 것이라 조선 사신들의 입맛에는 잘 맞지 않았다. 그러나 김창업은 다른 사신들과 달리 이런 음식들에 호기심을 보였다.

1713년 음력 1월 1일 자금성에 황제에게 세배를 하러 가서 있었던 일이다. 아직 해도 뜨지 않은 새벽녘 오경(五更, 새벽 3~5시 사이)에 자금성으로 향한 조선 사신단은 자금성 안의 서정(西庭)에 자리를 잡고 앉아서 하례식 차례를 기다리고 있었다. 얼마 뒤에 청나라 관리가 조선의 역관을 시켜 세 사신에게 청차(青茶)를 내오고, 이어 타락차(駝酪茶)를 큰 병으로 하나 보내왔다. 청차는 오늘날의 우롱차(烏龍茶)와 같은 것으로 그런대로 마실 만했지만, 문제는 이어서 나온 타락차였다. 정사 김창집과 부사 두 사람은 마실 엄두를 내지 못했다.[31]

타락차는 찻잎을 끓인 물에 소나 양의 젖에서 얻어낸 유지방과 소금 따위를 넣고 만든 '수유차(酥油茶)'다. 12세기경부터 중국 변방의 유목민족 지배층에서 차를 마시는 기호가 생겨났다. 하지만 자신들의 땅에서는 차나무가 자라지 않아 남방에서 생산된 전차(磚茶, 벽돌 모양으로 압착한 덩어리 차)를 말과 맞바꾸어 찻잎을 확보했다. 이렇게 어렵게 구한 찻잎을 아껴 먹기 위해 개발된 것이 바로 수유차다. 청나라 황실의 만주인은 물론이고, 그들과 혼인하여 황족이 된 몽골인, 황실 불교의 승려인 티베트인 들은 모두 수유차를 즐겼다.

오늘날 한국인들 중에도 수유차, 즉 타락차를 잘 못 마시는 사람이 많다. 그러니 왕을 비롯해 몇몇 특별한 경우를 제외하고는 평생 유제품이라곤 맛도 보지 못했던 조선시대 사람들이야 오죽했겠는가? 그런데 김창업은 "나는 일찍이 그 맛이 좋음을 알았기 때문에 연거푸 두 잔이나마셨다"[32]고 했다. 대단한 식성이 아닐 수 없다. 《노가재연행일기》를 읽다 보면 곳곳에서 김창업의 이런 호기심을 발견할 수 있다.

17세기 후반 이래 조선의 선비들은 기회가 생긴다면 연행사의 일원이 되어 중국에 가고 싶어 했다. 공자·맹자·주자의 고향이자 서양 문물로 가득한 중국, 특히 수도 연경은 조선의 지식인들에게 '법고창신(法古創新)'의 땅이었다. 그런데 문제는 아주 생소한 그곳의 음식이었다. 지금도 마찬가지이지만, 나고 자란 땅을 벗어나면 생소한 음식과 식생활 관습 때문에 몸도 마음도 고생일 수밖에 없다. 모든 것이 낯선 타지에서도 현지 음식을 열린 마음으로 맛보고 사실과 느낌을 온전히 기록한 김창업. 그는 국경을 넘나든 미식가였다.

"관서의 국수가 가장 훌륭하다"

홍석모의 냉면

"냉면이라고 부른다"

메밀국수를 무김치나 배추김치에 말고 돼지고기 넣은 것을 냉면(冷麵)이라고 부른다. 또 국수에 여러 가지 채소와 배·밤, 쇠고기·돼지고기 편육, 기름장을 넣고 섞은 것을 골동면(骨董麵)이라고 부른다.[1]

이 글은 홍석모가 편찬한《동국세시기(東國歲時記)》(1849)의 음력 11월 월내(月內)에 나온다. 여기에서 '월내'란 특정한 날이 정해져 있지 않지만, 달마다 행하는 풍속을 소개할 때 쓰는 말이다. 홍석모는 이 글에서 '냉면'과 '골동면' 두 가지 국수를 언급하고 있다. 그것도 단지 '국수〔麵〕'라 하지 않고 '메밀국수〔蕎麥麵〕'라고 구체적으로 밝혀놓았다. 170여 년 전의 글이지만 앞의 "냉면"은 '물냉면', 뒤의 "골동면"은 '비빔국수' 또는

'비빔냉면'임을 짐작할 수 있다.

먼저 냉면부터 살펴보자. 홍석모는 메밀국수를 무김치〔菁菹〕나 배추 김치〔菘菹〕에 만다고 했다. 19세기 초에 쓰인 요리책으로 추정되는 대전의 은진 송씨 송병하 집안의 《주식시의》에서는 냉면의 국물로 '동치머리', 즉 '동치미'를 쓴다고 했다.[2] 1896년에 쓰인 것으로 추정되는 한글 요리책《규곤요람(閨壼要覽)》에서는 "싱거운 무김칫국에다가 화청(和淸)해서"라고 했다.[3] 여기에서 '화청'은 꿀을 넣는다는 말이다. 동치미 국물에 꿀까지 넣어 냉면 국물을 만들었던 것이다.

그런데 홍석모는 배추김치에도 메밀국수를 만다고 했다. 국물이 거의 없이 양념으로 버무린 지금의 배추김치를 생각하면 이 대목은 무척 생경하다. 그러나 19세기 초는 국물이 많은 배추김치와 양념 위주의 배추김치가 막 분화하던 때다. 1766년에 발간된 유중림의 《증보산림경제》에는 싱거운 소금물에 배추만 절여 국물이 많은 '배추김치 만드는 법〔菘沈菹法〕'이 나온다. 홍석모가 문성(文星, 훌륭한 문인)이라고 존경했던 서유구(徐有榘, 1764~1845)는 《임원경제지(林園經濟志)》에서 이 '배추김치 만드는 법'을 인용하면서 '숭저(菘菹)', 즉 '배추김치'라고 불렀다.[4] 그러니 19세기까지만 하더라도 배추김치에 메밀국수를 말아 먹는 것은 일반적이었다. 홍석모는 냉면의 고명으로 돼지고기〔猪肉〕를 꼽았는데, 지금도 냉면 고명으로 올리는 돼지고기 편육을 이르는 듯하다.

냉면에 이어 홍석모가 언급한 골동면에 대해서도 살펴보자. 홍석모는 골동면의 국수를 단지 '국수'라고만 적었지만, 앞뒤 문장의 내용으로 보면 골동면도 메밀로 만든 국수를 사용한 것으로 보인다. 국수 외의 재료로는 한자로 '잡채(雜菜)'라고 적은 여러 가지 채소와 배·밤, 그리고 쇠고기·돼지고기 편육이 있다. 냉면과 달리 골동면에는 쇠고기 편육도 들

조선시대에는 냉면 국수를 주로 메밀로 만들었다. 그런데 메밀가루에 전분을 섞으면 반죽이 이내 돌덩
어리처럼 단단해져서 국수를 뽑으려면 장정이 국수틀에 올라가서 힘껏 눌러야 국수 가락을 낼 수 있었
다. 김준근, 〈국수 누르는 모양〉, 19세기 말경. 독일 함부르크민족학박물관 소장.

어갔다. 이 밖에 눈에 띄는 점은 국수와 재료들을 비빌 때 사용하는 양
념이다. 홍석모는 기름장(油醬)으로 비빈다고 했다. 당시의 기름장은 참
기름과 간장을 섞어서 만들었다. 만약 이 기름장만 넣고 비볐다면 지금
처럼 고추장·간장·참기름·설탕 등으로 만든 양념장으로 비빈 비빔냉
면과는 맛이 다를 것이다.

　19세기 말에 쓰인 것으로 추정되는 한글 요리책 《시의전서·음식방문
(是議全書·飮食方文)》에는 골동면을 한글로 '부빔국슈(비빔국수)'라고 적

었다. 그런데 요리법은 홍석모가 적어놓은 골동면과 다르다. 즉 "황육(黃肉, 쇠고기) 다져 재서 볶고 숙주·미나리 삶아 묵 무쳐 양념 갖춰 넣어 국수를 비비어 그릇에 담고 위에는 고기 볶은 것과 고춧가루·깨소금 뿌려 쓰되 상에 장국 놓으라"[5]고 했다.

앞에서 다룬 김창업의 증손자 김이익 집안의 요리책 《주식방문》에도 '국수부비음'이란 요리법이 나오는데 《시의전서·음식방문》과 비슷하다.[6] 홍석모의 사촌형인 홍경모(洪敬謨, 1774~1851)는 1798년에 쓴 〈의초(擬招)〉라는 글에서 "우리나라에서는 국수에 배·유자·닭고기·돼지고기 등의 다섯 가지 재료를 섞는데, 이를 골동면이라 한다"[7]고 했다. 이와 같이 지역마다 집안마다 국수와 함께 비벼 먹는 재료는 약간씩 달랐지만, 비빔국수가 유행했던 듯하다. 홍석모 역시 그러한 모습을 놓치지 않고 《동국세시기》에 담았다.

"관서의 국수가 가장 훌륭하다"

홍석모는 냉면과 골동면을 소개하면서 "관서(關西)의 국수가 가장 훌륭하다"[8]는 말을 마지막에 적었다. 여기서 '관서'는 한반도 서북부 지역인 평안도를 가리킨다. 평안도에서도 특히 평양부(平壤府)가 이미 냉면의 본고장으로 유명했으며, 지금도 명성이 이어지고 있다.

홍석모는 음력 11월의 세시 음식으로 냉면을 꼽았는데, 대략 한 세대 앞서서 살았던 유득공(柳得恭, 1748~1807)은 비록 윤달이지만 음력 3~4월에 평양에서 냉면을 먹었다.[9] 이면백(李勉伯, 1767~1830) 역시 1826년 음력 3월에 평양에 들러 사람을 얼게 하는 냉면을 먹고 시를 지었다.[10]

이로 미루어 보면 18세기 말과 19세기 초 평양 사람들은 겨울은 물론이고 봄에도 냉면을 먹은 듯하다. 그즈음에 제작된 것으로 추정되는 평양 지도인 〈기성전도(箕城全圖)〉에는 아예 냉면 거리가 표시되어 있다. 대동강 주변의 즐비한 가옥 사이에 '향동(香洞) 냉면가(冷麵家)'라는 지명이 적혀 있는데, 아마도 당시 평양에 냉면 거리라 할 정도로 냉면을 파는 음식점이 모여 있었나 보다.

평안도뿐 아니라 황해도 역시 냉면으로 유명했다. 1797년 음력 윤6월부터 1799년 음력 1월까지 곡산(谷山, 지금의 황해북도 곡산군) 부사로 재직했던 정약용(丁若鏞, 1762~1836)은 서흥도호부(瑞興都護府, 지금의 황해북도 서흥군) 부사 임성운(林性運)에게 시를 한 편 보내면서 "(음력) 10월 들어 서관(西關, 평안도와 황해도)에 한 자나 눈이 쌓이면, 겹겹이 휘장에 푹신한 담요로 손님을 붙잡아둔다네. 벙거짓골(삿갓 모양의 전골냄비)에 저민 노루고기 붉고, 길게 뽑은 냉면에 배추김치 푸르네"[11]라고 했다. 황해도 사람들도 한겨울에 냉면을 즐겼던 것이다.

앞에서 홍석모가 소개했듯이 조선시대에는 냉면 국수를 주로 메밀로 만들었다. 당시 메밀은 제주도를 포함하여 전국에서 재배되었다. 이응희(李應禧, 1579~1651)는 《옥담시집(玉潭詩集)》에서 메밀을 음력 7월 초순에 심어 가장 늦게 수확한다고 했다.[12] 메밀은 여름에 파종하여 2~3개월만 지나면 수확할 수 있을 정도로 생육 기간이 짧고, 토양을 가리지 않고 잘 자란다. 특히 가을에 추수하는 벼와 한여름에 추수하는 보리·밀과 재배지와 농사 기간이 겹치지 않아 구황작물의 역할을 하기도 했다. 홍석모가 살던 당시 황해도와 평안도 사람들은 한여름에 밀을 수확하여 만두와 함께 국수를, 그리고 겨울이 되면 늦가을에 추수한 메밀로 냉면을 만들어 먹었다.

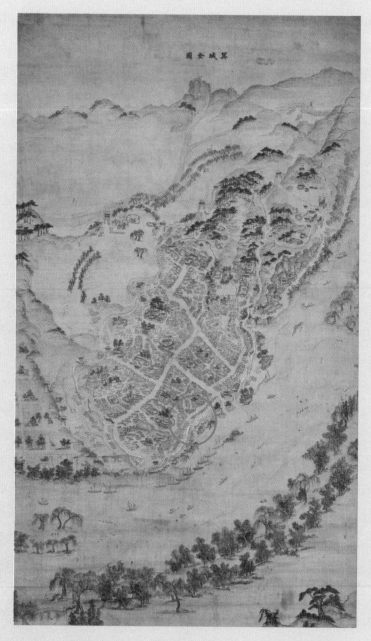

조선 후기에 평양 성내의 전경을 그린 회화식 지도 〈기성전도〉이다. 대동강을 따라 20여 척의 배가 드나드는 모습과 함께 대동강변의 향동에 '냉면가(冷麵家)'라는 표시가 있다. 이를 통해 평양 냉면이 성행했음을 알 수 있다. 서울대학교 규장각한국학연구원 소장.

홍석모와 《동국세시기》

홍석모는 풍산 홍씨(豐山 洪氏) 추만공(秋巒公) 홍영(洪霙, 1584~1645)의 자손이다. 이 집안은 정조의 어머니 혜경궁 홍씨(惠慶宮 洪氏, 1735~1815)를 배출하는 등 대대로 권세를 누리던 경화세족(京華世族, 서울에 살면서 대대로 높은 벼슬을 하는 명문가)이었다. 부친 홍희준(洪羲俊, 1761~1841)은 이조 판서와 홍문관 제학을 지내고 기로소(耆老所, 조선시대에 70세 이상 고위 문신들의 친목 및 예우를 위해 설치한 기구)에 들어갈 정도로 막강한 세력가였다. 모친은 용인 이씨(龍仁 李氏)로 1781년 음력 7월 29일에 홍석모를 낳았다. 홍석모는 1795년에 고모뻘 되는 혜경궁 홍씨의 회갑잔치에도 참석했다. 아마 이때쯤 부인 청주 한씨(淸州 韓氏, 1780~1857)와 혼인한 듯하다.[13]

1804년 생원시(生員試)에 2등으로 합격했지만, 조상을 잘 둔 덕에 이후의 과거를 보지 않고 음사(蔭仕)로 1815년 35세에 대학장의(大學掌議)가 되었다. 4년 가까이 서울에서 근무하다가, 1819년 39세에 과천 현감을 시작으로 1833년 음력 7월에 남원 부사에 임명되는 등 오랫동안 지방관을 지냈다. 1839년 음력 4월에 강릉(康陵, 명종과 인순왕후의 능, 서울 도봉구 공릉동)의 관리 책임자인 영(令)이 되었고, 같은 해 장악원(掌樂院) 첨정(僉正, 종4품의 책임자)에 임명되었다.

홍석모는 어릴 때부터 서예에 능했다. 12세 때인 1792년 평안도 관찰사인 조부 홍양호(洪良浩, 1724~1802)를 따라 평양에 간 적이 있는데, 이때 조부가 지은 영명사(永明寺, 지금의 평안남도 평양시 금수산에 있는 절) 중수기(重修記)를 붓글씨로 써서 족자로 걸어놓을 정도였다.[14] 시에도 조예가 깊었던 홍석모는 24세 때 과거 공부를 하면서 '상심계(賞心契)'라는 시사(詩社, 시 창작모임)를 주도했고, 말년에는 '국사(菊社)'라는 시사도 만들었다.

《동국세시기》는 음력 1월부터 12월까지 달마다 있는 명절의 명칭을 적고 각각의 세시풍속을 적었다. 날짜가 따로 정해지지 않은 세시풍속은 '월내'라는 소제목 아래에 배치했다. 《동국세시기》 음력 1월의 내용은 유득공의 《경도잡지(京都雜志)》에서 많이 가져왔다. 세시풍속의 유래에 대해서는 중국의 종름(宗懍)이 기록한 《형초세시기》를 비롯하여 중국 문헌에 의지했고, 지방의 세시풍속 기록은 1530년에 편찬된 《신증동국여지승람(新增東國輿地勝覽)》에서 옮겨왔다. 그 밖의 내용은 자신이 직접 보고 들은 것을 기록했다.

《동국세시기》의 서문을 쓴 이교영(李教英, 1786~1850)은 "한 나라의 풍속과 아울러 중국의 옛 풍속까지 묘사해 유사한 것을 살려 엄연한 하나의 체계로 엮어냈다"[15]고 했다. 그전에 편찬된 《경도잡지》와 《열양세시기(列陽歲時記)》가 주로 왕실과 서울의 세시풍속을 기록하려 했다면, 《동국세시기》는 조선 전체의 세시풍속을 담으려고 했다.

또 "풍부하다. 그의 표현력이여. 반드시 후세에도 충분한 참고가 될 수 있으리라"[16]고 한 이교영의 바람대로 《동국세시기》는 20세기 이후에도 줄곧 인용되었다. 《동국세시기》는 1911년 7월 20일, 최남선(崔南善, 1890~1957)이 주도한 서양식 출판사 겸 고전간행단체인 조선광문회(朝鮮光文會)에서 유득공의 《경도잡지》, 김매순(金邁淳, 1776~1840)의 《열양세시기》와 함께 근대 인쇄술로 간행되면서 수많은 독자를 확보했다. 특히 《매일신보》에서는 1916년 12월 15일부터 이듬해 4월 1일까지 《동국세시기》의 주요 내용을 40회에 걸쳐 연재했다. 해방 이후에도 《동국세시기》에 적힌 세시풍속은 매 시기마다 언론에 소개되었다.

"서울의 민간에서는"

　홍석모 본인이 경화세족 출신으로 일생의 많은 시간을 서울에서 생활했기 때문에《동국세시기》에는 서울과 경기도의 세시 음식에 대한 기록이 다른 지방에 비해 훨씬 많다. 특히 홍석모는 서울 사람들이 행하는 세시풍속을 소개할 때 글의 앞머리에 '도속(都俗)'이라는 표현을 덧붙여놓았다. '도속'의 '도(都)'는 도시, 즉 서울을, '속(俗)'은 민간의 관습을 뜻한다. 그러니 도속은 당시 서울 사람들의 관습, 즉 서울에서 유행한 풍속을 이르는 말로 굳이 지금 말로 옮기자면, "서울의 민간에서는"이라는 표현이다.

　홍석모는 음력 3월의 '월내'에서 "서울 남산 아래서는 술을 잘 빚고, 북부에는 맛있는 떡을 만드는 곳이 많다"[17]고 했다. 조선시대 서울은 지금과 달리 북악산과 남산, 그리고 사대문 안쪽이 시내였고, 청계천이 서울의 남북을 가르는 기준이었다. 이러한 지리환경을 바탕으로 서울은 오부(五部, 동부·서부·남부·북부·중부)로 나뉘었는데, 앞에서 말한 북부는 바로 청계천 북쪽, 지금의 종로구 일대였다. 오늘날 낙원상가 일대에 떡집이 많이 있듯이 홍석모가 살았던 시대에도 꼭 그 자리는 아니겠지만 청계천 위쪽으로 떡집이 많았나 보다.

　홍석모는 "서울 사람들은 (이를 두고) '남주북병(南酒北餅)'이라고 일컫는다"고 했다. '남주(南酒)'는 당시 서울에서 술을 양조하고 판매하는 곳인 매주가(賣酒家)가 많이 몰려 있는 곳을 일컬었다.《동국세시기》에서는 남산 아래와 마포의 공덕을 꼽았다. 남산 아래 위치한 양조장에서는 음력 3월이면 소국주(小麴酒, 누룩을 적게 써서 담근 청주)·두견주(杜鵑酒, 진달래꽃을 넣어 빚은 청주)·도화주(桃花酒, 복숭아꽃을 넣어 빚은 청주)·송순

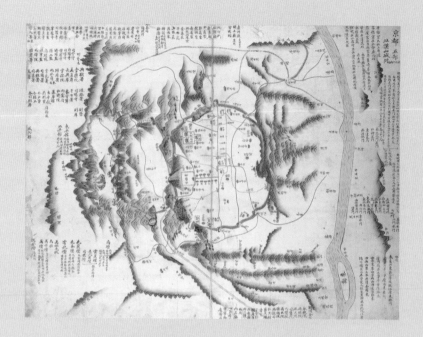

1750년대 초에 제작된 《해동지도(海東地圖)》의 〈경도오부(京都五部)〉. 조선시대 서울은 지금과 달리 동부·서부·남부·북부·중부의 5부로 행정구역이 나뉘었다. 위 지도의 방위는 왼쪽이 북쪽이고 오른쪽이 남쪽이다. 서울대학교 규장각한국학연구원 소장.

주(松筍酒, 소나무의 햇순을 넣어 빚은 청주)·과하주(過夏酒, 여름에 빨리 시지 않도록 청주에 소주를 섞어서 빚은 술) 등을 빚었다. 증류주인 삼해주(三亥酒)는 공덕의 독막(甕幕)에서 내린 것이 유명하다고 했다. 음력 8월이 되면 이들 양조장에서 햅쌀로 술을 빚었다고 적었다.

음력 10월이면 서울의 민간에서 기름·간장·계란·파·마늘·후춧가루로 양념한 쇠고기를 화롯가에 둘러앉아 먹는 난로회(煖爐會)가 유행했다. 난로회는 이때부터 겨울 내내 즐기는 일종의 불고기 파티였다. 열구

자신선로(悅口子神仙爐)도 난로회처럼 사람들이 여럿이 모여서 먹는다고 했다. 또 서울의 민간에서는 이때 김장을 했다. 홍석모는 "무·배추·마늘·고추·소금으로 질그릇 항아리에 김치를 담근다. 여름의 장과 겨울의 김장은 민가의 1년 중 큰일이다"[18]라고 적었다.

비록 세시 음식 자체에 대한 설명은 아니지만, 서울 사람들이 음력 3월 한식 때 성묘하는 풍속도《동국세시기》에 나온다. 즉 "서울의 민간에서는 이날 조상의 산소에 가서 제사를 지낸다. 설날·한식·단오·추석의 네 명절에 술·과일·포(脯, 말린 고기 또는 말린 생선)·해(醢, 식해)·떡·면·확(臛, 탕)·적(炙, 산적) 등의 음식으로 지내는 제사를 절사(節祀)라고 하는데, 선대로부터의 전통과 가문에 따라 차이가 있지만 한식과 추석에 가장 성하다"고 했다. 그러면서 한식 때 "사방 교외에 남녀들의 행렬이 줄지어 끊이지 않는다"고 풍경을 기록했다.[19]

가을이 되면 지금과 마찬가지로 당시 서울 사람들도 음식을 먹으면서 단풍 구경을 했다. 즉 음력 9월 9일 중양절에 "서울의 민간에서는 이날 남과 북에 있는 산에 올라가 음식을 먹으면서 재미있게 노는데, 등고(登高)하는 옛 풍습을 따른 것이다. 청풍계(靑楓溪, 인왕산 동쪽 기슭의 북쪽, 지금의 종로구 청운동 일대의 골짜기)·후조당(後凋堂, 남산 기슭에 있었던 조선 개국공신 권람權覽의 집, 지금의 중구 예장동)·남산·북한산·도봉산·수락산에 단풍 구경하기 좋은 곳이 있다"[20]고 적었다. 단풍 구경을 하면서 어떤 음식을 먹었는지는 적어놓지 않았지만, 홍석모가 말한 국화전과 국화떡, 국화주가 당시 서울 사람들이 단풍 구경 때 먹고 마셨던 세시 음식이었을 것이다.

"떡집에서는 이것을 제철 음식으로 판다"

조선 후기에 서울 사대문 안팎의 인구가 약 30만 명 전후였다고 한다.[21] 《동국세시기》를 보면 당시 서울에서 떡집·음식점·양조장·채소장수·생선장수 등 상업활동이 활발하게 이루어지고 있었음을 확인할 수 있다. 조선시대에 사대문 안에 살던 서울 사람들은 대부분 농사를 짓지 않았기 때문에 식재료를 시장에서 사거나, 물건을 팔러 다니는 부상(負商, 등짐장수) 또는 보상(褓商, 봇짐장수)에게 구입했다. 지금이야 웬만한 식재료는 제철이 따로 없을 정도로 아무 때나 구할 수 있지만 그 당시는 제철이 아닌 음식은 먹기 어려웠다. 그러다 보니 자연스럽게 때에 맞춰 음식을 만들고 즐겼다. 떡집인 '매병가(賣餠家)'에서도 제철에 나는 식재료로 온갖 떡을 만들어 사람들의 입맛을 유혹했다.

음력 2월 1일, 삭일(朔日, 초하룻날)에 "매병가에서는 팥, 검은콩, 푸른 콩으로 만든 떡소를 넣거나 떡소에 꿀을 섞어 넣기도 하고, 찐 대추나 삶은 미나리를 떡소로 넣기도 한다. 이달부터 먹는 세시 음식이다"[22]라고 했다. 홍석모는 이 글의 앞에서 음력 2월 1일부터 농사가 시작되기 때문에 농가에서는 정월 대보름 때 세워놓았던 볏가릿대에서 알곡을 털어내어 흰떡(白餠)을 만들고, 삶은 콩 떡소를 넣어 반달 모양으로 만든 송편(松餠)을 노비들에게 나누어준다고 했다. 이 노비떡은 오래된 관습으로, 앞선 시기에 나온 유득공의 《경도잡지》에서도 소개했다. 하지만 서울의 떡집에서 콩뿐 아니라 팥·꿀·대추·미나리 따위를 떡소로 만들어 넣기도 한다는 내용은 홍석모가 직접 확인한 당대의 생생한 풍경이다.

이것뿐이 아니다. 홍석모는 음력 4월이면 서울의 떡집에서 찹쌀가루 반죽에 술을 넣고 발효시켜 방울 모양으로 만든 다음, 삶은 콩과 꿀을 섞어 만든 소를 넣고 대추 과육을 떡 위에 올려 찐 증편을 판다고 했다.[23] 음력 5월 단오에는 쑥을 짓이겨 멥쌀가루와 함께 반죽하여 수레바퀴 모양으로 만든 떡,[24] 음력 8월에는 햅쌀로 만든 송편이나 무와 호박을 넣은 시루떡, 검은콩이나 노란콩 가루 또는 볶은 참깨가루를 묻힌 찹쌀 인병(引餠, 인절미)과 밤단자·토란단자,[25] 그리고 음력 10월에는 찹쌀가루를 술로 반죽하여 조각내어 햇볕에 말렸다가 기름에 튀긴 다음 여러 가지 색을 낸 강정(乾飣)을 판다고 했다. 특히 백색과 홍색 강정은 다음 해 설날과 봄철에 민가에서 제수로 사용하며, 설날 손님맞이용으로 없으면 안 된다고 하면서 "이달부터 세시 음식으로 시장에서 많이 판다"[26]고 적었다.

특히 음력 3월의 월내에서 매병가의 판매용 떡을 묘사한 부분은 요리책을 능가할 정도로 요리법이 정연하게 정리되어 있다. 본인이 직접 만드는 과정을 보았기 때문에 이렇게 자세히 설명할 수 있었을 것이다.

매병가에서는 멥쌀로 작은 흰떡을 만드는데 모양이 꼭 방울 같고, 그 속에 콩으로 만든 떡소를 넣은 후에 머리 쪽을 오므린다. 그 방울 같은 떡에 오색 물을 들여 구슬을 꿴 것처럼 다섯 개를 이어 붙인다. 푸른색이나 흰색으로 반달 모양의 떡을 만들기도 한다. 작은 것은 다섯 개를 이어 붙이고, 큰 것은 두세 개를 이어 붙인다. 이를 모두 산병 (饊餠)이라고 부른다. 또 오색의 둥근 떡, 소나무 껍질과 쑥으로 만든 둥근 떡을 만드는데, 환병(環餠, 고리떡)이라고 한다. (그 가운데) 큰 것은 마제병(馬蹄餠, 말굽떡)이라고 부른다. 또 찹쌀에 대추의 과육을 섞어 증병(甑餠, 시루떡)을 만든다.[27]

조선 후기 서울의 떡집에서는 음력 5월 단오가 되면 수레바퀴 모양의 떡(왼쪽)을, 음력 10월에는 찹쌀가루 반죽을 햇볕에 말렸다가 기름에 튀겨낸 강정(오른쪽)을 판매했다. ⓒShutterstock.com

　콩을 소로 넣은 다섯 가지 색의 방울 떡을 구슬처럼 이은 떡, 반달 모양의 푸른색과 흰색의 떡을 이어서 붙인 떡을 모두 '산병'이라고 불렀다. 홍석모가 언급한 매병가의 산병 요리법은 《시의전서·음식방문》에도 나온다. 즉 "각색(各色, 여러 가지 색)으로 하나씩 떼서 등으로 휘어 두 끝을 마주 붙이면 이름이 산병이니라"[28]고 했다. 홍석모의 묘사와 비교하면 요리법이 상세하지 않은 편이다. 1924년에 간행된 《조선무쌍신식요리제법》에서는 산병을 '셋붓치(셋붙이)'라고 부른다고 적었다. 아마도 청·홍·황 삼색 떡을 이어 붙여서 생긴 이름으로 보인다. 홍석모는 오색 떡을 이어 붙인다고 했으니 '다섯붙이'라고 불러야 할지도 모르겠다.

　산병과 달리 환병과 마제병의 요리법은 지금까지 알려진 조선시대 요리책에서 찾지 못했다. 조선시대 요리책은 주로 중국의 문헌에서 옮긴 요리법이나 왕실과 가정집의 요리법을 담고 있어서 서울 떡집의 요리법이 나오지 않을 수 있다. 특히 '오색 환병'은 추정컨대 서로 경쟁하던 서울의 떡집에서 개발한 떡이기 때문에 더욱 그럴 가능성이 크다. 비슷한 시기에 인구가 100만 명이 훨씬 넘었던 일본 에도(江戶, 지금의 도쿄)의 한 음식점에서는 자체 요리책을 출간하여 마치 전단지처럼 손님에게 나누어주었다고 한다. 음식점이 성업하면서 새로운 요리법이 개발되고 또 그 요리법에 관심 있는 사람들이 늘어나자 이런 방식으로 음식점을 광고한 것이다. 하지만 19세기 서울의 떡집은 가정에서 만드는 떡보다 훨씬 다양한 종류를 만들었음에도 불구하고 요리책을 낼 정도는 아니었던 모양이다. 다행스럽게 홍석모가 몇 가지 요리법을 기록으로 남겼으니, 오늘날에도 조선시대 서울 떡집의 떡 맛을 재현할 수 있게 되었다.

《동국세시기》의 서문을 쓴 이교영은 홍석모가 "가까이는 서울에서부터 멀리는 궁벽한 시골에 이르기까지 평범한 행사라고 해도 명절에 해당하는 것은 비록 비속한 것일지라도 남김없이 모두 수록했다"[29]고 평가했다. 더욱이 홍석모는 그전의 다른 세시기에 비해 세시 음식에 대한 기록을 많이 남겼다. 그중에서 평양의 냉면, 서울 떡집의 각종 떡, 그리고 술도가에서 빚어낸 명주에 대한 기록이 특히 눈에 띈다. 최근 일부 학자들은 홍석모가 주로 중국 문헌에 기대어 조선의 명절과 세시풍속의 유래를 설명했다고 비판한다. 그러나 《동국세시기》를 내용별로 분류하여 읽으면 무엇보다 홍석모가 살던 시대의 세시 음식을 만날 수 있다. 문득 19세기의 세시 음식이 궁금하다면 《동국세시기》를 꺼내 보길 권한다.

2부

선비의 음식 탐구:
식욕은 하늘에서 부여한 천성

"맛이 매우 좋아서 두텁떡이나 곶감찰떡마저도 크게 미치지 못하는구나"

허균의 석이병

"주지가 밥상을 차렸는데, 떡 한 그릇이 있었다"

내가 풍악(楓岳, 가을 금강산의 이름)에 여행 가서 표훈사(表訓寺)에서 자게 되었다. 주지가 밥상을 차렸는데, 떡 한 그릇이 있었다. 이것은 구맥(瞿麥)을 곱게 빻아 체로 아주 많이 친 다음에 꿀물과 석이를 함께 뒤섞어 놋쇠 시루에 찐 것이다.[1]

이 글은 1611년 음력 4월 허균이 집필한 〈도문대작〉에 나온다. 허균이 금강산으로 여행을 간 때는 1603년 가을이었다. 당시 허균의 형편은 유람을 즐길 만큼 썩 편하지 않았다. 금강산으로 떠나기 전에 재종형인 허체(許褆)에게 보낸 편지에서 허균은 이렇게 적었다. "당로자(當路者, 권력자)가 저를 액운에 빠뜨려 몰아냈습니다."[2] 그해 허균은 춘추관(春秋

館)의 편수관(編修官, 역사 기록과 편찬 담당)과 지제교(知製敎, 국왕의 교서 등을 작성하는 일을 담당)를 겸직할 정도로 능력을 인정받고 있었다. 그런데 음력 8월에 질녀의 혼사와 관련하여 사헌부로부터 탄핵을 받았다.

표훈사의 주지 담유(曇裕)는 허균이 오는 줄 알고 음식을 차려놓고 기다리고 있었다.[3] 허균은 〈도문대작〉에서 주지 담유가 차려준 떡의 이름을 '석이병(石茸餅)'이라고 했다. 그러면서 석이병 만드는 방법을 간단하게 적었다.

먼저 허균은 '구맥'을 석이병의 주재료로 보았다. 구맥은 '술패랭이꽃(Fringed Pink)'의 다른 이름으로, 한의학에서는 약재로 쓰인다. 그런데 구맥만 가지고서는 떡을 만들 수 없다. 떡은 모름지기 곡물이 주재료다. 곡물을 가루 내어 소금이나 부재료를 섞은 다음 시루에 안쳐서 찌거나, 아니면 익힌 곡물을 절구에 넣고 공이로 여러 차례 쳐서 차지게 만든 다음 손으로 모양을 빚거나, 곡물 가루를 끓는 물로 반죽하여 틀에 넣어 찍어내거나 기름에 튀긴 음식이 바로 떡이다.

유중림은 농업백과사전이라 할 수 있는 《증보산림경제》의 〈치선(治膳)〉에서 '풍악석이병(楓嶽石耳餅)'을 소개하면서 허균의 오류를 지적했다. 허균이 구맥이라고 한 것을 두고 "이것은 바로 패랭이꽃[石竹]의 꽃씨이니, 잘못되었다. 아마도 이맥(耳麥)을 잘못 알고 쓴 것 같다"[4]고 주석을 달았다. 여기에서 '이맥'은 '귀리'다. 다른 말로 '귀보리'라고도 불린다. 떡의 주재료는 곡물이어야 마땅하니 유중림의 주장이 옳다. 그러니 허균이 금강산 표훈사에서 먹은 석이병은 구맥이 아니라 귀리를 주재료로 만든 떡이라고 보아야 한다.

다음으로 중요한 재료는 '석이'라는 버섯이다. 석이는 주로 깊고 높은 산속 바위에 붙어 사는데, 마치 검은색 종이를 구겨서 찢어놓은 것처럼 보인다. 그 모양이 귀를 닮아서 한자로 '석이(石耳)'라고 적는다. 그런데 허균은 한자로 '석이(石茸)'라고 적었다. 한자 '茸'는 버섯 '이'와 우거질 '용'으로 읽힌다. 그런데 '석이(石耳)'라고 쓰면 자칫 '귀'로 오해할 수 있어서 조선시대 문헌에서는 '풀 초(艹)' 변을 붙여 '석이(石茸)'로 적기도 했다. 허균도 그러한 관행을 따랐다.

귀리를 빻아서 체로 걸러가며 다시 빻으면 매우 고운 가루가 된다. 여기에 다진 석이버섯을 섞은 다음에 꿀물을 조금 붓고 손으로 덩이가 지지 않게 흩뜨린다. 귀리가루는 맑은 회색을 띠는데. 꿀물을 타면 엷은 황색으로 변한다. 이것을 시루에 쪄내면 마치 황색 떡에 검은 점이 박힌 듯한 석이병이 완성된다.

"맛이 매우 좋아서 두텁떡이나 곶감찰떡마저도 크게 미치지 못하는구나"

17세기 이후에 집필된 요리책에는 대략 네 가지 유형의 석이병 만드는 법이 나온다. 그중 첫 번째 요리법이 바로 허균의 〈도문대작〉에 나오는 '금강산(풍악) 표훈사 석이병'이다. 귀리가루와 석이를 섞어서 시루에 찌는 방법이다. 홍만선은 《산림경제》에서 〈도문대작〉의 석이병 만드는 법을 소개했는데, 출처를 《허집(許集)》이라고 밝히면서 풍악의 표훈사 승려가 만든 것이라고만 적었다. 이후에 편찬된 유중림의 《증보산림경제》, 서명응(徐命膺, 1716~1787)의 《고사신서(攷事新書)》, 서호수(徐浩修, 1736~1799)의 《해동농서(海東農書)》, 서유구의 《임원경제지》 등에도 몇 글자만 다를 뿐 거의 같은 내용이 적혀 있다.

두 번째 석이병 요리법은 허균보다 한 세대 뒤의 인물인 장계향의 《음

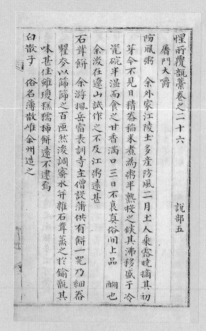

《성소부부고(惺所覆瓿藁)》 제26권의 〈도문대
작〉 '석이병' 부분. 서울대학교 규장각한국학
연구원 소장.

식디미방》에 나온다. 표훈사의 석이병과 마찬가지로 석이를 넣되 주재
료는 멥쌀과 찹쌀이다. 찹쌀에서 나오는 단맛을 염두에 둔 탓인지 장계
향은 따로 꿀물을 넣지 않았다.

　세 번째 석이병 요리법은 유중림이 《증보산림경제》에서 소개한 것이
다. 유중림은 앞서 언급한 '풍악석이병' 외에 '떡과 국수〔餠麵諸法〕' 부분
의 맨 처음에 또 다른 석이병 요리법을 적어두었다. 대추·밤·꿀로 소를
만들어 넣은 찰떡 두 조각과 넓게 펼친 석이를 합쳐서 쪄낸 떡이다.

　네 번째 요리법은 빙허각 이씨의 《규합총서(閨閤叢書)》에 나오는 석
이병 만드는 법이다. 《규합총서》는 여러 판본이 있고, 석이병 요리법도

두 가지가 나온다. 하나는 곡물가루를 익반죽해서 둥글게 빚어 끓는 물에 삶아 고물을 묻힌 단자(경단)처럼 만드는 요리법이고, 다른 하나는 석이가루를 섞어서 찐 떡이다.

　문헌마다 요리법은 조금씩 차이가 있지만 이들 석이병의 공통점은 이름 그대로 석이버섯을 사용했다는 점이다. 허균보다 후대의 인물인 권두인(權斗寅, 1643~1719)은 석이버섯이 맛있기는 하지만, 이것을 따려다 바위에서 추락하여 살이 문드러지고 뼈가 부서지기도 하고 죽는 사람도 생긴다면서 백성에게는 '부역의 독'이라고 보았다.[5] 이처럼 석이버섯은 구하기 어려운 식재료였지만, 맛은 고기 같고 몸에도 좋았던 탓에 찾는 사람이 많았다. 김시습(金時習, 1435~1493)은 볶은 석이가 마치 고기를 먹는 듯하고, 먹고 나면 속마음이 시원하다고 시로 읊조렸다.[6]

　허균은 표훈사의 석이병을 두고 평하기를 맛이 "매우 좋아서 경고(瓊糕)나 나시병(糯柿餅)마저도 크게 미치지 못하는구나"[7]라고 했다. 〈도문대작〉의 마지막 부분에서 허균은 가을에 서울 사람들이 즐겨 먹는 떡으로 '경고'를 꼽았다.[8] 오늘날 학자들은 〈도문대작〉의 '경고'를 두텁떡이라고 본다. '나시병'은 찰떡에 '시병(柿餅, 곶감을 떡에 비유해 부르던 이름)'을 섞어 만든 떡이다. 실제로 두텁떡과 곶감찰떡은 부드러우면서도 달다. 허균은 가을에 표훈사에서 먹었던 석이병이 두텁떡과 곶감찰떡보다 훨씬 맛있다고 감탄했다.

"푸줏간 앞에서 크게 입맛을 다시다"

　허균은 〈도문대작〉의 서문을 1611년 음력 4월 21일 유배지인 전라도 함열현(咸悅縣, 지금의 익산시 함라면)의 초가에서 썼다. 어릴 적부터 입맛이 남달랐던 허균은 막상 유배지에 와서 보니 "쌀겨조차 부족했고 밥상 위의 반찬이라곤 썩어 문드러진 뱀장어나 비린 생선에 쇠비름과 미나리뿐이었다. 그나마 하루에 간신히 두 끼를 먹다 보니 종일 배가 고팠다."[9] 결국 허균은 "여러 음식을 종류대로 나열해 기록하고 때때로 보면서 고기 한 점을 눈앞에 둔 셈"[10] 치기 위해 글을 썼다. 그리고 글의 제목을 '푸줏간 앞에서 크게 입맛을 다시다'라는 뜻으로 '도문대작(屠門大嚼)'이라고 붙였다.

허균은 조선 팔도 곳곳의 맛있는 식재료와 음식을 소개하면서 맛과 향에 대한 품평과 함께 먹었던 장소나 요리법, 잘 만드는 사람이 누구인지와 같은 세세한 내용을 기록했다. 〈도문대작〉의 구성을 보면, 오늘날 백과사전처럼 내용별로 분류한 유서(類書)의 형식을 띠고 있다. 즉 병이지류(餠餌之類, 떡 종류), 과실지류(果實之類, 과일 종류), 비주지류(飛走之類, 새와 짐승 종류), 해수족지류(海水族之類, 수산물 종류), 소채지류(蔬菜之類, 채소 종류)의 순서로 식재료나 음식의 이름을 항목으로 삼고 내용을 적었다.

'병이지류'에는 11가지의 떡·과자·죽 따위가 나온다. 앞에서 소개했던 석이병이 떡 종류의 대표적인 사례다. 그러나 떡뿐 아니라 안동의 다식(茶食)과 전주의 백산자(白散子) 같은 과자, 엿〔飴〕·대만두(大饅頭)·두부, 방풍죽(防風粥)과 둘죽(乭粥, 들쭉으로 끓인 죽) 등도 다루고 있다.

'과실지류'에는 배·귤·감·밤·대추·앵두·자두·복숭아·포도·수박·참외·모과 등 28가지 과일이 나온다. 먼저 과일의 이름을 밝히고 맛이 좋은 생산지를 적었다. 가령 '밤〔栗〕'이란 항목에서는 상주에서 나는 밤은 작지만 껍질이 저절로 벗겨져서 속칭 '겉밤'이라 하고, 밀양에서 나는 밤은 크고 맛이 가장 좋으며, 지리산에서도 주먹만 한 큰 밤이 난다고 적었다.[11] 제주 귤에 대해서는 맛과 크기까지 비교했다. 즉 금귤(金橘)은 맛이 시고, 감귤(甘橘)은 금귤보다 조금 크고 달며, 청귤(靑橘)은 껍질이 푸르고 달며, 유감(柚柑)은 귤의 일종인 감자(柑子)보다 작지만 매우 달다고 했다.[12]

'비주지류'에는 웅장(熊掌, 곰발바닥)·표태(豹胎, 표범의 태)·녹설(鹿舌, 사슴의 혀)·녹미(鹿尾, 사슴의 꼬리)와 같이 왕실에 진상되던 귀한 식재료가 적혀 있다. 허균은 지금도 맛을 내기가 어려운 곰발바닥을 두고 "요리를 잘하지 않으면 제맛이 나지 않는다"고 하면서 회양(淮陽, 북한의 강원도 회양군)의 것이 가장 좋고, 의주와 희천(熙川, 평안북도 희천군)이 그 다음이라고 했다.[13] 허균은 '비주지류'에서 6가지의 고기만 적고, 당시 널리 식용되던 돼지·노루·꿩·닭 등에 대해서는 어느 곳이나 있기 때문에 적지 않았다.[14]

허균은 '해수족지류'에서 민물과 바닷물을 가리지 않고 46가지의 수산물을 다뤘다. 그중 일부 수산물에 대해서는 식재료로 이용된 내력을 상세하게 정리하기도 했다. 가령 청어의 경우, 네 곳에서 어획되는데, 지역마다 청어의 생김새와 맛이 다르다고 하면서 "옛날에는 매우 흔했으나 고려 말에는 쌀 한 되에 40마리밖에 주지 않"았다고 적었다. 또 이에 덧붙여 "명종 이전에는 쌀 한 말에 50마리였는데, 지금은 전혀 잡히지 않으니 괴이하다"[15]고 했다. 최근의 연구에 따르면 16세기 말에 시작된 소빙기(little ice age)의 영향으로 해주 근해에서 청어가 사라졌다고 한다.[16] 일종의 천재(天災)였으니, 허균의 '괴이하다'는 표현이 적절했던 셈이다.

'소채지류'에서는 황화채(黃花菜)·순채〔蓴〕·무〔蘿葍〕·거요목〔苣蓿〕 등의 명산지와 맛에 대해 썼지만, 고사리·아욱·콩잎·부추·미나리·배추·송이·참버섯 등은 "어디 것이든 모두 맛이 좋아서"[17] 별도로 적지 않았다. 또 바다에서 나는 황각(黃角)·청각(靑角)·참가사리(細毛)·우뭇가사리(牛毛)·다시마(昆布)·올미역(早藿)·감태(甘苔, 김의 일종)·해의(海衣, 김의 일종) 등의 해초를 이 항목에 포함해 다뤘다.

이와 같이 다섯 가지로 분류해 식재료와 음식을 다루었지만, 여기에 포함하기 어려운 것도 있었던 모양이다. 바로 차(茶)·술(酒)·꿀(蜂蜜)·기름(油)·약밥(藥飯), 28가지의 서울 세시 음식이 그렇다. 약밥에 대해서는 "경주에서는 보름날 까마귀에게 먹이는 풍습이 있다"는 짧은 글로 그 유래를 함축했다. 그런데 술 항목에서 태상주(太常酒)와 자주(煮酒) 두 가지만 적어둔 점이 의아하다.[18] 더욱이 "번잡하여 적지 않는다"는 글도 남기지 않은 채 말이다. 허균은 술을 좋아했지 많이 마신 사람은 아니었을지도 모른다.

"지방의 특산 진미를 두루 맛보았고"

명종(明宗, 1534~1567) 말과 선조(宣祖, 1552~1608) 초에 훈구파를 밀어내고 정권을 잡은 사림파가 선조 8년(1575) 동인과 서인으로 갈라졌다. 이때 허균의 부친 허엽(許曄, 1517~1580)이 동인의 영수가 되었다.[19] 동인의 실제 영수는 김효원(金孝元, 1542~1590)이었지만, 동인에 속했던 젊은 사류(士類)들이 대사간이었던 허엽을 내세웠다. 부친뿐 아니라, 허균과 나이 차이가 많이 나는 큰형 허성(許筬, 1548~1612)과 작은형 허봉(許篈, 1551~1588)의 관직 역시 만만치 않았다.

이러한 배경으로 인해 허균의 집에는 동인에 속했던 사람들이 '칭념(稱念, 본래 '칭념'은 '부처의 이름을 부르면서 그를 생각한다'는 불교 용어다. 그런데 '잊지 말고 잘 봐달라고 부탁'하는 일을 지칭하는 말로 바뀌면서, 선물이나 뇌물도 모두 '칭념'이라 불렀다)'[20]으로 보내온 제철 음식이 끊이지 않았을 것이다. 이런 사정은 〈도문대작〉의 서문에도 나온다. "우리 집은 비록 가난했지만 선친이 살아 계실 때는 사방에서 별미 음식을 예물로 보내는 이가 많아서 어린 시절 진귀한 음식을 두루 먹어보았다."[21]

이뿐만 아니라 허균은 "자라서는 부잣집에 장가가서 땅과 바다에서 나는 온갖 음식을 다 맛보았다"[22]고 했다. 허균의 처가는 고려 때부터 명문가였던 안동 김씨(安東 金氏) 집안이다. 허균은 17세 때인 1585년 봄에 한성부에서 치르는 초시에 합격하고 나서 부인 김씨와 혼인했다. 《지봉유설(芝峯類說)》을 편찬한 이수광(李睟光, 1563~1628)이 손위 동서였다. 혼인한 뒤 허균은 처가가 있는 서울에서 살았던 것 같다. 그 후 임진왜란 때의 피난과 몇 차례의 지방 근무, 유배 생활을 제외하면 많은 시간을 서울에서 지냈다. 그래서 그런지 〈도문대작〉에는 서울과 경기도의 식재료와 음식 이야기가 가장 많다.

허균은 왜란 때 피난을 다니다 외가가 있는 고향 강릉에 돌아가 지내면서 "기이한 해산물을 골고루 맛보았"다.[23] 앞에서 소개했던 방풍죽을 비롯하여 여항어(餘項魚)·붕어〔鯽魚〕·천사리(天賜梨, 배의 일종)는 강릉에서 맛본 것이다. 여항어는 연어과의 민물생선인 열목어로, 조선시대 문헌에서는 '이항어(飴項魚)'라고도 한다. 허균은 여항어를 두고 "산골 어느 곳에나 있는데, 강릉의 것이 가장 크고 맛도 좋다"[24]고 했다. 붕어는 "강릉의 경포가 바닷물과 통하기 때문에 흙냄새가 안 나고 가장 맛있다"[25]고 적었다. '천사리'라는 배는 하늘에서 내려왔다고 하여 붙여진 이름이다. 사연은 이러하다. "성종 연간에 강릉에 사는 진사 김영(金瑛)의 집에 갑자기 배나무 한 그루가 돋아났는데 열매가 사발만 했다."[26]

특히 강릉에서 맛본 방풍죽은 정말 맛이 좋았던 모양이다.[27] 그는 "뒤에 요산(遼山)에 있을 때 시험 삼아 한번 끓여 먹어보았"[28]다고 했다. 여기에서 요산은 당시의 황해도 수안군(遂安郡, 지금의 황해북도 수안)을 가리킨다. 허균은 1605년 음력 9월 6일부터 이듬해 음력 3월까지 수안 군수로 재직했다. 이때 방풍을 얻어서 강릉식으로 죽을 끓여보았지만, 맛은 "강릉에서 먹었던 맛과는 어림도 없었다."[29]

"남북으로 임지를 옮겨 다니며 이런저런 음식을 대접받았다"

1594년 허균은 문과에 급제하고 명나라의 사신을 맞이하는 원접사(遠接使)의 종사관(從事官)이 되어 의주에 넉 달이나 머물렀다. 조선시대 의주는 명나라와 통하는 국경도시였다. 의주에는 조선의 사신들을 따라가는 상인도 많았고, 무역을 하려는 중국인도 많이 머물렀다. 허균은 〈도문대작〉에서 의주 음식을 많이 소개했는데, 대부분 중국과 관련이 있는 음식이다. 의주 사람들이 중국 사람처럼 잘 만드는 대만두와 중국 사람에게서 배워서 매우 맛있게 만드는 황화채(黃花菜, 원추리) 요리, 중국과 맛의 차이가 없을 정도로 잘 굽는 거위구이 등이다.[30]

이처럼 허균은 의주 사람들의 음식 솜씨를 높게 쳤지만, 그가 정말로 좋아했던 지방은 전라도였다. 허균은 33세인 1601년 봄에 지방에서 실시하는 향시(鄕試)의 시관(試官)이 되어 호남 곳곳을 돌아볼 기회가 있었다. 시험 출제관이니 각 관아에서 대접을 잘 받았을 것이다. 또 같은 해 음력 6월에는 해운판관(海運判官)이 되어 충청도와 전라도의 세금을 거둬들이러 돌아다녔다. 그때 부안의 봉산(蓬山)을 몹시 좋아하여 오두 막을 짓고 살려고도 했다.³¹ 허균은 이 출장길 도중 부안에서 기생 계생 (桂生, 1573~1610, 호는 매창)을 만났다. "생김새는 시원치 않으나 재주와 정감이 있어 함께 이야기할 만하여 종일토록 술잔을 놓고 시를 읊으며 서로 화답했다."³² 이후에도 허균은 그녀의 재주를 사랑하여 교분이 막 역했다.³³

이런 연유였을까? 〈도문대작〉에는 부안의 명물이라 할 만한 식재료가 세 가지나 나온다. 하나는 사슴 꼬리인 녹미다. 부안에서 그늘에 말린 것이 가장 좋다고 했다. 다음으로 오징어(烏賊魚)다. 황해에서 간혹 잡 히는데, 지금의 고창군 흥덕과 함께 부안에서 잡히는 것이 가장 좋다고 적었다. 마지막으로 도하(桃蝦)라는 민물새우다. 부안과 옥구 등지에서 나는데, 색이 복숭아꽃 같고 맛도 좋다고 했다.³⁴

〈도문대작〉에는 부안뿐 아니라 전라도의 식재료와 음식도 꽤 나온다. 전주 인근에서 나는 승도(僧桃, 승도복숭아)는 크고 달다고 했다. 감류(甘榴, 석류)는 영암과 함평에서 나는 것이 제일 좋다고 적었다. 나주에서 나는 무(蘿葍)는 맛이 배와 같고 물기가 많다고 적었다. 감태는 호남에 서 나는데, 함평·무안·나주에서 나는 것이 맛이 매우 좋아 엿처럼 달다 고 했다. 죽순절임(竹筍醢)은 노령산맥 남쪽에서 잘 담그고, 맛도 매우 좋다고 적었다. 순(蓴, 순채) 역시 호남에서 나는 것이 가장 좋다고 했다. 작설차(雀舌茶)는 순천이 가장 좋고 그 다음이 변산이라고 했다.³⁵

이외에도 〈도문대작〉에서 언급된 지역은 동해·남해·황해를 비롯하여 조선 팔도에서 빠지는 곳이 없을 정도다. 허균은 〈도문대작〉 서문에서 "벼슬한 뒤로는 남북으로 임지를 옮겨 다니며 이런저런 음식을 대접받

허균이 〈도문대작〉의 서문을 쓴 유배지 전라도 함열현(지금의 익산시 함라면)의 향교. 문화재청 제공.

왔다. 이쯤 되니 우리나라에서 나는 음식이라면 고기며 나물이며 먹어
보지 않은 게 없다"[36]고 밝혔다. 그야말로 허균은 '식신로드'의 주인공이
었던 셈이다.

　허균은 유배지 전라도 함열현에서 1611년 음력 4월 23일 〈도문대작〉
이 포함된《성소부부고》64권을 모두 엮었다. 그해 음력 11월에 유배지
에서 풀려난 허균은 서울과 전라도를 왔다 갔다 했다. 그사이에 몇 차례
벼슬자리에 오르기도 했으나 금세 갈렸다. 그는 46세 때인 1614년 음력
3월 8일 천추사(千秋使)에 임명되어 명나라로 갔다가 이듬해인 1615년
음력 1월 11일에 광해군에게 명나라 황제의 칙서를 전달했다. 이때부

터 허균은 광해군의 대북파(大北派)와 같은 편이 되어 승승장구했다. 그러나 1617년 음력 10월부터 허균은 역모 혐의를 받기 시작했다. 그리고 1618년 음력 8월 24일 서울의 서소문 밖 저잣거리에서 능지처참을 당했다.

그는 옥에 갇히기 전날 사위인 이사성(李士星)에게 문집 《성소부부고(惺所覆瓿藁)》의 초고와 그 외 다른 원고들을 전했다. 그 속의 〈도문대작〉도 고스란히 남아서 오늘날 우리는 1611년판 조선시대 '식신로드'를 생생하게 감상할 수 있게 되었다.

"어해 중에서 으뜸이다"

김
려
의

감
성
돔
식
해

"어해 중에서 으뜸이다"

비늘을 긁어내고 지느러미를 떼어내고, 머리를 제거하고 꼬리를 잘라낸다. 내장을 들어내고 깨끗이 씻어 두 쪽으로 가른다. 보통 감성돔 200조각을 마련해놓고서, 찧은 멥쌀 한 되로 밥을 지어 식기를 기다렸다가 소금 두 국자를 넣는다. 여기에 누룩과 엿기름을 곱게 갈아 한 국자씩 골고루 섞어 넣는다. 작은 항아리 안에 먼저 밥을 깐 다음에 감성돔 조각을 깔아 층층이 가득 채운다. 그리고 대나무잎으로 그 위를 두껍게 덮고 단단히 봉해서 깨끗한 곳에 둔다. 잘 익기를 기다렸다가 꺼내 먹으면 맛이 아주 좋다. 어해(魚醢) 중에서 으뜸이다.[1]

이 글은 조선 후기 문인 김려가 지은 어류학서 《우해이어보》(1803)에 나온다. 책 제목에서 '우해(牛海)'는 당시 '진해현(鎭海縣)'의 별칭인데, 조선시대에 진해라 불리던 지역은 오늘날의 경상남도 창원시 '진해구'가 아니라 마산합포구 진동면 일대였다. 우해는 '우산(牛山)'이라고도 불렸다.² 김려는 1801년 음력 4월에 이곳에 유배를 와서 5년간 머물렀다. 그는 귀양살이를 하면서 바다에 나아가 기이하고 괴상하며 놀라운 물고기들을 보고서 기록할 만한 것들을 선별해 형태·색채·성질·맛 등을 정리해《우해이어보》를 썼다.

앞의 글은 〈감송(紺鯼)〉이란 항목에 나온다. 설명만 보면 '감송'은 요즘으로 치면 감성돔이다. 도밋과의 바닷물고기인 감성돔은 색이 검어서 먹도미·흑도미(북한)·감셍이(경남·전남) 등으로 불린다. 우해 사람들이 '감셍이'라고 부르는 것을 듣고 김려가 한자로 이렇게 적은 듯하다. 김려는 감송의 다른 이름으로 '토감(土紺)'과 '점미부(黏米鮒)'를 적었다. 토감은 강의 하류에서 잡히는 감송에서 흙냄새가 나서, 점미부는 그 맛이 찹쌀처럼 쫄깃하여 붙여진 이름으로 보인다.³ 점미부의 '부(鮒)'는 붕어를 뜻한다. 김려는 자신이 본 감성돔이 "금빛 붕어와 비슷하지만 작다"⁴고 했다.

김려는 이곳 사람들이 가을이 지나갈 무렵에 감성돔을 잡는다고 했다.⁵ 감성돔은 타원형에 등 쪽이 높고 3~7월 사이에 산란을 한다. 가을이 끝날 즈음이 되면 약 10센티미터 크기의 치어들이 떼를 지어 다닌다. 감성돔은 시력이 좋고 경계심이 강한 물고기이지만 저물녘이면 앞을 잘 보지 못한다. 우해 사람들은 감성돔의 생태를 잘 알고 있어 해가 질 때 고저암(高觜巖) 어귀에서 대나무 낚시를 던져 감성돔을 잡았다.⁶ 고저암은 지금의 진동면 율티리에 있는 바위로, 높이가 20미터 남짓하고 바다 쪽으로 툭 튀어나와 있어 낚시하기에 안성맞춤이었다.

어해는 생선으로 만든 식해(食醢)다. 조선시대 요리책 중에서 어해 만드는 방법은 세조 때 어의였던 전순의가 편찬한 《산가요록》에 처음 나온다.7 전순의는 특정한 물고기의 이름을 밝히지 않고 생선이라고만 적었다. 이 말은 어떤 생선이든 식해를 만들 수 있다는 말이다.

전순의는 생선 살을 조각낸 다음 소금을 많이 뿌려서 하루 정도 절였다가 소금기를 씻어내라고 했다. 하지만 김려의 글에는 이런 과정이 나오지 않는다. 지역이나 만드는 사람에 따라 식해에 쓰일 생선 살을 소금에 절이기도 하고 꾸덕꾸덕 말리기도 하고 아예 날것을 쓰기도 하니 김려의 기록이 잘못되었다고 볼 수는 없다.8

생선 식해는 냉장 시설이 없던 시절에 생선을 오래 두고 먹기 위해 고안해낸 음식이다. 곡물밥 속에 든 전분 성분이 분해되면서 유기산이 생성되어 소금과 더불어 생선의 부패를 억제한다. 전순의는 "멥쌀로 밥을 부드럽게 지어 차게 식혀 간이 맞도록 소금을 섞는다. 항아리에 먼저 밥을 한 켜 깔고 그 위에 생선을 한 켜 깔아 차곡차곡 놓은 다음 손으로 꼭꼭 눌러놓는"9다고 했다. 이에 비해 김려는 식은 밥에 소금을 넣고 곱게 간 누룩과 엿기름을 골고루 섞은 다음, 이 밥을 작은 항아리 밑바닥에 깔고 그 위에 감성돔 조각을 층층이 가득 쌓으라고 했다.

어해 요리법의 마무리에서도 김려와 전순의의 기록에 약간의 차이가 있다. 김려는 작은 항아리에 가득 채워 넣고 대나무 잎을 두껍게 덮고 단단히 봉한다고 적었다. 이에 비해 전순의는 가득 채우지 말고 상수리 나뭇잎이나 대껍질을 10여 벌 덮고 그 위에 다시 두꺼운 기름종이를 덮은 뒤 주먹만 한 돌로 누른 다음, 끓여서 식힌 소금물을 가득 부으라고 했다.10 우해 사람들은 현지에서 갓 잡은 감성돔으로 생선 식해를 만들었기 때문에 잘 삭히기 위해 항아리를 꼭 봉하면 됐지만, 바다와 좀 먼

지역에서는 먼저 생선살을 소금에 절이고, 식해를 담은 항아리에 또다시 소금물을 부어야 발효 과정에서 산패(酸敗)를 방지할 수 있었을 것이다.

김려는 자신이 먹어본 생선 식해 중에서 이 감성돔식해가 으뜸이라고 평했다. 더욱이 "맛이 아주 좋다"는 뜻의 '감미(甘美)'라는 표현까지 썼다. 쌀밥·누룩·엿기름은 숙성되면서 효소로 변한다. 이 효소가 감성돔의 단백질을 분해하여 아미노산을 생성한다. 김려가 말한 '감미'는 바로 생선 살의 단백질이 분해되면서 나온 맛으로 여겨진다.

"쌀엿처럼 달다"

김려는 볼락으로 담근 젓갈의 맛도 '감미'라고 했다. 그러나 감성돔식해처럼 만드는 법을 자세하게 적지는 않았다. 김려는 "해마다 거제도 사람들이 볼락을 잡아 젓갈을 담가 수백 항아리씩 배에 싣고 와서 포구에서 판다. 그러고는 생마(生麻)와 바꾸어 간다"[11]고 했다. 김려는 우해에서 볼락이 종종 그물로 잡히지만 많이 잡히지 않는데, 거제도에서는 많이 잡힌다고 했다.[12] 김려가 볼락젓 담그는 법을 기록하지 않은 이유는 우해 사람들이 볼락젓을 담그지 않고 거제도의 것과 교환했기 때문일 것이다.

지금도 거제도와 통영의 일부 어촌에서는 가을철에 볼락젓을 담근다. 3~5센티미터 크기의 작은 볼락이 가을에 많이 잡히기 때문이다. 먼저 볼락을 소금물에 깨끗이 씻어 물기를 뺀 다음, 소금을 버무려 항아리에 켜켜로 담으면서 사이사이에 소금을 뿌린다. 다시 맨 위에 소금을 많이

엎고 손으로 꾹꾹 눌러서 돌을 얹은 뒤 입구를 단단히 밀봉한다. 15일
쯤 지난 뒤 젓국물만 떠내어 체에 밭쳐 내린다. 이 젓국물을 끓여서 식
힌 후 다시 항아리에 붓고 꾹꾹 눌러서 봉해둔다. 이 과정을 두세 번 정
도 반복하고 나서 돌을 얹고 밀봉하여 통풍이 잘되는 그늘에 보관한
다.[13] 김려는 볼락젓을 먹어보니 맛이 "약간 짜지만 쌀엿처럼 달다"[14]고
했다.

　김려가 우해에서 맛본 젓갈은 또 있다. 바로 '회회(鮰鮰)'라는 생선으
로 만든 젓갈이다. 회회는 한자로 민어 '회(鮰)' 자를 연이어 써서 민어
라고 생각할 수도 있는데, 민어와 다른 어종이다. "모양이 회충과 비슷
한데, 흰색이다. 양쪽 끝으로 모두 다니며, 머리가 없다. 눈은 지렁이처
럼 가늘고 길다"[15]고 했다. 김려의 묘사로 보아 회회는 붕장어의 새끼일
가능성이 크다.[16] 붕장어 새끼는 살아 있을 때 온몸이 투명하다가 죽으
면 흰색으로 바뀐다. 김려는 "섬사람들이 젓갈을 담그는데, 맛이 좋다"[17]
고 했다. 어느 섬에 사는 사람들인지 알 수 없지만, 회회젓갈을 잘 담갔
던 모양이다.

　한자로 '삼차(鰺鯗)'라고 적은 삼치 역시 "젓갈을 담그면 맛이 매우 좋
다"[18]고 했다. 또 김려는 전갱이 새끼인 매가리를 한자로 '매갈(鮇鰪)'이
라 적고, "맛은 담백하고도 달아서 젓갈을 담그는 것이 가장 좋다"[19]고
적었다. 그러면서 "해마다 고성(固城, 지금의 경상남도 고성군)의 어촌 아낙
이 작은 배에 매가리젓을 싣고 와서 성(城)에 있는 시장에서 판다"[20]고
했다. 이어서 김려는 시를 한 편 지었다. "고성의 어촌 아낙 배도 잘 부
려서, 키를 돌려 뱃머리 열자 제비처럼 날아가네. 잘 익은 매가리젓 서
른 항아리면, 당연히 값으로 2,000전(錢)을 부르겠지."[21]

김려와 《우해이어보》

김려는 1766년(영조 42) 음력 3월 13일에 서울 삼청동에서 부친 김재칠(金載七)과 모친 전주 이씨(全州 李氏) 사이에서 3남 1녀 중 장남으로 태어났다.[22] 선조의 계비 인목대비(仁穆大妃, 1584~1632)의 아버지 김제남(金悌男, 1562~1613)의 7대손이다. 이런 집안 배경만 보면 김려가 경화세족 출신 같지만 속사정은 그렇지 않다. 증조부 김상정(金相汀)이 신임사화(辛壬士禍, 경종 때 왕통 문제로 소론이 노론을 숙청한 사건)에 연루되어 죽임을 당하면서 집안이 풍비박산되었다.[23] 김려의 조부는 아무런 벼슬도 하지 못했지만, 부친은 음서(蔭敍)로 관직에 진출하여 현감을 지냈는데 능력 있는 지방관으로 유명했다. 이때부터 집안 사정이 나아져서 어릴 적 김려는 그런대로 안정된 생활을 할 수 있었다.

김려는 총명하고 문장에도 능했다. 15세 때 성균관에 입학했는데, 연륜과 학식을 갖춘 선배들이 같은 또래의 예로 대할 정도였으며 관직 사회에서도 명성이 자자했다고 한다.[24] 27세 때인 1792년(정조 16) 음력 3월에 사마시(司馬試)에 합격하여 성균관 생원이 되었다.[25] 그즈음에 이옥과 강이천(姜彝天, 1768~1801)도 관학 유생으로 성균관에서 기숙하며 함께 생활했다. 이때 이들은 규범과 권위에 갇혀 있던 고문(古文)에 반발하면서, 명말 청초에 일어난 짧고 강렬하고 실험적인 문체인 소품(小品)에 빠졌다.

문제는 김려가 강이천은 물론이고 동생 김선(金鏉, 1772~1833)과 김신국(金信國)·김건순(金建淳, 1776~1801) 등과 함께 문체를 두고 토론하면서 발생했다.[26] 1797년 음력 8월 김신국·김건순·강이천 등이 서울 재동(齋洞)의 김려 집에서 문체에 관해 토론한다고 두 차례나 모였다. 김건

순은 이 모임 뒤에 중국인 천주교 신부 주문모(周文謨, 1752~1801)를 만나 예수 이야기를 듣고 강이천에게 말했다. 강이천은 외국인이 서울에 불을 지른다는 말을 김신국에게 전했고, 김신국은 다시 사촌형인 김정국(金正國)에게 전했다. 같은 해 음력 11월 초 김정국이 우의정에게 이 말을 전했으나 정조가 판을 벌이지 말라 해서 사건이 무마되는 듯했다. 그런데 강이천이 자신이 역모로 고발당할까 두려워 김신국·김건순·김선, 그리고 김려도 함께했다고 당시 대호군(大護軍) 이병정(李秉鼎, 1742~1804)에게 알렸다.[27]

결국 김려는 1797년 음력 11월 12일 조선의 최북단인 함경도 경원부(慶源府, 지금의 함경북도 경원)로 유배를 당했다.[28] 그런데 김려가 경원부 유배지에 도착하기 전에 그나마 경원부보다 조금 나은 개마고원 입구에 있는 부령(富寧, 지금의 함경북도 부령)으로 유배지가 바뀌었다. 이곳에서 김려는 현지 사람들과 사귀면서 저술에 몰두했다. 그러나 1801년 음력 3월 초에 주문모가 체포되면서 김려는 다시 서울로 불려와 추국(推鞫)을 당하는 처지에 몰렸다. 추국 결과 김려가 천주교 신자가 아니라고 밝혀졌지만, 그를 고깝게 여긴 조정에서는 음력 4월 20일 이번에는 남쪽 끝 우해로 정배(定配)를 보냈다.[29]

그 당시 '정배'는 죄인을 지방이나 섬으로 보내 정해진 기간 동안 그 지역에서 감시를 받으며 생활하도록 한 형벌이다. 그러니 김려는 우해에서 꼼짝 못하는 신세가 되고 말았다. 김려는 우해로 와서 율티리의 바닷가 마을에서 소금 굽는 사람 이일대(李日大)의 집에 세 들어 살았다.[30] 이 집에 작은 배 한 척과 겨우 몇 글자밖에 모르는 열한두 살 된 아이가 있었다. 김려는 "매일 아침마다 짧은 대바구니와 낚싯대 하나를 가지고, 어린아이에게 담배와 담배도구를 들게 하여 거룻배를 저어 (바다로) 나갔다."[31]

바다에 나가 지내면서 새로운 사실을 많이 알게 된 김려는 《우해이어보》를 쓰기 시작했는데, 그 동기를 '서문'에 이렇게 밝혀놓았다. "무릇 어류 가운데 기괴하고도 야릇하여 놀랄 만한 것이 이루 다 헤아릴 수 없으니 바다가 품고 있는 것이 땅이 품고 있는 것보다 넓고 해양 생물의 다양함이 육상 생물보다 더함을 비로소 알게 되었다."[32] 그래서 "마침내 한가한 때에 붓 가는 대로 가볍게 쓰면서 산만하게 적었다. 형태·색채·성질·맛 가운데 기록할 만한 것을 함께 채록했다."[33] 김려는 이 서문을 1803년 음력 9월 29일 셋방에서 썼다.[34]

김려는 자신이 본 모든 생선을 《우해이어보》에 기록하지는 않았다. "대체로 황어(鮠)·잉어(鯉)·자가사리(鱨)·상어(鯊)·방어(魴)·연어(鰱)·가물치(鮦)·오징어(鯛)처럼 사람들이 익히 알고 있는 것, 해마(海馬, 바다코끼리)·해우(海牛, 바다소)·해구(海狗, 물개)·해저(海猪, 돌고래)·해양(海羊, 바다달팽이)처럼 어류와 관계없는 것들, 자잘하고 보잘것없어 이름을 지을 수 없는 것들, 그리고 비록 현지 사람들이 부르는 이름이 있더라도 의미를 알 수 없는 방언과 알아들을 수 없는 것들을 모두 빼고 쓰지 않았다"[35]고 했다. 김려는 이런 기준으로 어류들을 가려 뽑아 책 제목에 '이어(異魚)', 즉 '기이한 생선'에 관한 기록이란 뜻을 담았다.

《우해이어보》에는 생선 53종, 갑각류 8종, 조개류 11종 등 모두 72종의 어패류가 나온다. 그중에는 오늘날 수산학자들조차 이름만 보고는 잘 알지 못하는 생선도 제법 있다. 앞에서 소개했던 '회회'가 대표적이다. 그렇다고 우해에서 처음 본 '기이한 생선'만 담은 것은 아니다. 정어리·삼치·가오리·청어·뱅어·가자미 등은 당시 서울 사람들도 알고 있던 생선이다.

어촌 아낙들이 새벽녘 포구에서 광주리나 항아리에 게·새우·소금 등을 그득 채워 행상을 떠나고 있다. 김려의《우해이어보》에는 바닷물고기 이야기뿐 아니라 이런 어촌 사람들의 삶도 함께 담겨 있다. 김홍도, 〈어물 장수〉 부분,《행려풍속도병》. 국립중앙박물관 소장.

김려는 생선 이름을 적을 때 청어처럼 널리 알려진 이름은 그대로 적었지만, 우해 사람들이 부르는 이름이 한자가 아닌 경우 그 발음대로 한자로 적거나 자신이 한자로 이름을 짓기도 했다. 또한 생선의 형태와 습성, 잡는 방법도 기록했다. 그중 일부 생선은 요리법을 상세하게 정리하고 직접 먹어본 느낌도 적었다.

《우해이어보》의 또 다른 특징은 "나는 〈우산잡곡〉을 지었다〔余牛山雜曲曰〕"라며 39수의 칠언절구를 특정 어종 설명과 함께 실었다는 점이다. 〈우산잡곡〉 중에는 어로 작업 현장, 어촌의 풍광과 생활, 수산물의 유통, 그리고 노파·처녀·기생 등 우해와 인근 어촌에 살고 있던 여인들의 삶을 노래한 시도 있다.[36] 김려는 유배지에서도 민초들의 생생한 삶에 바짝 다가가 있었다.

"맛도 달콤하고 부드러운데, 정말로 진귀한 음식이다"

〈우산잡곡〉에는 이런 시도 있다.

> 진해(우해) 남문 밖 두 갈래 거리, 거리 입구 초가집 처마에 술집 표지 꽂혔네. 새로 온 붉은 연지의 기생 가냘프고 여린 손 희기만 한데, 옻칠 소반에 큰 게살 포(脯)[37] 올려 내오네.[38]

당시 우해는 현감이 머문 읍치(邑治)였다. 관아를 둘러싼 성곽이 있고, 남문 밖에 동촌(東村)과 서촌(西村)으로 갈라지는 삼거리가 있었다. 이 근처에 술집이 있었던 모양이다. 술꾼이 오자 새로 온 기생은 미리 만들어둔 '큰 게살 포'를 안주로 내왔다.

이 시는 《우해이어보》의 부록에 실려 있다. 김려는 책 제목에 '어보'를 붙였기 때문에 게·조개·소라·전복 따위의 패류(貝類)를 책의 마지막에 부록으로 실었다. 그중 제일 먼저 나오는 '자해(紫蟹)' 항목에 앞의 한시가 실려 있다. 김려는 자해를 두고 "온몸이 붉은색이고 크기는 장독만 하다. 뱃속에 창자는 없고, 온통 물고기·새우·소라·고동·모래뿐이다. 껍질 속에는 (살이) 넉넉히 일고여덟 말이나 들어 있고, 넓적다리와 집게다리는 살이 꽉 찼고 맛도 달다"[39]고 했다.

자해는 이름으로만 보면 '홍게'다. 그런데 다리에 살이 꽉 찼다고 했으니 '대게'일 가능성이 크다. 대게는 큰 게를 가리키는 말이 아니라, 다리가 대나무 마디처럼 생겼다고 하여 붙은 이름이다. 아주 큰 것은 김려의 표현처럼 장독 뚜껑만 한 것도 있다. 김려보다 거의 200년 앞서 살았던 허균은 〈도문대작〉에서 "게는 삼척에서 나는 것이 강아지만 하여 다리가 큰 대(竹)만 하다. 맛이 달고 포로 만들어 먹어도 좋다"[40]고 했다.

요즘은 대게를 통째로 찜통에 넣고 쪄서 먹는데, 조선시대에는 포로 만들어 먹었던 모양이다. 김려 역시 "이곳 사람들은 포를 만드는데, 색깔이 선홍빛이라 보기 좋고, 맛도 달콤하고 부드러운데, 정말로 진귀한 음식이다"[41]라고 했다. '포'는 고기를 얇게 저며서 양념하여 말린 음식이다. 생선을 이렇게 만든 음식을 조선시대 문헌에서는 '어포(魚脯)'라고 불렀다. 어포는 민어·농어·숭어처럼 주로 큰 생선으로 만들었다. 배를 갈라 내장을 꺼낸 뒤 살을 양쪽으로 펼친 다음 술이나 식초 또는 양념에 절였다가 말리거나, 아무 양념도 하지 않고 그대로 말린다. 그렇다면 대게 어포는 어떻게 만들었을까?

김려가 게살 포 만드는 방법을 기록하지 않아서 우해에서 어떤 방법

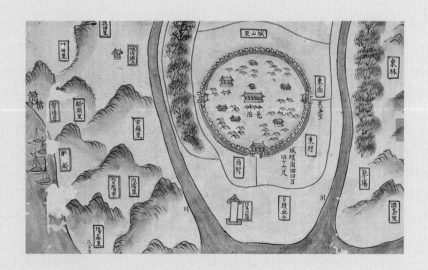

지금의 경상남도 창원시 마산합포구의 진동면 일대에 있었던 진해현의 지도. 읍치의 남문 밖 삼거리 근처에 술집이 있었을 것이다.《1872년 지방지도》중 진해현 부분. 서울대학교 규장각한국학연구원 소장.

으로 만들었는지 알 수 없지만, 다른 문헌에서 요리법을 찾아볼 수 있다. 1854년경에 쓰인 것으로 추정되는 한글 요리책《윤씨음식법》에 대게 어포 만드는 방법이 나와 있다.[42] 이 책의 저자는 이 요리법의 제목을 당시의 한글로 '희포'라 적고, 옆에다 '게포육'이라고도 써놓았다. '게포육'은 게살로 만든 포육(脯肉)이라는 뜻이다. 따라서 '희포'는 게의 포라는 의미의 '해포(蟹脯)'이다.

"해포는 서울에서 만들 것이 못 되어 해변 마을에서 하나니, 한 쪽(片)은 주홍 같고 한 쪽은 백설 같으니 두드려 반듯하게 베서(잘라) 넣되 선(살)이 부푸는 일 없이 부서지기 쉬우니 (물에) 축여 두드리거라"고 했다. 이 요리법을 다시 설명하면 이렇다. 갓 잡은 싱싱한 대게의 다리를 두드

조선의 미식가들

려 깨서 조심스럽게 살을 통째로 꺼낸다. 혹시 잘못하여 통째로 꺼낸 살이 부서질 수 있으니 조심해야 한다. 게살에 물을 약간 축여서 두드리면 부서지지 않는다. 이렇게 두드린 다음에 "반건(半乾, 반쯤 말림)이 좋고", 즉 반쯤 말리면 된다는 것이다.

그러면서 《윤씨음식법》의 저자는 "맛이 극히 아름답고 빛이 주황색 같아 황홀하니라"고 했다. 앞에서 보았듯이 김려 역시 "색깔이 선홍빛이라 보기 좋고, 맛도 달콤하고 부드러운데, 정말로 진귀한 음식이다"라고 했으니, 마치 두 사람이 함께 먹고 느낌을 적은 듯 비슷하다. 게의 다리살은 반쯤 말려도 여전히 바닷물이 약간 배어 있어 짭짤하다. 여기에 달면서도 부드러우니 그 맛이 황홀하여 진품이라고 할 만하지 않았을까.

"많이 먹으면 잠을 잘 잔다"

김려는 1801년 음력 4월에 우해로 유배 와서 처음 한동안은 여러 가지 질병으로 고생했다. 특히 바닷가에 살면서 습한 기후와 물이 맞지 않아 몸을 움직일 수 없는 지경에까지 이르렀다. 김선신(金善臣, 1775~1855?)에게 보낸 편지에서 김려는 사정을 이렇게 밝혔다.

내가 처음 이곳 영남의 변방에 왔을 때 율티리 촌민 중 소금 굽는 집을 빌려 살았네. 바닷가에 가까이 있다 보니 땅이 낮고 습하며 샘물이 흐려 반년도 채 되기 전에 사지를 잘 놀리지 못하고 다리가 무거운 병에 걸려 밤낮으로 신음소리를 냈네. 본래부터 피를 토하는 병을 앓았는데, 날이 갈수록 심해져 언제나 목구멍에서는 비린내가 치밀어 오르고, 새가 날개를 치는 것처럼 휘휘 소리를 내곤 하다가 걸핏하면 간에 서인지 허파에서인지 모르겠지만 새빨간 핏덩이를 10여 번이나 뱉곤 했네. 이대로는 오래 살지 못할 것 같아 성안으로 거처를 옮겼네. 비록 바닷바람에서 오는 독기가 좀 줄었지만 저잣거리가 가까워서 분주스 럽고 비좁기만 하네.[43]

좀 더 상세한 김려의 질병은 《우해이어보》의 '문절어(文鰤魚)' 항목에 나온다. "내가 우환(1801년부터 시작된 유배)을 만난 이후 오랫동안 잠을 자지 못해서 드디어 조질(燥疾)이 생겼다."[44] '조질'은 진액과 오장(五臟) 의 체액이 모두 고갈된 상태를 가리킨다. 즉 몸의 진액이 부족하여 열 이 나고 입안이 마르고 갈증이 나며 피부가 거칠어지고 살과 근육이 위 축되며 몸이 말라가는 증세가 조질이다. 특히 잠이 부족하면 증세가 악 화된다. 그런데 "이곳 사람들이 말하기를 문절어를 많이 먹으면 잠을 잘 잔다"[45]고 했다는 것이다.

'문절어'는 '문절망둑'으로, 농어목 망둑엇과의 물고기로 강과 바다가 만나는 하구에 무리를 지어서 산다. 김려는 문절망둑을 이렇게 묘사했 다. "생김새는 쏘가리와 비슷하나 조금 작다. 양쪽 아가미에 살집이 있 고, 아가미 옆 지느러미가 개의 젖 같다. 몸체는 겉과 속이 훤하게 보이 고 투명하여 마치 긴 회색 수염 같다. 주둥이 주위와 광대뼈는 약간 붉 은 황색이다. 등에는 검은 점이 있는데, 먹을 입으로 뿜은 것처럼 아주 작아서 마치 겨자를 뿌려놓은 것 같다."[46] 실제로 문절망둑을 보면 김려 의 묘사가 얼마나 사실적인지 알 수 있다.

문절망둑의 생태에 대해서도 자세하게 적어놓았다. "해변에서 수심이 얕고 모래가 많은 곳에 있다. 밤에는 반드시 무리를 이루는데, 겹겹이

문절망둑의 생김새에 대한 김려의 묘사는 아주 사실적이다. ⓒShutterstock.com

있는 모습이 마치 구슬을 꿰어 이은 것 같다. 머리는 물 밖으로 내고, 몸은 물속에 넣은 채 잠을 잔다. 습성이 잠자는 것을 매우 좋아해서 잠이 깊이 들면 사람이 손으로 잡아도 알지 못한다."[47]

　우해 사람들은 이런 습성을 이용하여 대나무로 만든 통발(大桶)로 문절망둑을 잡았다. 통발의 모양은 위가 좁고 아래가 넓으며 뚜껑이 없고 중간쯤에 긴 자루의 손잡이가 연결되어 있었다. 밤이 깊어지면 사람들은 솔가지 횃불을 들고 문절망둑이 모인 곳으로 가서 반쯤 물에 잠기도록 통발을 쳤다. 문절망둑이 통발 속에 갇히면 사람들은 통발 위의 구멍으로 손을 넣어서 문절망둑을 꺼냈다.[48]

김려는 "세 들어 사는 주인에게 부탁해서 매일 문절어를 사 오게 해서 어떤 때는 죽으로 먹고 어떤 때는 회로 먹으니 매우 효험이 있었다. 이 생선의 성질이 차서 마음의 화를 누그러뜨릴 뿐만 아니라, 폐를 윤기 있게 해준다"[49]고 했다. 그렇게 문절망둑을 먹어서 조질이 좀 낫는 듯했지만 완치가 되지 않자 김려는 우해에서 북쪽으로 10여 리 되는 곳에 있는 의림사의 한 암자를 빌려서 잠시 머물렀다. 이곳에서 죽순을 볶고 고사리도 데쳐서 소박하게 끼니를 때우며 날을 보냈다. 물론 절간의 우물 물도 달고 깨끗했다.[50] 유배지에 머무는 시간이 길어지니 관아에서도 이곳저곳 옮겨 다니는 김려의 행동을 눈감아주었다. 김려는 한산도는 물론이고 진주성까지 다녀왔는데, 그사이에 건강을 거의 회복했다.

1806년 음력 10월, 김려는 마침내 유배에서 풀려났다. 김려의 아들 김유악(金維岳)이 아버지 김려와 숙부 김선의 억울함을 풀어달라고 상소를 올렸고, 마침내 조정에서는 김려와 김선을 풀어주라는 명령을 내렸다.[51] 그러나 유배에서 풀려나 서울로 돌아오니 부친이 남겨놓은 집과 밭은 남에게 넘어가고 없었다. 10년 가까이 유배 생활을 한 결과였다.

집과 밭뿐이 아니었다. 그가 그동안 지은 글들도 그랬다. "부령에서 지은 것은 의금부 관원들에게 빼앗겨 남아 있지 않고, 진해에서 지은 것은 내가 게을러서 제대로 수습하지 못했다. 또 아들들이 모두 지혜롭지 못해서 잃어버린 것이 열 편 중에 여덟아홉이나"[52] 되었다. 《우해이어보》 역시 자칫 잘못했으면 지금까지 전하지 않을 뻔했다. 다행히 유배에서 풀려난 후 삶의 여유가 생긴 김려가 "상자 속에서 이 보(譜)를 찾게 되어 조카인 학연(鶴淵)에게 깨끗한 종이에 잘 베껴 쓰게"[53] 했고, 이로써 마침내 《우해이어보》가 지금까지 전하게 되었다.[54]

《우해이어보》는 해양 생물에 관한 정보를 담고 있긴 하지만 백과사전식 지식을 전달하기 위한 책이 아니다. 그보다는 우해 앞바다의 신기한 생선과 어촌 사람들의 삶, 그리고 생선 요리의 맛을 아름다운 문장으로 써놓은 조선 최초의 바닷물고기 책이라고 하는 편이 더 좋을 듯하다. 그만큼 그의 글에 담긴 생선은 싱싱하고, 음식은 맛깔스럽다.

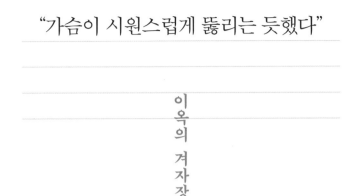

"가슴이 시원스럽게 뚫리는 듯했다"

이옥의 겨자장

"가슴이 시원스럽게 뚫리는 듯했다"

임자년(1792) 가을, 희정당(熙政堂) 앞뜰에서 책문(策問)에 대한 답안을 쓸 때, 궐내에서 유생들에게 음식을 하사했다. 음식 가운데 큰 그릇에 황개즙(黃芥汁)이 있었는데, 이는 삶은 고기를 위해 내놓은 것이었다. 그런데 유생들은 모두 고기를 움켜 그냥 먹을 뿐 개장(芥醬)이 있는 줄 알지 못했다. 나 홀로 개장에 찍어 반 그릇을 먹었는데, 맛이 매우 좋았을뿐더러 가슴이 시원스럽게 뚫리는 듯했다.[1]

이 글은 1790년(정조 14) 31세의 나이로 생원시에 급제하여 성균관 기숙사에서 생활하면서 공부한 이옥이 썼다. 성균관 유생 이옥은 1792년 음력 7월 19일에 실시된 '추도기과(秋到記科)'라는 과거시험에 응시했다. '도기과'는 일정한 출석점수를 딴 성균관 유생들을 대상으로 실시하던 과거시험으로, 매년 봄(춘도기과)과 가을(추도기과) 두 차례에 걸쳐 시행되었다.

그런데 7월 19일 시험에서 만족할 만한 성과가 없자 정조는 다음 날 재시험을 명했다. 창덕궁 희정당 앞뜰에서 열린 재시험은 아침 이른 시간인 묘시(卯時, 오전 5~7시)부터 시작되었다.[2] 그런데 이 시험에서도 성적이 좋지 않아 다시 이틀 뒤인 22일에 같은 장소에서 세 번째 시험인 삼시(三試)가 시행되었다. 이처럼 삼시에 걸쳐 시험을 치른 유생들의 노고를 위로하는 뜻에서 정조가 음식을 하사했다. 이때 고기와 함께 '황개즙'이 나온 모양이다.

고기의 종류가 무엇인지는 써놓지 않아 알 수 없지만 황개즙은 같은 글에서 '개장(芥醬)', 즉 겨자장이라고 밝혀놓았다. 그런데 다른 유생들은 겨자장의 용도를 몰라서 고기만 집어 먹었던 모양이다. 오직 이옥만이 고기를 겨자장에 찍어 먹었다. 이렇게 먹으니 고기 맛이 매우 좋았다. 결국 이옥은 혼자서 겨자장을 반 그릇이나 비웠다.

조선시대 왕실 잔치에서는 겨자장이 자주 쓰였다. 1795년(정조 19) 음력 윤2월, 혜경궁 홍씨의 회갑연을 기록한《원행을묘정리의궤(園幸乙卯整理儀軌)》의〈찬품(饌品)〉에도 '겨자(芥子)'가 여러 번 나온다. 이 의궤에는 정조가 어머니 혜경궁 홍씨를 모시고 서울을 떠나 화성(華城) 행궁에서 회갑연을 치른 전 과정이 담겨 있는데, 잘 살펴보면 조선시대 왕실 연회에서 겨자가 얼마나 자주 쓰였는지 알 수 있다.

음력 윤2월 9일 서울을 떠나 화성으로 가던 길에 점심때가 되자 시흥참(始興站)에서 혜경궁 홍씨는 '주다소반과(晝茶小盤果)'를 받았다.[3] 떡·약반(藥飯)·메밀국수·다식·정과·과일·꿩탕·열구자탕(신선로)·전유어

(煎油魚, 전)·편육·닭찜·복어회·꿀〔淸〕·초장(醋醬)·겨자 등 열일곱 그릇의 음식이 검은 옻칠을 한 굽이 있는 소반에 차려졌다. 그런데 초장과 겨자를 함께 적고, 재료로 간장 두 홉, 식초 한 홉, 겨자 한 홉, 잣·꿀·소금 한 움큼씩이라고 밝혀놓았다.[4] 여기에서 초장과 함께 적은 겨자는 겨자장으로 보인다.

19세기 말에 쓰인 것으로 추정되는 《시의전서·음식방문》에서는 겨자를 물에 불린 뒤 체 밑에 그릇을 받치고 수저로 문질러 거른 다음, 소금·초·꿀을 넣고 수저로 젓고 맛을 보아 단맛이 나면 종지에 떠놓는다고 했다.[5] 《원행을묘정리의궤》의 '노량참(鷺梁站)' 조에 나오는 초장은 간장 두 홉에 식초 한 홉을 섞은 다음 잣 한 움큼을 띄워서 만들었다.[6] 초장을 만든 방법으로 보아 시흥참에서 혜경궁 홍씨의 상에 올린 겨자장은 겨자 한 홉에 꿀과 소금 한 움큼씩을 넣고 만들었을 것이다.

이옥이 희정당에서 맛본 겨자장 또한 겨자가루에 꿀과 소금을 약간 넣고 섞어서 만들었을 것이다. 유중림은 《증보산림경제》의 〈치포(治圃)〉에서 "겨자는 누렇고 큰 것을 좋은 것으로 친다"[7]고 했다. 혜경궁 홍씨의 상에 올린 겨자장은 소의 가슴살인 양지머리와 돼지의 태반(胎盤)으로 만든 편육, 영계와 쇠고기를 주재료로 한 연계증(軟鷄蒸, 영계쇠고기찜), 날복어로 만든 생복회(生鰒膾) 등을 찍어 먹는 양념으로 쓰였다.[8]

이옥이 먹은 고기 역시 쇠고기와 돼지고기로 만든 편육이 아니었을까? 이 편육을 진한 황색 겨자장에 찍어 먹었으니 가히 '흉격위통(胸膈爲洞)', 즉 막힌 가슴이 뚫리듯 시원한 느낌이라 할 만했을 것이다. 고기만 먹으면 목이 멜 텐데 겨자장에 찍어 먹으니 걸리지 않고 시원하게 넘어가는 느낌을 이렇게 표현한 것이 아닐까?

"천성이 매운 것을 좋아하여, 겨자·생강 따위를 많이 먹는다"

이옥은 앞의 글에서 '황개즙'을 언급하기 전에 "나는 천성이 매운 것을 좋아하여, 겨자·생강 따위를 남보다 많이 먹는다"9고 썼다. 1795년(정조 19) 음력 10월 전라도 전주의 양정포(良井浦, 지금의 용진면 양전)를 지날 때 일이다. 이옥은 이곳이 전국에서 가장 이름난 생강 산지라는 사실을 알고 있었다. 평소 생강을 무척 좋아한지라 집집마다 생강밭으로 둘러싸여 있는 이곳을 그냥 지나칠 수 없었다. 어느 생강밭 주인을 만나 세 푼어치를 달라고 했더니 서울보다 열다섯 배도 넘게 더 주었다.10

이옥은 그 자리에서 생강의 껍질을 벗겨 깨물어 먹었다. 3분의 1가량을 먹었을 즈음, 주인이 밥상을 차려주면서 '생강절임[薑菹]'도 한 접시 내주었다. 그런데 이 생강절임을 두고 이옥은 냉정하게 평가했다. "뿌리는 밤꽃 같고 순은 댓잎 같았는데, 짠맛이 매운맛을 빼앗아 맛이 날로 먹는 것만 못했다. 마치 아이들 오줌 같은 느낌이 있어 먹지 못할 것 같았다"고 했으니 말이다.11

이 글은 이옥의 《백운필(白雲筆)》의 '담채(談菜)' 부분에 나온다. '담채'는 이름 그대로 채소에 대한 글로서, 가지·시금치·산나물·무·배추·취나물·고추·호박·나물뿌리·외(오이를 비롯하여 수세미외·동과·참외 등)·훈채(葷菜, 파·마늘)·수박·생강·상추 등을 소재로 채소의 이름·종류·재배법·맛 등에 관해 썼다. 그중 고추와 호박은 "채소 가운데 매우 흔하고 두루 재배하면서도 옛날에 없던 것이 지금은 있는 것"12이라고 했다. 그러면서 "초초(艸椒)는 곧 일명 '만초(蠻椒)'로서 속칭 '고추[苦椒]'라 하고, 왜과(倭瓜)는 곧 일명 '남과(南瓜)'로서 속칭 '호박(好朴)'이라 한다. 이 두 가지는 대개 근세(近世)에 외국에서 전해진 것이다. 옛《본초(草

艸)》와 다른 책에는 기록이 보이지 않는다"[13]라고 적었다.

새로 한반도에 유입된 이 두 가지 채소 중에서 이옥은 고추를 유별나게 좋아했다. 그는 겨자장보다 고추장을 더 즐겨 먹었다.

서울에 있을 때를 회상해보매, 술집에 들어갈 때마다 연거푸 술을 몇 잔 마시고 손으로 시렁 위의 붉은 고추[紅椒]를 집어서는 가운데를 찢어 씨를 빼내고 장(醬)에 찍어 씹어 먹으면 주모가 반드시 흠칫 놀라며 두려워했다. 남양(南陽)에 살게 되면서 가루를 내어 양념장[薑汁]을 만들어 생선회와 함께 먹는데, 역시 겨자장[黃芥汁]보다 나았다.[14]

이렇게 고추를 좋아했던 이옥은 남양 집의 채마밭 근처 조그만 땅에다 고추를 심었다.[15] 고추는 16세기 말에 한반도에 유입되었는데, 200년 가까이 흐른 18세기 중반에 와서야 즐겨 먹는 식재료가 되었다. 이 무렵에는 이옥처럼 고추 '벽(癖, 중독)'에 빠진 사람이 많았다. 사람들은 "고추를 많이 먹으면 풍(風)이 들거나 눈에 좋지 않다"[16]라며 고추 중독을 경계했다. 이에 고추 중독이었던 이옥이 반론을 펼쳤다.

내가 들은바, 철원(鐵原)에 나이 팔십이 된 노부인이 있는데 천성이 고추를 좋아하여, 떡과 밥 이외에는 모두 고추를 뿌려 붉은색이 되고 나서야 비로소 맛을 본다고 한다. 한 해 동안 먹은 것을 합해보면 100여 말에 달할 정도라 한다. 나이 팔십이 넘었지만 오히려 밤에 바늘귀를 찾을 수 있다고 한다. 고추가 눈에 좋지 않다는 말이 과연 맞는 것이겠는가?[17]

이 이야기의 사실 여부를 확인할 길이 없지만, 이옥은 근거가 부족한 통설에 실제 사례를 들어 반박하고 있다. 어쩌면 철원의 노부인 역시 특별한 사례에 지나지 않을지도 모르지만 말이다.

마늘도 생강처럼 매운맛이 나는 향신료다. 그런데 이옥은 마늘을 "깊은 병에 약으로 쓰는 것이 아니라면 절대 먹지"[18] 말아야 한다고 여겼다. 이유는 냄새 때문이었다. 이옥은 여름에 시골집에서 마늘 먹은 사람을 만나는 일이 많은데, 그들이 "입을 한 번 열자마자 역한 냄새가 방에 가득하여 곁에 있는 사람은 참을 수 없게 만드니, 암내나 방귀보다 심하다"[19]고 비난했다. 그는 심지어 마늘을 사향노루의 향낭을 채취하여 말린 흑갈색(黑褐色) 가루인 '사향(麝香)'에 빗대어 '사향초(麝香艸)'라고 불렀다. 그렇다고 이옥이 마늘을 아예 멀리한 것은 아니다. 그는 "채마밭가에 수십 뿌리를 심어, 약용과 김치의 재료로 삼았다"[20]고 했으니, 이옥이 싫어한 것은 마늘 자체라기보다는 생마늘을 그대로 먹는 행동이었던 듯하다.

한편 이옥은 여름이면 '상추쌈'을 즐겨 먹었다. 먼저 큰 동이에 물을 받아 상추를 오랫동안 담갔다 정갈하게 씻는다. 두 손을 깨끗이 씻고서 상추쌈을 싸는데, 왼손을 펴서 구리 쟁반처럼 만들고, 오른손으로 두텁고 큰 상추를 골라 두 장을 뒤집어 왼손에 펴놓는다. 숟가락으로 흰 밥을 거위 알처럼 둥글게 만들어 상추 위에 올려놓고 윗부분을 조금 평평하게 만든다. 젓가락으로 밴댕이회를 집어 겨자장에 찍어 밥 위에 얹는다. 여기에 적당량의 미나리와 시금치를 올린다. 다시 그 위에 가는 파와 향이 나는 갓 서너 줄기를 살짝 눌러 얹는다. 마지막으로 갓 볶아낸 고추장을 조금 바른다. 그러고는 상추의 양쪽을 말아 연밥처럼 둥글게 단단히 오므려서 입에 넣는다.[21]

이옥보다 먼저 상추쌈에 대한 기록을 남긴 사람들은 양념장으로 된장을 얹었지만, 매운맛을 즐긴 이옥은 겨자장과 고추장을 얹어 쌈을 싸 먹었다. ⓒ한식진흥원

　이옥보다 앞서 상추쌈에 대한 기록을 남긴 사람들은 겨자장이나 고추장이 아니라 된장으로 양념장을 삼았다. 유몽인(柳夢寅, 1559~1623)은 《어우야담(於于野談)》의 〈김인복(金仁福)의 빼어난 입담〉이란 글에서 "손바닥에 상추잎을 올려놓고, 올벼로 지은 밥을 숟가락으로 떠서, 달짝지근한 붉은 된장을 끼얹고, 거기에 잘 구운 생선을 올려놓는다오"[22]라고 했다. 이익(李瀷, 1681~1763) 역시 상추에 밥을 올린 다음 자줏빛이 도는 된장을 발라 먹었다.[23] 이들은 된장을 주재료로 한 쌈장으로 상추쌈을 먹었다. 하지만 매운맛을 좋아했던 이옥은 달랐다. 이미 밴댕이회

를 겨자장에 듬뿍 찍어 밥 위에 올리고는 여기에 볶은 고추장까지 넣었
으니 말이다.

이옥과 《백운필》

조선 정조 때 인물인 이옥은 '문사(文士)'로서 다수의 저작을 남겼지
만 사후 200년 가까이 저작이 세상에 알려지지 않았다. 1961년 국문학
자 이가원이 처음으로 이옥의 글에 대해 거론했지만,[24] 본격적인 소개는
1977년부터 시작되었다.[25] 그리고 2001년이 되어서야 이옥이 남긴 글을
모아 체계적으로 편집하여 역주한 《역주 이옥전집》이 출간되었다.[26] 그
러나 이 책에는 《백운필》이 들어 있지 않았다.[27] 《백운필》은 1960년대
말 민화연구가인 김호연이 어느 고서점에서 발견하여 1969년 5월 한 일
간지에 소개하면서 세상에 알려졌다.[28] 당시 김호연은 《백운필》의 저자
를 이규경(李圭景, 1788~1863)이라고 단정했지만 이후의 연구에서 저자
가 이옥으로 밝혀졌다.[29]

이옥은 《백운필》의 서문을 계해년(1803) 5월 상순에 썼다. 조선시대
문인들은 대부분 문집을 엮을 때 서문을 마지막에 썼는데, 이에 비추어
보면 아마 《백운필》도 이 무렵에 완성되었을 것이다. 《백운필》이란 제목
은 이옥이 말년에 거주했던 경기도 남양의 집 이름 '백운사(白雲舍)'에
서 따왔다. 그런데 이옥은 서문의 앞부분에서 "백운사에서 왜 글을 썼는
가? 대개 어쩔 수 없이 쓴 것이다"[30]라며 특별한 집필 동기를 밝혔다. 그
의 설명은 이러하다.

백운은 본디 궁벽한 곳인 데다가 여름날은 바야흐로 지루하기만 하다. 궁벽하기에 사람이 없고 지루하니 할 일도 없다. 이미 일도 없고 사람도 없으니 내가 어떻게 하면 이 궁벽한 곳에서 지루한 시간을 보낼 수 있겠는가? 나는 바깥으로 다니고 싶지만 갈 만한 곳도 없을뿐더러 뜨거운 태양이 등에 내리쬐니 두려워 감히 나갈 수가 없다. …… 내가 장차 무엇을 하며 이곳에서 이 날들을 즐길 수 있겠는가? 어쩔 수 없이 손으로 혀를 대신하여 묵경(墨卿, 먹)과 모생(毛生, 붓)과 더불어 말을 잊은 경지에서 수작을 할 수밖에 없다.[31]

　이옥은 왜 이런 심정으로《백운필》을 썼을까? 당시 그의 나이 44세였다. 학자들의 연구에 따르면, 이옥은 1760년(영조 36)에 이상오(李常五)의 4남 6녀 중 3남으로 태어났다. 위의 두 형은 전취 소생이고, 이옥은 재취 소생이다. 그의 어머니는 평안도 병마절도사를 지낸 홍시주(洪時疇, 1638~1707)의 서자 홍이석(洪以錫, 1687~1742)의 딸이다. 이옥의 고조(高祖) 이기축(李起築, 1589~1645)은 본래 얼속(孽屬)이었다가 1623년 인조반정에 가담하여 정사공신(靖社功臣) 3등에 녹훈되면서 신분이 격상되어 서자에서 적자로 승적(承嫡)되었다. 그러나 이러한 신분 상승이 후대에까지 미치지는 못했다. 무반계의 서족(庶族)이라는 신분의 한계가 이옥의 앞길을 막고 있었다.

　이런 집안 사정에도 불구하고 이옥은 31세 때 생원시에 급제하여 성균관에 머물며 공부할 수 있는 기회를 잡았다. 서얼을 차별하지 않았던 정조 덕분이었다. 그런데 1792년 음력 10월 17일에 이옥이 쓴 응제문(應製文)이 문제가 되었다. 정조가 말하기를 "엊그제 유생 이옥의 응제 글귀들은 순전히 소설체(小說體)를 사용하고 있으니 선비들의 습성에 매우 놀랐다. 현재 동지성균관사(同知成均館事)로 하여금 일과(日課)로 사륙문(四六文, 네 글자와 여섯 글자의 구로 이루어진 문체)만 50수를 짓게 하여 낡은 문체를 완전히 고친 뒤에야 과거에 응시하게 하라"[32]고 명했다. 사실 정조가 내린 벌은 무겁지 않았다. 이옥 역시 정조가 내린 과제를 열심히 했다.[33]

그러나 이옥은 문체를 바꾸지 않았다. 1795년(정조 19) 음력 8월 7일에 열린 관기교(觀旂橋) 영란(迎鑾) 유생응제(儒生應製)에 제출한 이옥의 응제문 역시 문체가 괴이하다는 지적을 받고 과거 응시를 일시적으로 금지하는 '정거(停擧)'에 이어 지방의 군적에 편입되는 '충군(充軍)'의 명을 받았다. 처음에는 충청도 정산현(定山縣, 지금의 충청남도 청양군)으로 편적되었다가[34] 다음 달인 음력 9월 4일의 경과(慶科)에 제출한 글 역시 강파르다는 질책을 받고서 그달 11일에 경상도 삼가현(三嘉縣, 지금의 경상남도 합천군 삼가면)으로 이적되었다.[35]

이옥은 삼가현에 머물던 1796년 음력 2월에 서울로 가서 별시의 초시에 합격했다. 같은 해 음력 5월에 부친이 세상을 떠나자 아예 삼가현을 떠나 서울과 남양을 왔다 갔다 했다. 그러는 동안 이옥은 과거에 붙었기 때문에 충군의 군역에서 벗어난 줄 알았는데, 직접 군역을 풀어달라는 해배 청원서를 올리지 않아 군적이 여전히 삼가현에 매여 있었다. 결국 이옥은 1799년 음력 10월에 다시 삼가현으로 끌려가다시피 내려가서 지냈다. 다음 해 음력 2월 18일에 서울의 '경과'에 응시하기 위해 삼가 현감으로부터 휴가를 받아 길을 나섰는데, 남원과 전주를 거쳐 공주에 이르렀을 무렵 사면 통보를 받았다. 그런데 이때 이옥은 서울로 가지 않고 아예 남양 본가로 낙향했다. 당시 허탈한 심정이 《백운필》의 서문에 담긴 것이다.

이옥은《백운필》에서 '갑을병정(甲乙丙丁)'의 십간(十干)으로 항목을 나누어 상편과 하편에 각각 5항목씩 글을 배치했다. 10항목의 제목은 담조(談鳥, 새 21칙則)·담어(談魚, 생선 17칙)·담수(談獸, 짐승 17칙)·담충(談蟲, 벌레 19칙)·담화(談花, 꽃 15칙)·담곡(談穀, 곡물 12칙)·담과(談果, 과일 17칙)·담채(談菜, 채소 15칙)·담목(談木, 나무 17칙)·담초(談艸, 풀 14칙) 등이다.《백운필》의 목차만 보면 마치 농서(農書)처럼 보인다. 이 때문에《백운필》을 농서라고 보는 학자도 있다.

《백운필》에는 당시 청나라의 연경에서 유통되던 책과 일본 책을 보고 인용하거나 소개한 내용도 적지 않다. 남양에 묻혀 있던 이옥이 외국책을 읽을 수 있었던 것은 이종사촌 유득공 덕분이었다. 유득공 역시 이옥처럼 서얼이었지만, 뛰어난 문인으로서 규장각의 초대 검서관(檢書官)으로 발탁되었을 뿐 아니라 세 번이나 연행사를 따라 연경에 다녀왔다. 이 과정에서 유득공이 귀한 서책들을 입수하여 이옥에게도 보여준 것이다. 이뿐 아니라 이옥은《백운필》에서 유득공에게 듣거나 물은 이야기를 다섯 차례나 글로 남겼다.

이옥이《백운필》에서 구사한 문체는 오늘날 기준으로 말하면 산문체다. 당시 사람들은 이런 글을 '소품(小品)'이라고 불렀다. 짧은 문장, 이념이나 격식에 구애되지 않는 자유로운 필치, 참신하고 감각적인 표현, 감정의 표출을 중시하는 문체가《백운필》을 관통하고 있다.[36] 그러니 건조한 지식을 지루하게 나열한 농서와는 다르다. 자신의 체험은 물론이고, 다른 사람으로부터 들은 이야기, 심지어 농부를 만나서 물어본 이야기도 실려 있다. 이옥은 지루함을 쫓기 위해《백운필》을 썼다고 했다. 그러나 독자 입장에서 이옥의 글은 무척 생생하고 재미있다. 특히 새·생선·곡물·채소·과일 등의 식재료와 음식 이야기에는 미식 표현이 가득하다.

"나는 금년에 떡국을 먹지 않았으니 한 해를 얻은 셈이요"

이옥이 남긴 글은 대부분 친구 김려에 의해 수습되어 《담정총서(薄庭叢書)》에 실린 덕분에 지금까지 전하고 있다. 이 중 67편의 글이 실린 《봉성문여(鳳城文餘)》는 1799년 음력 10월부터 다음 해인 1800년 음력 2월까지 세 번째로 충군을 간 삼가현에 머물 때 보고 들은 일들을 산문체로 쓴 견문기(見聞記)다. '봉성(鳳城)'은 삼가현을 이르는 별칭이다. 《봉성문여》는 1800년 2월 사면을 받고 고향 남양으로 돌아간 직후인 음력 5월에 썼다.

이옥은 삼가현에 도착하여 서쪽 성문 밖 박대성의 주막에 거처를 마련했다.[37] 2일과 7일로 끝나는 날 저자에 오일장이 섰고, 이옥의 거처에서도 왁자지껄한 흥정소리가 들렸다. 이옥은 거처하는 방에 창이 없어 남쪽 벽에다 구멍을 뚫고 종이창을 만들었는데, 종종 종이창 구멍으로 밖을 내다보곤 했다. 1799년 음력 12월 27일, 이날 장이 서자 이옥은 정오쯤에 무료함을 달래려 구멍으로 밖을 엿보았다.

닭을 안고 오는 사람, 문어를 들고 오는 사람, 멧돼지 네 다리를 묶어 짊어지고 오는 사람, 청어를 묶어 들고 오는 사람, 청어를 엮어 주렁주렁 드리운 채 오는 사람, 북어를 안고 오는 사람, 대구를 가지고 오는 사람, 북어를 안고 대구나 문어를 가지고 오는 사람, …… 미역을 끌고 오는 사람, …… 누룩을 지거나 이고 오는 사람, 쌀자루를 짊어지고 오는 사람, 곶감을 안고 오는 사람, …… 대광주리에 무를 담아 오는 사람, …… 나뭇가지에 돼지고기를 꿰어 오는 사람, 강정과 떡을 손에 들고 먹는 어린아이를 업고 오는 사람, 병 주둥이를 묶어 휴대하고

이옥이 1799년 음력 10월부터 1800년 음력 2월까지 거처했던 주막은 지도의 '서문(西門)' 밖 마을에 있었던 것으로 보인다. 〈삼가현지도(三嘉縣地圖)〉(1872년 지방도). 서울대학교 규장각한국학연구원 소장.

오는 사람, …… 바가지에 두부를 담아 오는 사람, 사발에 술과 국을 담아 조심스럽게 오는 사람, …… 세모(歲暮)인 터라 저자가 더욱 붐비고 있었다.[38]

이 글의 제목이 '시기(市記, 저자 기록)'인 이유는 내용을 보면 충분히 짐작할 수 있다. 설날을 앞두고 열린 마지막 대목장이라 여느 때와 달리 사람들로 붐볐다. 특히 먹을거리를 팔러 오거나 사러 온 사람들이 무척 많았다. 닭·멧돼지·돼지고기는 모두 설날 차례에 올릴 제물(祭物)이다. 청어·북어·대구·문어·미역·무·강정·떡·두부·곶감도 그렇다. 누룩은 제주(祭酒)를 빚을 때 꼭 필요하다.

이렇게 한참 밖을 보고 있는데, 갑자기 나무 한 짐을 짊어진 사람이 종이창 밖에 앉는 바람에 구멍이 가렸다.[39] 이옥의 장날 구경도 여기서 끝이 났다. 이옥의 장터 묘사는 마치 시골 대목장을 카메라로 촬영한 것처럼 생생하다. "이옥의 붓끝에 혀가 달렸다"[40]고 한 성균관 동창 강이천의 말이 과장이 아님을 이 글을 통해 확인할 수 있다.

1799년 음력 12월 30일에는 이런 일도 있었다. 삼가현 백성들은 "섣달 그믐날 정오에 선대에 대한 제사를 지낸다"[41]는 것이다. 1849년에 편찬된 홍석모의 《동국세시기》에서는 "설날 집안 사당에 배알하고 제사 지내는 것을 차례(茶禮)라고 부른다"[42]고 하면서 이것이 '서울 풍속'이라고 했다. 그런데 이옥이 삼가현에 와서 보니 서울과 달리 영남 지역의 하층 백성들은 섣달 그믐날 정오에 차례를 모셨다. 이 풍속이 현대까지 이어져 1980년대까지도 남해의 섬 지역에서는 섣달 그믐날 밤에 설날 차례를 모셨다.

게다가 이옥은 하층 백성들이 차례상에 "떡국(湯餠)을 사용하지 않고 밥과 국, 어육(魚肉)과 주과(酒果)를 차려놓고 흠향한다"[43]고 했다. 그런데 이런 설날 차례 풍습과 관련해 1960년대까지도 경상남도의 명문가에서는 차례에 떡국을 올리는지 그렇지 않은지를 두고 "떡국 차례 가문인가, 메(밥) 차례 가문인가"라는 말을 했다고 한다. 그러니 이옥이 '영남 하층 백성(嶺之小民)'이라고 한 것은 잘못이다. 실제로 1960년대까지도 경상남도 남강(南江) 이남에서는 '메 차례'를 모셨던 집들이 적지 않았다. 아마도 이옥이 충군의 신분이었기 때문에 삼가현의 명문가나 양반 집안의 풍습을 접하지 못해서 생긴 오해일 수 있다.

이날 마을 사람들은 차례를 올린 뒤 이옥에게 술과 과일을 보냈는데,

이옥이 실감 나게 묘사한 삼가현의 대목 장날 풍경이 이 그림과 비슷하지 않을까? 김준근, 〈시장〉, 19세기 말경. 독일 함부르크민족학박물관 소장.

이옥은 짓궂게도 심부름 온 아이에게 웃으면서 이런 말을 했다. "우리나라 풍속에 떡국 그릇[餠椀]으로 나이를 계산하는데, 나는 금년에 떡국을 먹지 않았으니 한 해를 얻은 셈이요, 너희들은 지금까지 세월을 헛먹은 것이다."[44] 얼마나 웃기는 이야기인가? 그런데 설날에 떡국을 먹어 보지 못한 삼가현의 아이들이 이옥의 농담을 얼마나 알아들었을지는 의문이다.

　이외에도 이옥은 《봉성문여》에서 삼가현의 혼례와 상제(祥祭), 그리고 제사를 드릴 때 음식으로 부조를 하거나 또 음식을 베푸는 '반과(盤果)'

와 '호궤(犒饋)' 풍습을 소개하면서 미풍양속이라고 평가했다.[45] 또 〈방언(方言)〉이란 글에서는 삼가현 사람들이 "부엌을 경자(庚子), 발이 없는 솥을 대갈(大曷), 뾰족한 입이 있는 작은 동이를 사기(使器), …… 벼를 나락(羅落), …… 대구를 멸장(蔑醬), …… 먹는 것을 묵담(黙談)"[46]이라고 부른다고 적었다. 최근까지도 경상남도 사람들은 부엌을 '정지', 벼를 '나락', '먹는다'를 '묵는다'라고 하니 이옥의 기록이 매우 사실적임을 확인할 수 있다.

한편 이옥은 삼가현에서 난생처음으로 '생해삼(生海蔘)'을 보고서 글로 남겼는데, "큰 것은 돼지 새끼 새로 난 놈과 비슷하고 색깔은 검푸른 데다 옅은 황색을 띠고, 육질은 매우 물러 우무에 비하여 조금 단단하다"[47]라며 자세하게 묘사했다. 이옥은 이 생해삼을 회로 떠서 홍로주(紅露酒), 즉 증류한 소주의 안주로 먹었다. "처음에는 시원한 맛이 있는 것 같았으나, 한 접시를 다 비우기도 전에 흉격(胸膈)이 꽉 차며 배가 부른 것처럼 느껴졌다"며 "맛은 없다"고 했다.[48] 실제로 생해삼은 그 자체로는 특별한 맛이 없다. 이옥의 생해삼 '식후감(食後感)'은 그야말로 솔직하다.

"이름만 취하고 맛으로 취하지 않는다"

이옥은 음식과 관련해서 여러 편의 글을 남겼는데, 음식 사치를 비판하기도 했다. 늦봄에 복숭아꽃이 피자 서울의 재상들이 모여 각자 술안주와 과일을 가지고 와서 연회를 열었다. 자연스럽게 어느 집의 음식이 맛있는지를 두고 말이 오갔다. 가장 늦게 도착한 재상의 집에서 내놓은 음식은 "작은 바리에 담긴 약밥과 작은 그릇에 담긴 찐 대추 열 개"뿐이었지만, 대추 일곱 개만 맛보고 나머지를 다시 그 집으로 돌려보냈다. 알고 보니 대추를 쪄서 씨를 빼서 버리고, 대추 속살과 평안도 강계(江界)의 산삼(山蔘)을 꿀에 타서 다시 대추 속을 채우고 잣으로 양쪽 끝을 막아서 만든 것으로, '찐 대추' 열 개 값이 2만여 전이나 한다는 것이다.[49]

이옥은 이를 두고 "아, 또한 지나친 일이다. 과일은 과일이고 약은 약인데, 어찌하여 꼭 그래야만 하는가?"[50]라고 비판했다. 그러면서 이옥은 일찍이 나주(羅州)의 이인섭(李寅燮)이 "음식 사치보다 차라리 입는 데 사치하는 것이 낫다. 음식 사치하는 자는 먼저 망하고 옷 사치하는 자는 뒤에 쓰러진다"[51]고 한 말을 소개했다. 옷이야 금세 없어지는 것이 아니지만, 음식은 먹고 나면 그만이기에 이인섭의 말을 되새긴 것 같다.

또 이옥은 평안도와 경기도 사람이 기장밥과 보리밥을 두고 서로 맛있다고 다투는 모습을 이렇게 묘사했다. "평안도 사람과 경기도 사람이 곡식의 성질을 논하면서 경기도 사람은 '보리밥이 낫다'고 하고, 평안도 사람은 '기장밥의 맛남만 못하다'고 하여, 드디어 각자가 고집하여 조정할 수 없었다"[52]고 했다. 그러면서 "경기도 사람이 보리로 밥을 짓고 평안도 사람이 기장으로 밥을 짓는 것은 각기 좋아하는 것을 따를 뿐이다. 어느 것이 짧고 어느 것이 길단 말인가"[53]라고 일침을 놓았다. 한마디로 식성(食性)의 문화상대주의(cultural relativism)를 설파한 것이다.

이옥이 '생선의 맛'을 두고 쓴 산문은 이옥의 미식 글 중에서도 으뜸이라 할 만하다. 그는 청어의 맛이 좋다는 소문을 두고 이러쿵저러쿵하는 말을 소개하면서 "먹을거리는 다만 맛으로 취하여야 하고 명성으로 취하지 말아야 하는데, 세상 사람들은 다들 이식(耳食)을 하기 때문에 이름만 취하고 맛으로 취하지 않는다"[54]고 했다. 여기에서 '이식'은 '귀로 먹는다'는 말이다. 즉 음식을 실제로 먹어보지도 않고 남의 말만 들고 그대로 믿어버리는 모습을 두고 이식이라고 한다. 요즈음 사람들이 맛집 소문만 듣고 문전성시를 이루는 모습이 바로 이식이다.

이옥은 담배의 모든 것을 담은 《연경(烟經)》이란 책도 썼다. 스스로 지나칠 정도로 담배를 좋아해 '벽'이 있을 정도였다. 그는 《연경》 제2장에서 《중용》의 "마시고 먹지 않는 이가 없지만 맛을 아는 이는 적다"[55]라는 공자의 말을 인용하면서 "맛을 아는 이도 오히려 적은데 하물며 그 유래한 곳이 얼마나 먼가를 알고, 그 시행하는 방법이 마땅한가를 아는 자가 몇 사람이나 되겠는가?"[56]라는 질문을 던졌다. 이옥이 좀 더 오래 살았다면, 아마도 《연경》에 이어 《식경(食經)》을 집필했을지도 모른다.[57] 만약 이옥이 《식경》을 썼다면 조선시대 최고의 미식서가 되었을 것이다. 앞에서 줄곧 소개했듯이 그의 글에는 음식을 맛본 소감을 생생하면서도 솔직하게, 비판적이면서도 재치있게 쓴 미식 표현이 가득하다.

3부

어의와 왕의 음식:
장수를 위하여

"동치미 국물에 적시고 소금 조금 찍으면 그 맛이 더없이 좋다"

전순의의 동치미

"동치미 국물에 적시고 소금 조금 찍으면 그 맛이 더없이 좋다"

겨울에 만청(蔓菁)의 껍질을 벗겨서 그릇에 담아두었다가 잘 얼었으면 항아리에 담아 냉수를 붓고, 입구를 봉하여 따뜻한 방안에 두어 익기를 기다린다. 맛을 보아서 먹을 만할 때가 되면 그것을 찢어 숟가락에 담아 동치미 국물에 적시고 소금 조금 찍으면 그 맛이 더없이 좋다.[1]

이 글은 세조 때 어의였던 전순의가 편찬한 《산가요록》에 나온다. 제목은 '동침(凍沈)'으로, 요리법을 보면 만청(순무)으로 담근 동치미다. 조선시대 문헌에 등장하는 '동치미'의 한자는 두 가지다. 하나는 '얼 동(凍)' 자와 '잠길 침(沈)' 자를 쓰고, 다른 하나는 '겨울 동(冬)' 자와 '잠길 침(沈)' 자를 쓴다. 《산가요록》의 '동침'은 전자에 해당한다. 문자 그대로 해석하면 언 상태로 국물에 잠겨 있다는 뜻이다.

그런데 《산가요록》의 동침 요리법에서는 만청을 소금에 절이지 않고 그냥 얼린다. 꽁꽁 언 만청을 항아리에 넣고 냉수를 붓는데, 이때도 따로 소금을 넣지 않는다. 단지 항아리 입구를 봉하여 따뜻한 방안에 두고 익힐 뿐이다. 왜 소금에 절이지 않고 얼린 만청을 따뜻한 방안에서 익힐까?

그 비밀은 바로 이 동침이란 음식의 주재료인 만청에 있다. '만청'은 '순무'의 한자 이름으로 '무청(蕪菁)'이라고도 불리며, 한글로는 '쉿무', '쉿무수', '슛무', '쉰무'라고도 쓴다. 당시 한자어로 '나복(蘿蔔)'이라 부르던 오늘날의 '무'와 같은 십자화과에 속하지만, 무보다 매운맛이 강한 편이다. 그래서 동침 요리법에서는 매운맛을 줄이기 위해 온도가 높은 곳에 두고 숙성을 시킨 것이다. "맛을 보아서 먹을 만할 때"라는 말은 곧 매운맛이 거의 없어진 상태를 가리킨다. 이렇게 익은 순무를 먹을 때는 적당한 크기로 잘라 소금을 조금 찍어 숟가락에 올려 동치미 국물과 함께 먹으면 맛이 참으로 좋다는 것이다.

요사이 동치미 담그는 법과 비교하면 이 동침 요리법은 무척 생소하다. 특히 순무를 소금에 절이지 않는 점이 그렇다. 순무를 주재료로 하여 소금에 절이는 요리법은 김유의 《수운잡방》에 나온다. 요리법의 이름은 '청교침채법(靑郊沈菜法)'이다. 청교(靑郊)는 지금의 개성시 덕암동의 동쪽 마을을 가리키는 지명으로, 요리법의 이름을 풀어서 말하면 '개성 청교의 순무 절임법'인 셈이다. 비록 주재료는 순무이지만, 《산가요록》에서처럼 매운맛을 줄이기 위해 따뜻한 실내에 두고 숙성시키지는 않는다. 대신에 순무를 아주 깨끗이 씻어 발[簾] 위에 펴놓고 싸락눈이 내리듯이 소금을 뿌린다. 잠시 뒤에 소금을 뿌린 순무를 다시 씻어서 같은 방법으로 소금을 뿌리되 재료가 무르지 않게 한다. 향기 나는 풀〔香草〕로 덮어서 3일 동안 두었다가 서너 치〔寸〕 크기로 썰어서 항아리에 넣는데, 큰 항아리에는 소금 두 되, 작은 항아리는 소금 한 되 반을 넣는다. 반쯤 익으면 찬물을 항아리에 붓고 익기를 기다렸다가 쓴다.[2]

그런데 이후 조선 후기에 편찬된 요리책에는 순무로 동치미를 담그는 요리법이 나오지 않는다. 영조 때 의관 유중림은 《증보산림경제》의 〈치선〉에서 순무를 얇게 썰어서 담근 '만청저(蔓菁菹)'를 언급하면서 "금방 먹어야 하며 겨울을 넘길 반찬으로 삼을 수는 없다"[3]고 했다. 순무는 일반 무와 달리 빨리 뭉그러지기 때문이다. 순무가 많이 나는 강화도에서도 김장 때 순무김치를 담그면 배추김치가 익기 전에 먼저 꺼내 먹는다.[4]

순무의 이런 특성 때문이었는지 몰라도 조선 후기에 편찬된 요리책에 나오는 동치미의 주재료는 모두 '무'다. 19세기 말에 집필된 것으로 추정되는 한글 요리책 《시의전서·음식방문》에는 한자로 '동침이(冬沈伊)', 한글로 '동침이'라는 요리법을 다음과 같이 적어놓았다. "(크기가) 잘고 모양 좋은 무를 깨끗이 껍질 벗겨 (간을) 맞추어 절여 하루 지나거든 (무를) 깨끗이 씻어 독에 묻"는다. 여기에 어린 오이를 절이고 배와 유자 껍질을 벗겨 썰지 않고 함께 통째로 넣고, 파·생강·고추 썬 것을 위에 많이 얹는다. 그런 뒤 "좋은 물에 함담(鹹淡, 짜고 싱거움) 맞추어 가는체에 밭쳐 (항아리에) 가득히 붓고 두껍게 봉하여 익은 후 먹되 배·유자는 먹을 때 썰고 국물에 백청(白淸, 꿀) 타 석류·백자(柏子, 잣) 흩어 쓰라"라고 했다.[5]

전순의가 살았던 조선 전기만 해도 개성과 강화도 일대에서는 순무가 무를 능가할 정도로 동치미 재료로 널리 쓰였던 듯하다. 김유의 '청교침채법'을 통해서도 그러한 사실을 확인할 수 있다. 그러나 순무의 재배지가 한정되어 있었고 오래 저장하기도 어려워 점차 순무 대신 무가 동치미의 주재료가 되었다. 조선 후기가 되면 요리책에 나오는 동치미의 주재료는 모두 무다. 따라서 《산가요록》의 동침 요리법은 조선 전기까지 개성에서 전승된 고려시대 순무 요리법 중 하나일 가능성이 있다.

"가을이나 겨울에 먹는다"

《산가요록》에는 '토읍침채(土邑沈菜)'라는 요리법이 나온다. 이 요리법 이름에서 '토읍'이라는 말이 무슨 뜻인지는 아직까지 확인되지 않았다. 이 표현을 보통명사로 볼 경우, '본고장'이라고 풀이할 수 있다. 토읍침채의 주재료는 '진청근(真菁根)'이다. '청근(菁根)'은 '무'를 가리키는 한자말이므로, '진청근'이라 함은 '참무'를 칭하는 듯하다. 요리법은 "음력 1월이나 2월에 참무를 깨끗이 씻어서 껍질을 벗기고 크기에 따라 세 조각에서 여섯 조각 정도로 잘라 물에 사흘 동안 담가 두되 물을 자주 갈아준 다음 무만 건져서 항아리에 담는다. 깨끗한 물이나 묽은 쌀뜨물을 팔팔 끓여서 식힌 후 부어 온돌에 놓고 항아리를 두텁게 싸서 익기를 기다렸다가 쓴다"[6]고 했다. 소금이나 소금물이 전혀 들어가지 않은 '무침채'다.

이 방법에 이어 같은 항에서 소금을 사용하는 또 다른 토읍침채 요리법을 소개하고 있다. "2월에 참무를 깨끗이 씻어서 껍질을 벗기고 큰 것은 서너 조각으로 잘라서 항아리에 담는다. 소금을 조금 넣고 물을 끓여 차게 식혀 참무 한 동이에 물 세 동이를 부어서 시원한 곳에 둔다. 어떤 이는 참무가 약간 마른 것이면 (참무) 한 동이와 소금 한 줌, 물 한 동이를 넣어도 된다고 한다."[7]

소금을 사용하는 이 토읍침채 요리법은 김유의 《수운잡방》에도 나온다. 즉 "깨끗한 물에 소금을 조금 넣고 팔팔 끓여서 차게 식힌다. 무 한 동이에 (소금)물 세 동이씩을 부어두었다가 익은 뒤에 쓴다."[8] 김유의 토읍침채 만드는 법은 소금을 사용하는 전순의의 두 번째 요리법과 비슷하다.

이처럼 《산가요록》에는 앞에서 소개한 동침·토읍침채 외에도 여러 종류의 침채가 소개되어 있다. 우침채(芋沈菜, 토란 줄기+소금)·동과침채(冬瓜沈菜, 동과+순무+소금)·침백채(沈白菜, 배추+소금)·선용침채(旋用沈菜, 중탕하여 급히 만드는 침채)·생총침채(生蔥沈菜, 생파+소금) 등이 나온다. 이로 미루어 《산가요록》이 편찬된 조선 초기까지만 해도 소금 또는 소금물이 들어가거나 들어가지 않아도 '침채'라고 불렀음을 확인할 수 있다.

《산가요록》에는 침채뿐 아니라 '저(菹)'라는 이름이 붙은 채소절임 음식도 나온다. 즙저(汁菹)·하일즙저(夏日汁菹)·하일장저(夏日醬菹)·하일가즙저(夏日假汁菹) 등 오이나 가지를 각종 장(醬)에 절인 음식을 '저'라고 불렀다. 또 한여름에 나는 오이를 가지고 여러 가지 방법으로 만든 과저(瓜菹)와 가지를 간장에 절여 만드는 가자저(茄子菹)도 있다.

특히 '과저'에는 무려 여섯 가지나 되는 요리법이 적혀 있다. 그만큼 오이를 이용한 과저가 널리 식탁에 올랐던 모양이다. 그중 한 가지는 음력 5~6월에 딴 오이로 만들어 가을이나 겨울에 먹는 요리법이다.

오이를 씻어서 물기를 없애고 볕에 말린다. 할미꽃 뿌리와 줄기를 무르게 쪄서 (오이) 사이사이에 넣어서 항아리에 담는다. 끓인 소금물

《산가요록》에 소개된 할미꽃 뿌리와 줄기를 넣어 만드는 과저를 재현했다. ⓒ궁중음식연구원

을 뜨거운 채로 가득 붓고, 뚜껑을 덮고 (그 위에) 진흙을 발라 서늘한
곳에 두었다가, 가을이나 겨울에 먹는다.⁹

《산가요록》에서 다룬 과저 요리법은 18세기 이후의 요리책에 나오는
각종 양념이 들어간 과저와 달리 할미꽃 뿌리와 줄기가 양념처럼 쓰였
다. 게다가 산패를 방지하기 위해 담그자마자 항아리 입구를 진흙으로
봉해 공기 접촉을 차단했다가 가을과 겨울에 먹었다고 하니 대단한 지
혜가 아닐 수 없다.

전순의는 간장이나 소금 또는 각종 향신료를 넣어서 담근 채소절임
음식을 '저'라고 하고, 채소가 잠기도록 소금물이나 끓인 물 또는 끓여

서 식힌 물을 넣어 담근 음식은 '침채'로 분류했다. 오늘날 말로 하면 저는 국물이 적은 김치이고, 침채는 국물이 많은 물김치인 것이다. 그러나 17세기 이후에 나온 요리책에서는 '저'와 '침채'는 물론이고 '지(漬)'까지 통틀어 김치를 가리키는 이름으로 쓰였다. 따라서 《산가요록》은 저와 침채의 구분이 비교적 명확했던 조선 초의 사정을 알려주는 귀중한 문헌이다.

전순의와 《산가요록》

《산가요록》은 21세기에 들어서야 세상에 알려졌다. '전통음식'에 남다른 애정을 지닌 한 일반인이 1990년대 중반 서울의 청계천 고서점에서 구입했다가 2001년에 관련 학자들에게 공개했다. 이후 2004년 연말에 농촌진흥청의 '고농서국역총서' 여덟 번째 책으로 번역·출판되면서 널리 알려졌다. 그러나 15세기 중엽에 편찬되어 500여 년이 지난 뒤 다시 세상에 알려지게 된 《산가요록》은 온전한 상태가 아니었다. 겉표지는 물론이고 앞부분의 지면이 여러 장 떨어져나가고 없었다. 그런 탓에 책 제목은 물론 저자나 편찬자가 누구인지도 확인하기 어려운 상태였는데, 다행히도 책의 끝에서 두 번째 면(面)에 '전순의 찬 산가요록 종(全循義 撰 山家要錄 終)'이란 글자가 적혀 있었다. 이를 통해 책 제목이 《산가요록》이며, 편찬자가 전순의임을 알게 되었다.

아직 전순의의 생몰연도를 확정할 수 있는 자료는 발견되지 않았다.[10] 다만 1455년(단종 3) 음력 1월 25일자 실록을 보면, 전의감(典醫監) 제조(提調)가 단종에게 "세종께서 백성을 생각하시어 삼사(三司) 이외에 따로 의서(醫書)를 공부하는 방안을 세워 방서(方書) 읽기를 널리 권장했습니다. 그때 이효신(李孝信)·전순의·김지(金智) 같은 이들이 방술을 약간 배워 익혔습니다"[11]라고 아뢰고 있어 전순의가 의원(醫員)이 된 계기를 알 수 있다.

전순의는 의서 편찬에도 활발하게 참여했다. 1445년(세종 27)에 동년배로 추정되는 김예몽(金禮蒙, 1406~1469) 등과 함께 365권에 이르는 방대한 의서인 《의방유취(醫方類聚)》 편찬에 참여했고, 1447년(세종 29)에 김의손(金義孫)과 함께 《침구택일편집(鍼灸擇日編集)》 1권을 편찬했다.

또 전순의는 1447년 음력 5월에 조선을 방문한 다카야스(崇泰)라는 쓰시마(對馬島)의 승려에게 의술을 배웠다.[12]

하지만 문종(文宗, 1414~1452)이 병으로 세상을 떠나자 책임을 추궁당하여 직급이 떨어지는 수모를 겪었다. 그런데 묘하게도 세조 즉위년인 1455년 음력 12월 27일에 전순의가 의원으로 유일하게 원종공신(原從功臣) 1등에 녹훈되었다.[13] 이를 두고 문종의 사망에 전순의가 직간접으로 관여하지 않았을까 의심하는 이도 있다.

세조와 신료들은 전순의를 명의라고 여겼다.[14] 1459년(세조 5)의 실록을 보면 당시 전순의는 병들고 쇠로(衰老)한 상태였다.[15] 그러나 다음 해인 1460년(세조 6) 음력 11월에 일종의 식이요법책인 《식료찬요(食療纂要)》를 완성하고 서문을 썼다.[16] 이 책은 중국의 의서들을 참고하여 45가지 질병과 그에 맞는 식치(食治) 처방을 정리했다. 이때 세조가 이 책의 제목을 하사했다.[17] 1461년(세조 7) 음력 7월 19일 전순의는 정3품의 첨지중추원사(僉知中樞院事),[18] 다음 해인 1462년 음력 4월 11일에는 종2품의 동지중추원사(同知中樞院事)에 올랐다.[19]

《산가요록》은 농서이자 요리책이다. 농업 부분은 작물·원예·축산·양잠·식품 등의 내용을 망라했고, 요리 부분에서는 230여 가지의 요리법을 정리했다. 조선 후기의 《산림경제》나 《증보산림경제》에 비해 분류 방식이 단순하지만 그에 버금가는 종합 농서라 할 수 있다. 현재 《산가요록》은 전반부가 훼손되고 양잠·재상(栽桑, 뽕나무 재배법)·과수·죽목(竹木)·채소·염료작물·가축(물고기와 꿀벌 포함) 등 28면, 요리법 47면, 염색 2면 등 모두 77면이 남아 있다.[20]

이 중 요리법 부분은 '주방(酒方)'이란 분류 제목 아래 술 제조법이 맨 먼저 나온다. 술 빚는 데 쓰이는 계량도구와 술 빚기 좋은 날을 일러준 뒤 바로 이어서 소주 두 가지를 비롯해 청주·탁주·감주(甘酒) 등 50가지에 이르는 술 제조법을 정리해놓았다. 이뿐만 아니라 술맛이 오래도록 변하지 않도록 술을 단속하는 법과 누룩 제조법도 함께 실었다. 여기에 정리된 술 가운데는 《산가요록》보다 뒤에 집필된 《수운잡방》이나 《음식디미방》에 나오는 술과 이름이 같은 것도 여럿 있다. 그러나 제조법은 약간 다르다.

따로 분류 제목을 붙이지 않았지만, 주방 다음에는 장류 제조법이 나온다. 장류의 시작은 '전시(全豉)', 즉 메주 만드는 방법이다. 메주의 주재료는 흑태(黑太, 검은 콩)로, 만드는 시기는 음력 7월이다. 그다음에 나오는 '말장훈조(末醬薰造)'에서는 음력 1~2월에 메주를 빚어 띄운다고 했다. 이어서 합장법(合醬法)과 장류 제조법 12가지, 그리고 장맛 고치는 법 4가지가 나온다. 또 식초 17가지, 저와 침채 등의 채소절임 음식 38가지를 비롯해 과일과 채소 저장법 17가지, 어육 저장법 10가지가 소개되어 있다. 그 밖의 요리법으로 죽·떡·국수·만두·수제비·과자·좌반(佐飯, 자반)·식해·두부·탕과 계란·닭·소머리 삶는 법 등이 50여 가지나 적혀 있다.

학자들의 연구에 따르면, 《산가요록》의 농업 부분은 1273년 중국 원나라의 대사농(大司農)에서 편찬한 《농상집요(農桑輯要)》의 내용을 옮겨 적은 것이 많다.[21] 또 작물별 길일(吉日)에 관해서도 원나라 때 편찬된 《거가필용사류전집》의 내용을 활용하여 집필했다.[22] 전순의는 비록 중국 책을 참고했지만, 대부분 당시 조선의 사정에 맞춰 적용할 수 있는 내용을 추려서 옮긴 것으로 추정된다.

그런데 《산가요록》의 요리법 부분은 중국의 문헌을 참고했다는 근거가 아직까지 나타나지 않았다. 앞에서도 밝혔듯이 《산가요록》보다 늦게 집필된 김유의 《수운잡방》과 장계향의 《음식디미방》에도 자구(字句)는 다르지만, 비슷한 종류의 술과 제조법이 나오는 것으로 보아 고려 때부터 비전(祕傳)한 '주방'이 있었을 가능성도 배제할 수 없다. 본디 술 제조법은 어깨너머로 배우기 힘든 기술로, 제조법을 정확히 지키지 않으면 제대로 된 술맛을 구현하기 힘들다. 그렇기 때문에 각종 술 재료의 분량과 제조 순서를 기록으로 남겨 전했을 것이다.

《산가요록》의 술 제조법에서는 술을 대량으로 빚는 방법도 다룬다. 가령 이화주(梨花酒)를 만들 때 김유의 《수운잡방》에서는 멥쌀 한 말로, 《음식디미방》에서는 멥쌀 다섯 말로 담그는 것이 최대치로 나오는데, 《산가요록》에는 멥쌀 열다섯 말로 음력 2월 초에 담근다고 나온다. 이렇게 많은 곡물을 사용해 이화주를 담그는 내용을 두고 《산가요록》의 술 제조법이 왕실에서 쓰던 방법이라고 하는 주장도 있다.[23] 하지만 《산가요록》에서 이화주 외에 다른 술은 이처럼 대량으로 빚는 법이 소개되어 있지 않아서 이 주장에 전적으로 동의하기는 어렵다. 다만 전순의가 일생을 왕실에서 일한 의원이었음을 감안한다면, 이화주와 관련하여 이러한 주장이 타당할 수도 있다.

"생송이와 다름없다"

《산가요록》이란 책 제목만 놓고 보면, 전순의 자신이 산속의 집[山家]에서 지낼 때 필요한 지식을 모은 책일 가능성이 있다. 과수나 채소 키우는 법을 비롯해 요리법 중에도 산속에서 자급자족하면서 알아야 할 내용이 많다. 특히 앞에서 소개했던 저와 침채 요리법은 각종 채소를 오

《산가요록》에는 각종 채소를 오래 보관할 수 있는 방법이 많이 소개되어 있다. 그중 '침송이'라는 요리법은 송이를 오랫동안 보관할 수 있는 저장법이다. ⓒShutterstock.com

랫동안 보관하는 방법 중 하나다.

'침송이(沈松耳)'라는 요리법 역시 송이를 "해가 지나도 썩지 않"도록 하는 저장법이다. 먼저 "통통하면서 쇠지 않은 송이를 골라 동아 꼭지나 닥나무 잎으로 물에서 문질러 뽀얗게 되도록 씻어서 삶는다." 이렇게 손질한 송이를 하룻밤 그대로 둔 후 "송이 삶은 물과 함께 항아리에 담아 차게 식기를 기다려 띠풀을 송이 위에 얹고 돌로 가볍게 눌러둔다. 열흘이 지난 뒤에 송이를 건져내고 묵은 물은 따라내고 새 물을 부어 다시 담가둔다. 15~20일 동안 물을 자주 갈아주어야 송이 색깔이 깨끗하고 하얗게" 된다. 전순의는 이 요리법의 마지막에 "필요에 따라 적당히 쓰면 생송이와 다름없다"는 말을 덧붙였다.[24] 냉장고가 없던 시절에 생활 속에서 궁리해낸 놀라운 보관법이다.

이외에도 과일과 채소를 소금에 재우거나 소금물에 담가서 저장하는 침강법(沈薑法, 생강)·침동과(沈冬瓜, 동아)·침산(沈蒜, 마늘)·침서과(沈西瓜, 수박)·침청태(沈靑太, 푸르대콩)·침도(沈桃, 복숭아)·침궐(沈蕨, 고사리), 소금에 절였다가 꿀에 담그는 침행(沈杏, 살구)과 꿀을 넣어 달여서 보관하는 침도(沈桃, 복숭아) 같은 방법이 나온다. 이 저장 식품들의 이름에 모두 '침(沈)' 자가 붙어 있지만, 이를 두고 침채, 즉 채소절임 음식이라고 볼 수는 없다.

또 생과일·가지·고사리·오이·채소·생강·토란·배·밤 등의 저장법은 해당 채소와 과일 이름 앞에 저장할 '장(藏)' 자를 붙였다. 이 저장법은 있는 그대로 말리거나 익혀서 말리는 방법, 마른 재에 뒤섞어서 말렸다가 재를 씻어내고 또다시 볕에 말려 저장하는 방법 등 다양하다. 죽순·송이·천초(川椒)·순채 같은 채소나 생선을 말리는 법 또는 여름에 고기 말리는 법, 해를 넘겨 고기 말리는 법 등은 당시 서울에 살든 산속이나 어촌에 살든 반드시 알아야 할 생활 지식이었다.

영국의 인류학자 잭 구디(Jack Goody, 1919~2015)는 캔(can)이나 냉동기술로 가공하는 '산업화된 식품(Industrial Food)'이 등장하기 전까지의 요리법은 대부분 음식을 일정 기간 저장하는 데 목표가 있었다고 한다.[25] 《산가요록》에 실린 요리법도 대부분 식품을 저장하는 방법에 해당한다. 《산가요록》의 저장법 중 '침계란(浸鷄卵)' 만드는 법은 오늘날에도 시도해볼 만한 흥미로운 요리법이다.

매운 재(猛灰, 참나무를 태운 재처럼 진한 잿물을 내릴 수 있는 독한 재)를 죽

경기도 양평군 세미원 내 상춘원에 복원된《산가요록》의 온실 ⓒ세미원

처럼 걸쭉하게 만들어 계란을 담가 한 달을 두었다가 꺼내어 깨끗이 닦는다. 다시 소금을 물에 죽처럼 진하게 타서 계란을 담갔다가 한두 달 지난 다음 꺼내 껍질을 벗겨보고서 삶은 계란처럼 굳어 있으면 먹는다.26

《산가요록》에는 이러한 채소·과일·생선·고기 등의 저장법뿐 아니라 겨울에 채소를 구하기 어려운 점을 고려하여 '동절양채(冬節養菜)', 즉 '겨울철 채소 기르기'에 관한 방법까지 적어놓았다. 그런데 내용을 자세히 읽어보면, '겨울철에 채소를 기를 수 있는 온실을 만드는 방법'이다. 15세기에 이미 오늘날 비닐하우스와 같은 온실을 구상했다는 사실도

조선의 미식가들

놀랍지만, 더 기발한 점은 난방장치로 바닥에 온돌을 설치해 봄나물을 재배했다는 점이다.

전순의가 구상한 온실을 보면, 크기는 마음대로 해도 되지만 "3면을 쌓아 가리고 벽에 종이를 발라 기름칠을 한다. 남쪽 면은 모두 창문 살창을 만들어 종이를 바르고 기름칠을 한다." 그리고 온실 바닥에 구들을 깐다. 연기가 나지 않도록 주의한다. 그런 뒤 "온돌 위에 한 자 반가량의 흙을 쌓고 봄채소를 심"으면 된다. 만약 겨울 날씨가 추우면 "편비내(編飛乃, 둑 같은 것이 무너지지 않도록 대나 갈대를 엮어 둘러친 것)를 두텁게 덮어 창을 가리고 날씨가 풀리면 즉시 치운다"고 했다. 또 온실 안의 기온이 내려가거나 건조해지지 않도록 가마솥을 벽 안쪽에 걸어서 아침저녁으로 물을 끓여 습기와 온기를 더하고, 작물에 이슬이 내린 것처럼 날마다 물도 뿌려주라고 적어놓았다.[27] 조선 왕실에서 온실을 갖추어 채소와 꽃을 가꾸었다는 기록이 있지만 이처럼 실제 온실을 만드는 과정을 정리한 문헌은 지금까지 《산가요록》이 유일하다.

"쓸 때는 기름에 지지는 것이 좋다"

《산가요록》에는 네 가지의 '좌반' 요리법이 나온다. 좌반은 오늘날 말로 '자반'이다. 자반은 나물이나 생선을 소금이나 간장에 절여서 만든 반찬거리 또는 그것을 굽거나 쪄서 만든 음식을 통틀어 일컫는 말이다. 전순의가 소개한 네 가지 자반의 재료는 솔방울(松子)·더덕(山蔘)·표고(蔈古)·참새(小雀)다. 이 중 솔방울자반의 요리법이 좀 복잡하고 나머지 더덕자반·표고자반·참새자반의 요리법은 간단한 편이다.

더덕자반은 더덕을 삶아 익혀 껍질을 벗기고 나무방망이로 두드려 납작하게 만들어 간장에 하룻밤 재웠다가 꺼내어 말려 쓴다. 표고자반 역시 더덕자반처럼 간장에 하룻밤을 재웠다가 꺼내는데, 말릴 때 천초가루〔椒末〕를 바르고 가지런히 늘어놓고서 종이를 덮어 잠시 두었다가 다시 꺼내 그늘에 말려서 쓴다. 참새자반은 뼈가 없도록 잘 다진 참새고기에 감장〔甘醬, 된장〕을 넣고 치대서 엽전 크기로 얇게 빚어 햇볕에 말렸다가 기름에 지져 먹는다. 이에 비해 솔방울자반의 요리법은 조금 복잡하다.

4~5월 사이에 솔방울을 따서 푸른 껍질을 벗기고 한 개를 두세 조각으로 갈라서 찐다. 송진〔脂液〕이 다 빠져 쓴맛이 없어질 때까지 여러 번 씻은 후 가지런히 펼쳐놓고 잘 말린다. (솔방울을) 간장에 담가서 윤기가 나고 색이 붉어지면 다시 꺼내서 말린다. 쓸 때는 기름에 지지는 것이 좋다.[28]

이렇게 만든 솔방울자반의 맛이 어떨지 잘 상상이 되진 않지만 기름에 지졌으니 고소했을 것이다. 조선시대에는 기근이 들면 솔방울마저도 아주 유용한 식재료였다. 1830년대에 최한기(崔漢綺, 1803~1877)가 편찬한 종합 농서인《농정회요(農政會要)》에도 솔방울을 구황음식으로 이용하는 방법이 소개되어 있다. 즉 막 영근 솔방울을 가지 채로 꺾어 볕에 말린 다음 찌거나 볶아서 가루를 낸 뒤 꿀을 섞어 환(丸)을 만들거나, 가루를 그대로 말려서 산(散, 가루약)을 만들어 물에 타서 먹으면, 굶어서 기운이 없을 때 효과가 좋다는 것이다.[29] 그러나 이 책에《산가요록》의 솔방울자반 요리법은 나오지 않는다.

《농정회요》뿐 아니라《산가요록》보다 뒤에 나온 요리책이나 농서 중에서《산가요록》의 요리법을 그대로 인용한 사례를 아직까지 보지 못했다. 솔방울자반 요리법은 조선시대 '구황서(救荒書)' 같은 문헌에 인용될 법도 한데, 그런 사례도 찾을 수 없다. 현재 전하는《산가요록》은 전순의가 편찬한 것을 '최유빈(崔有瞳)'이라는 인물이 초(抄, '베끼다'는 뜻)했다는 기록이 책의 끝부분에 적혀 있다.[30] 최유빈이 누구인지, 또 그가 어떤 경로로 전순의의 편찬본을 입수하여 옮겨 적었는지는 알 길이 없다.

고려시대에 쓰인 요리책은 아직 발견되지 않았다.《산가요록》은 현재까지 알려진 조선시대 요리책 중에서 편찬 시기가 가장 앞선다.《조선왕조실록》에는 조선 초기의 식생활과 관련된 기록이 매우 적다.《동문선(東文選)》(1478)이나 성현(成俔, 1439~1504)이 지은《용재총화(慵齋叢話)》(1525)에 매우 단편적인 식생활 관련 자료가 실려 있을 뿐이다. 비록《산가요록》은 온전한 내용이 다 전하지는 않지만 그나마 요리법 부분이 고스란히 남아 있어 15세기의 식생활을 이해하는 데 매우 중요한 문헌이다. 게다가 세종 때부터 세조 때까지 궁중에서 일한 어의 전순의의 기록이라 더욱 가치가 있다.

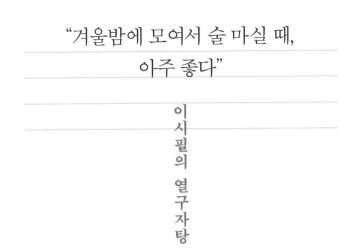

"겨울밤에 모여서 술 마실 때, 아주 좋다"

이시필의 열구자탕

"눈 내리는 밤, 손님이 모였을 때 매우 적당하다"

눈 내리는 밤, 손님이 모였을 때 매우 적당하다. 만약 각상을 놓으면 운치가 없다. 중국 사람들의 풍속에는 본디 밥상을 따로 하는 예절이 없기 때문이다. 우리나라 사람이 간혹 그 그릇을 사 오기도 하는데, 야외에서 전별하거나 겨울밤에 모여서 술 마실 때, 아주 좋다.[1]

이 글은 숙종의 어의였던 이시필이 말년에 지은 《소문사설》〈식치방〉에 나온다. 이미 눈치챈 독자도 있겠지만, 이 음식은 바로 '열구자탕(熱口子湯)'이다. 이시필은 중국에 여러 번 다녀왔는데, 그곳에서 눈 내리는 밤에 식탁 가운데 이 음식을 놓고 여럿이 둘러앉아서 먹는 모습을 자주 보았던 모양이다.

열구자탕이 담긴 그릇에 대해서도 자세히 적어놓았다. "대합(大盒)과 닮은 삶는 그릇이 있고, 그 그릇에 굽이 달려 있는데 한쪽에 아궁이가 뚫려 있다. 그릇의 중심에 원통을 하나 세워놓았는데, 뚜껑 밖으로 원통이 높이 솟아 있다. 뚜껑 가운데에 구멍을 뚫어 원통이 밖으로 나오게 했다. 원통 안에 숯을 피우면 바람이 굽에 있는 아궁이로 들어가서 불기운이 뚜껑 위의 구멍으로 나온다." 숯이 아니라 고체연료로 바뀐 것만 빼면 요즈음 고급 한정식 음식점에서 볼 수 있는 신선로(神仙爐)와 모양이 똑같다.[2]

이시필은 "그릇의 원통 둘레에 돼지고기, 생선, 꿩고기, 홍합, 해삼, 소의 밥통·염통·간, 대구, 국수, 저민 고기, 새알심, 당근, 무, 배추, 파, 마늘, 토란 등 여러 가지 먹을 것을 넣어 종류별로 배열"한다고 했다. 그 재료가 지금과 달리 화려하다. 이들 재료 위에 '청장탕(淸醬湯)'을 부은 뒤, 원통 안쪽에 숯을 피워 음식을 끓인다. '청장(淸醬)'은 담근 지 1년이 안 된 맑은 간장을 말한다.

그렇다면 이시필이 소개한 열구자탕의 맛은 어떠했을까? 먼저 청장의 짜면서도 담백한 맛이 열구자탕의 바탕 맛이 되었을 것이다.[3] 대구·홍합·해삼 같은 해물과 배추·무 같은 채소는 청장과 어울리며 오래 끓일수록 시원한 맛이 우러나왔을 것이다. 여기에 돼지고기, 꿩고기, 소의 내장에서 나온 동물성 단백질의 아미노산 맛이 국물에 감칠맛을 더했을 것이다. 그리고 파와 마늘은 고기와 생선의 비린내를 잡아주었을 것이다. 이시필은 이런 맛을 두고 "여러 가지 액이 섞여서 맛이 무척 진하다"라고 했다. 사람들은 젓가락으로 건더기를 건져 먹으면서, 숟가락으로 국물을 떠먹었을 것이다.

'겨울밤 뜨거운 음식'에서 '입을 기쁘게 하는 음식'으로

　열구자탕을 끓이는 데 사용한 신선로의 중국 이름은 훠궈(火鍋)다. 예전에는 훠궈를 사용해 만든 음식 이름을 '고동갱(古董羹)' 또는 '골동갱(骨董羹)'으로 부르기도 했다. 전하는 말에 따르면, 훠궈에 각종 재료들을 넣으면 끓으면서 '구둥구둥' 하는 소리가 나서 그 소리를 따 한자로 '고동(古董)' 또는 '골동(骨董)'이라고 썼다고 한다.[4] 요즈음에는 솥 가운데 원통이 솟아 있는 신선로 모양의 훠궈뿐 아니라, 원통 없이 솥의 가운데가 태극 모양으로 나뉜 훠궈를 사용하기도 하고, 속이 깊은 솥을 훠궈로 활용하기도 한다. 솥의 모양이 어떠하든지 간에 오늘날 중국인들은 식탁에서 직접 가열하면서 각종 재료를 익혀 먹는 음식을 두고 '훠궈'라고 하거나 솥 자체를 '훠궈'라고 부른다.

　중국의 학자에 따르면, 훠궈는 몽골인과 만주인이 겨울에 야외에서 고깃국을 끓여 먹을 때 사용한 그릇이라고 한다.[5] 만주인이 청나라를 세운 뒤에는 황실 식탁에도 훠궈가 올랐다. 특히 건륭제(乾隆帝, 1711~1799)는 훠궈를 무척 좋아했다. 그는 황제의 자리를 아들 옹염(顒琰, 1760~1820)에게 내준 1796년 정월 초에 자금성의 영수궁(寧壽宮)과 황극전(皇極殿)에서 제2차 천수연(千叟宴)을 거행했다. 연회에 참석한 사람들만 무려 5,000여 명이었고, 식탁만도 800개가 넘었다. 각 식탁에는 참석자의 신분에 따라 은(銀)이나 주석으로 만든 훠궈가 두 그릇씩 제공되었다.[6] 1,600개가량의 훠궈가 차려졌던 것이다.

　나는《식탁 위의 한국사》에서 나식(羅湜, 1498~1546)의 문집《장음정유고(長吟亭遺稿)》의 기록을 근거로 신선로가 중국에서 유입되었다는 사실을 밝힌 바 있다.[7] 이시필 역시 "우리나라 사람이 간혹 그 그릇을 사오

중국 윈난(雲南) 다리(大理) 지역의 훠궈 ⓒ주영하

기도"한다고 하지 않았던가? 하지만 조선 후기 문헌에는 '화과(火鍋)'라는 한자가 나오지 않는다. 그 대신에 열구자탕이나 신선로가 나온다. 다만 열구자탕의 한자 표기가 저자마다 시대마다 약간씩 달랐다.

이시필은 '뜨거울 열(熱)' 자를 붙여 '열구자탕(熱口子湯)'이라고 적었다. 이시필보다 30여 년 뒤의 시대를 살았던 황재(黃梓, 1689~?)는 1734년(영조 10) 음력 10월 23일 연경의 사신 숙소에서 한자리에 모여 '열구자탕(熱灸子湯)'을 나누어 먹었다고 했다.[8] 이시필은 '열구자탕'의 '구' 자를 '입 구(口)' 자로 썼고, 황재는 '뜸 구(灸)' 자를 썼다. 이 글자는 '오랠 구(久)' 자 아래에 '불 화(火)' 자가 있어 불로 오랫동안 데운다는 뜻이다. 신선로라는 그릇의 용도를 제대로 표현한 한자인 셈이다.

18세기 중반 이후가 되면 '기쁠 열(悅)' 자를 쓴 '열구자탕(悅口子湯)'
이란 표기도 나타난다. 조엄(趙曮, 1719~1777)은 1763년(영조 39) 음력 11
월 29일 쓰시마 도주로부터 승기악(勝妓樂)이란 음식을 대접받고서 "그
맛이 어찌 감히 우리나라의 연구자탕(悅口子湯)을 당하겠는가"[9]라고 썼
다. 정약용도 규장각에 있을 때 정조로부터 하사받은 열구자탕의 '열'
자를 '기쁠 열' 자로 썼다.[10] 1795년(정조 19) 음력 1월 21일자와 1796년
(정조 20) 음력 2월 11일자《일성록(日省錄)》에도 왕실 연회에 열구자탕
을 올린 기록이 나오는데, 이때에도 '기쁠 열' 자를 사용해 열구자탕을
표기했다.

19세기 중반이 되면 열구자탕은 '신선로'라는 이름까지 얻게 된다. 서
울의 세시풍속을 책으로 엮은 홍석모는 음력 10월에 서울 사람들이 "쇠
고기나 돼지고기에 무·오이·채소·나물 등 푸성귀와 계란을 섞어 장국
을 만들어 먹는데 이것을 열구자탕(悅口子湯) 또는 신선로(神仙爐)라고
부른다"[11]고 했다. 중국의 훠궈처럼 그릇 이름이 음식 이름이 된 것이다.
이와 같이 18세기 중반 이후 20세기 초반까지 열구자탕 또는 신선로는
왕실과 서울의 부유층 사이에서 큰 인기를 끈 겨울 음식이었다. 이시필
이 열구자탕을 예찬하며 남긴 글은 신선로의 역사를 더듬어가는 데 소
중한 단서가 되었다.

이시필과《소문사설》〈식치방〉

이시필은 요리사가 아니라 조선 후기 숙종의 주치의, 즉 어의였다. 어

의는 얼핏 보면 오늘날 대통령 주치의와 비슷하지만, 무게감은 지금과 확연히 달랐다. 모름지기 왕의 만수무강을 책임져야 했기에 질병 치료는 물론이고 거의 매일의 식사와 식사 후 몸 상태까지도 살펴야 했다. 이 때문에 어의는 왕의 식사 메뉴를 정하는 업무도 맡았다. 먹는 음식에 따라 건강상태가 달라진다는 인식은 동서고금의 의학에서 두루 통하고 있다. 그렇다고 건강만 생각하고 맛없는 음식을 왕에게 권할 수는 없었다. 맛있으면서 건강에도 좋은 음식을 마련하는 일이 바로 어의 이시필이 고심했던 문제였다.

이시필은 숙종이 왕위에 오른 지 4년째 되던 해인 1678년 의과에 합격하여 의관의 길을 걸었다. 그러나 그가 언제부터 숙종의 어의였는지는 분명하게 알 수 없다. 의과에 합격하고 16년 후인 1694년 음력 12월 18일자《승정원일기》에 처음으로 '이시필'의 이름이 나온다.[12] 그는 같은 해 음력 8월 2일 청나라에 연행사로 가는 박필성(朴弼成, 1652~1747)을 수행했다. 당시 이시필은 의관이 아니라 정사군관(正使軍官, 정사를 수행하는 군관)이었다.[13] 1705년(숙종 31) 음력 12월에도 이시필의 직책은 의관 중에서 약을 바치는 일을 맡아보던 임시 벼슬인 의약동참(議藥同參)이었다.[14] 1711년(숙종 37) 음력 4월에야 처음으로 '어의 이시필'이 등장한다.[15]

어의는 비록 당파적 이해관계가 얽혀 있는 자리는 아니었지만 알게 모르게 후원자가 있어야 어려움이 적었다. 1717년 말부터 1718년 사이에 내의원 도제조(都提調), 즉 내의원 총책임자를 지낸 이이명은 이시필의 둘도 없는 후원자였다.[16] 이이명은《소문사설》에 담긴 네 편의 글 중에서〈전항식(塼抗式, 벽돌식 온돌 설치법)〉의 원저자로 알려져 있다.[17] 이이명의 원고를 이시필이 옮겨 적었을 가능성이 크다.〈이기용편(利器用

編, 생활도구 제작법〉 역시 이이명의 지원 아래 이시필이 집필한 것으로 보인다. 〈제법(諸法, 여러 가지 만드는 법)〉의 집필자는 이시필로 추정된다.

그러나 〈식치방(食治方, 음식으로 몸을 다스리는 법)〉의 저자는 추정할 필요도 없이 이시필이 분명하다. 그 근거는 《승정원일기》와 〈식치방〉의 내용이 같은 데서 찾을 수 있다. 《승정원일기》 숙종 40년(1714) 음력 4월 11일자를 보면 도제조 이이명이 숙종에게 의관 이시필의 말을 인용하며 영남에서 아픈 사람에게 죽을 처방한다는 이야기를 전한다.[18] 이시필이 "몸이 아파 입맛이 써서 음식을 먹지 못하는 사람에게 '○국미'로 죽을 만들어 먹였"[19]다고 했다. 〈식치방〉의 '서국미(西國米)'에서 이시필은 "병이 들어 밥을 먹기 싫어하는 사람이 먹는다고 한다"고 하여 두 내용이 같다.

〈식치방〉에는 38가지의 요리법이 정리되어 있다. 그러나 이 38가지의 요리법을 모두 이시필이 개발했다고 생각하면 오해다. 대부분의 요리법에 이시필의 미식 평론이 붙어 있지만, 요리법 자체는 궁중 요리사들이 개발한 것과 이시필이 직접 맛보고 요리법을 알아낸 것들이 섞여 있다. 〈식치방〉의 '붕어죽'에는 "경자년(1720)에 대궐에서 죽을 쑤어 따뜻할 때 임금께 올렸더니 맛이 자못 좋다는 하교가 있었다"라는 글이 나온다. 이로 미루어 보아 적어도 1720년(숙종 46) 음력 6월 숙종에게 죽을 올린 이후부터 1723년(경종 3) 음력 11월에 말실수로 추국을 당하기 전까지 이시필이 〈식치방〉을 집필한 것으로 여겨진다.[20]

《소문사설》은 조선이 망하고 일제의 식민지가 되어서야 세상에 알려졌다. 이 책을 발굴한 사람은 언어학자이자 역사학자인 일본인 아유카이 후사노신(鮎貝房之進, 1864~1946)이다. 아유카이는 책의 원소유자가 의업(醫業)에 종사하는 내관이라고 하면서 그에게서 책의 저자가 이표

《소문사설》〈식치방〉(종로도서관 소장본)의 '열구자탕' 부분. 열구자탕의 '열' 자가 '뜨거울 열(熱)' 자로 표기되었다. 저자 제공.

(李杓, 1680~?)라고 전해 들었다고 했다. 아유카이는 조선의학사학자 미키 사카에(三木榮, 1903~1992)에게 책을 보여주었고, 미키가 《조선의서지(朝鮮醫書誌)》(1956)를 집필하면서 《소문사설》의 저자를 이표라고 소개했다. 그 후 쭉 그렇게 알려지다가, 2011년 백승호·부유섭·장유승의 연구를 통해 《소문사설》의 저자가 이시필로 확인되었다.[21]

《소문사설》은 필사본으로 현재 국립중앙도서관에 한 종, 종로도서관에 두 종이 소장되어 있다. 종로도서관 소장본 중 한 종에는 〈식치방〉이 빠져 있다. 국립중앙도서관 소장본의 〈식치방〉에는 종로도서관의 또 다른 소장본의 〈식치방〉에 없는 '식혜 만드는 법', '순창고추장 만드는 법',

조선의 미식가들

'깍두기', '백어탕(白魚湯, 녹말가루로 뱅어 모양을 만들어 데쳐 먹는 음식)', '가마보곶(可麻甫串, 어묵)', '배추겨자채' 항목이 있다.[22] 《소문사설》〈식치방〉에만 한정한다면 국립중앙도서관 소장본이 더 많은 내용을 담고 있다.

"낙점을 받아 숙종에게 올리다"

《소문사설》〈식치방〉에 소개된 38가지 요리법은 크게 세 가지 범주로 나눌 수 있다. 첫 번째 범주는 조정의 고관대작부터 숙수(熟手, 요리사)·거덜(거마車馬와 양마養馬에 관한 일을 맡아보던 종7품의 잡직)[23]·노비에 이르기까지 당시 사람들에게 전해 들은 요리법으로, 처음에 나오는 동아찜(冬瓜蒸)부터 송이찜·메밀떡·토란떡·더덕떡·붕어구이·붕어찜·황자계만두(黃雌鷄餛飩)·굴만두·만두전골·날꿩장(生雉醬)·전복소(餡全鰒) 등이 이에 속한다. 두 번째 범주는 중국에서 먹어본 음식들의 요리법으로, 마늘장아찌·솜사탕·유즙가루·새끼돼지찜·호떡·계란탕·돼지대창 볶음·녹말국수·열구자탕·연근녹말가루죽·두부피[24]·오이장아찌 등이다. 그 밖에 따로 기준을 정하기 어려운 음식들이 세 번째 범주에 속한다. 서국미·물고기내장찜·새알심·귀리송편·까치콩채(扁豆莢作茹)·즙장(汁醬)·송도식혜·순창고추장·식혜·깍두기·백어탕·가마보곶·배추겨자채 등이다.

이시필은 서국미를 동래(지금의 부산)에서 알게 되었다. 당시 동래에는 왜관이 설치되어 있어 일본인들이 제법 많이 거주했다. 이시필은 누이의 병 때문에 동래에 갔다고 했다. 그곳에서 서국미와 '가마보곶'을 먹었다. 가마보곶은 오늘날 '어묵'이라 불리는 음식으로, 주로 생선 살에 간을 한 후 모양을 만들어 찌거나 굽거나 튀겨서 만든다. 이시필은 가마보곶의 요리법을 이렇게 적어놓았다.

숭어 또는 농어나 도미를 저며서 조각내고, 따로 쇠고기·돼지고기·목이버섯·석이버섯·표고버섯·해삼 등의 여러 가지 재료와 파·고추·미나리 등 여러 가지 양념을 가루로 만든다. 고기 조각 한 층에 소 한 층을 올리고, 다시 고기 조각 한 층에 소 한 층을 올린다. 이런 식으로 3, 4층을 쌓은 뒤 두루마리처럼 말아서 녹말가루로 옷을 입히고 끓는 물에 익힌다.

가마보곶은 일본어로 '가마보코(蒲鉾, かまぼこ)'다. 1528년경에 쓰인 일본의 《종오대초자(宗吾大草子)》에서는 가마보코를 만들 때 색이 변하지 않고 몸통 부분이 진한 백색의 도미를 주로 쓴다고 했다.[25] 그러나 가격이 싼 가마보코에는 도미와 함께 메기·대구·상어·용치놀래기 같은 생선도 들어갔다. 가마보코라는 말은 대나무의 겉면에 생선 살을 바르거나 감은 다음에 대나무를 빼내면 모양이 마치 '부들(蒲) 꽃의 이삭(穗)'처럼 생겼다고 해서 붙여진 이름이다. 이시필도 가마보곶의 모양이 "칼로 썰어 조각내면 고기 조각과 소가 마치 태극 모양처럼 서로 둘둘 말려 있다"면서, "소에 들어가는 여러 가지 재료를 오색으로 만들어 칼로 썰면 무늬가 더욱 아름답다"고 했다. 비록 재료는 약간 다르지만, 모양을 묘사한 내용으로 보아 가마보코임에 틀림없다.

〈식치방〉에 기록된 38가지 음식 중에서 동아찜·송이찜·메밀떡·토란떡·황자계만두·연근녹말가루죽·서국미죽·붕어죽은 실제로 임금에게

동아는 수확기에 접어들면 박 같기도 하고 호박 같기도 한, 길고 둥근 열매가 손톱으로 눌러도 안 들어 갈 정도로 단단해진다. ⓒShutterstock.com

바친 음식이다. 특히 동아찜과 토란떡의 요리법에는 "낙점을 받아 임금께 올렸다"라는 메모가 적혀 있다. 여기에서 임금은 바로 숙종이다. 숙종은 27명의 조선 임금들 가운데 다섯 번째로 오래 살았고, 재위 기간도 47년이나 되어 영조 다음으로 오랫동안 왕위에 있었다. 그러면 숙종이 낙점하여 먹었다는 동아찜의 요리법은 어떠했을까?

크기가 작은 동아에 구멍을 뚫고 속을 파낸다. 꿩고기·닭고기·돼지고기 등의 재료와 기름장을 버무려 붕어찜 만드는 방법과 같이 동아 속에 채워 넣는다. 겉을 흙으로 바르고 약한 불에서 구워내면 동아가 진흙처럼 부드러워진다.

동아는 박과의 한해살이 덩굴성 식물로, 크고 긴 타원형 호박처럼 생겼다. 두꺼운 껍질이 주된 요리 재료다. 이시필의 동아찜 요리법에서도 동아의 껍질을 벗기지 말라고 했다. 즉 동아의 속을 파내서 양념한 각종 고기를 가득 채우고, 종이로 꼬아서 만든 빔지나 짚으로 꼰 새끼로 단단히 묶은 다음 겉에 진흙을 발라 굽는다. 그냥 먹어도 시원한 맛이 일품인 동아의 속껍질에 양념이 배어들었으니 맛이 얼마나 좋았을까? 이시필 역시 '상품지미(上品旨味)', 즉 '최고의 아름다운 맛'이라고 상찬했다.

"민간에서 만든 것만 못하다"

숙종은 50대 중반에 접어들어 지병으로 오래 고생했다. 1714년(숙종 40) 음력 4월 12일자 《숙종실록》에는 "임금의 환후에 포만증(飽滿症)이 있고 부기(浮氣)와 창증(脹症)이 더했다"는 기록이 나온다. 입이 말라서 음식도 거의 먹지 못하는데 배가 점점 불러오니 내의원 의관들은 초비상이었다. 미음이나 죽을 올려도 거의 먹지 못했던 숙종이 이시필이 올린 '황자계만두'는 그런대로 먹었다. 원나라 때 출판된 《거가필용사류전집》과 명나라의 이천(李梴)이 엮은 《의학입문(醫學入門)》 등의 책에서는 황자계만두가 위장의 기능이 약해져 음식을 잘 못 먹는 노인에게 좋은 음식이라고 했다.

그런데 이시필의 황자계만두 요리법은 중국 책에 나오는 방식과 다르다.[26] 먼저 소 만들기다. 털이 누런 암탉인 황자계 두 마리와 꿩 한 마리를 삶아서 뼈를 발라내고 송이·파·마늘을 잘게 채 썰어 살코기와 함께 기름장에 볶는다. 그런 뒤 볶아낸 재료가 기름기를 내며 엉길 정도로 국자로 으깨어 섞은 뒤 파·생강·마늘 등으로 양념하여 간을 맞춘다. 피는 밀가루를 구하기가 어려워 메밀가루로 만든다. 메밀가루를 체로 10여 차례 쳐서 고운 가루를 내린 뒤 반죽하여 둥근 방망이로 종잇장처럼 얇게 민다. 크기가 고르게 나오도록 대나무 통으로 피를 찍어낸다. 이 얇고 작은 피에 소를 넣어 만두를 빚은 뒤, 닭과 꿩 삶은 육수가 끓을 때 살짝 데쳐서 그릇에 담는다. 거기에 반 그릇 정도 육수를 부어 식초·간장·파·마늘을 함께 넣어 양념한 뒤 먹는다. 입에 넣으면 매우 부드러워 저절로 넘어간다. 주의할 점은 만들자마자 바로 먹어야 한다는 것. 밀가루로 반죽한 피와 달리 메밀가루로 만든 피는 점성이 없어서 오래 두면 만두피가 흐트러진다.

이 음식을 만든 사람은 사옹원(司饔院)의 수라간(水剌間) 하인 권타석(權錫石)이다. 사옹원은 왕실의 음식과 식재료를 담당했던 부서다. 권타석은 수라간의 하인이면서도 음식 솜씨가 좋았던 모양이다. 이시필이 〈식치방〉에 수라간의 정식 남자 요리사였던 숙수 넉쇠〔四金〕와 이돌이(二乭伊)가 권타석한테서 황자계만두 만드는 법을 배웠다는 기록을 따로 남길 정도였다.

《승정원일기》에는 숙종이 세상을 떠나기 바로 전해인 1719년 9월 12일에 황자계만두를 먹고 싶다고 말한 내용이 나온다. 하지만 다음 날 이 음식을 올리도록 조치한 어의는 이시필이 아니었다. 이시필은 1717년 숙종의 눈병 치료에 필요한 약재를 구하기 위해 청나라로 파견되었다. 그곳에서 약재를 구하긴 했지만 약을 만드는 데는 실패하여 귀국하자마자 유배를 당했다. 유배된 날이 1718년 3월 22일이었으니 1719년의 황자계만두는 권타석에게 요리법을 배운 숙수 넉쇠와 이돌이가 만들었을지도 모른다.

야외에 임시 부엌인 조찬소(造饌所)를 설치해 숙수를 비롯해 사옹원 소속 요리사들이 음식을 장만하는 모습. 작자 미상, 〈선묘조제재경수연도(宣廟朝諸宰慶壽宴圖)〉 중 '조찬소' 부분, 17세기. 문화재청 제공.

숙수는 조선 왕실에서 전문적인 요리를 담당했던 셰프(chef)를 가리킨다. 조선 왕실의 요리사는 서울의 공노비들이 맡았다. 비록 사대부들이 음식 만드는 일을 업신여겨 왕실의 요리마저도 노비에게 맡겼지만, 그렇다고 마구 대하지는 않았다. 특히 왕실 숙수는 평소에 왕·왕비·왕세자·왕세자비 등의 거처마다 배치된 요리 책임자이면서, 큰 잔치가 열릴 때면 떡이나 고기 요리 같은 자신의 전문 분야를 책임진 전문 요리사였다. 그러니 고관대작도 이들과 친하게 지내야 왕이 먹는 음식을 맛볼 기회가 있었다.

이시필은 어의였기 때문에 숙수들과 많은 대화를 하는 사이였다. 간혹 숙수가 만든 음식에 대한 비평도 아끼지 않았다. 〈식치방〉에서 숙수 박이돌(朴二乭)이 만든 메밀떡이 민간에서 만든 것보다 맛이 좋지 않다는 비평을 돌직구로 날렸으니 말이다. 이와 달리 숙수도 아닌 거덜 지엇남(池杰男)이 만든 붕어구이에 대해서는 "따뜻할 때 먹으면 매우 맛있다"라는 칭찬을 남겼다.

어의 이시필, 그는 임금의 건강과 입맛을 위해서라면 고관대작에서부터 노비에 이르기까지, 또 중국과 일본의 음식까지 두루 살폈던 진정한 어의였다. 그래서 그의 책《소문사설》을 본 사람들은 '한 자 한 자' 베껴 썼고, 그중 세 권이 지금 우리에게 남아 있다.[27]

"지난번에 처음 올라온 고추장은
맛이 대단히 좋았다"

영조의 고추장

"요즈음도 고추장을 계속 드시옵니까?"

1751년 여름 음력 윤5월 18일 아침에 궁중 약방의 도제조 김약로(金若魯, 1694~1753)가 영조에게 이렇게 아뢰었다. "요즈음도 고추장을 계속 드시옵니까?" 그러자 영조는 그렇다고 하면서 "지난번에 처음 올라온 고추장은 맛이 대단히 좋았다"고 했다. 이에 김약로는 "그것은 조종부 집의 것입니다. 다시 올리라고 할까요?"라고 말했다. 그러자 영조는 "그러게. 종부는 나이는 어리지만 사람됨이 매우 훌륭한데 누구의 자식인가?" 하고 물었다. 김약로는 "조언신의 아들입니다"라고 답했다. 그러자 영조는 "내가 믿었다가 기만당하기 일쑤였는데, 이 사람은 외모로 보자면 기괴한 일을 할 것 같지는 않구나"라고 말했다.[1] 이렇게 영조는 고추장 맛을 보면서 출처를 궁금해했는데, 마침 그 인물이 당파심 때문에 영조로부터 미움을 샀던 조언신(趙彦臣, 1682~1731)의 아들 조종부(趙宗溥, 1715~?)였다. 당시 영조는 외모로 보아 조종부를 믿을 수 있다고 생각했던 것 같다.

이후 1754년 음력 11월 20일자 《승정원일기》를 보면, 다시 조종부가 화제가 되었다. 미시(未時, 오후 1~3시)에 영조가 숭문당(崇文堂, 창경궁의 명정전 서쪽에 있던 전각)에 나아가니, 대소신료들이 입시했다. 이날 신하들은 조종부가 영의정 이천보(李天輔, 1698~1761)를 탄핵하라며 올린 상소를 논의하기 위해서였다. 영의정의 탄핵 상소이니 분위기는 사뭇 무거웠을 것이다.

영조는 탄핵 당사자인 영의정이 처분을 기다리고 있다는 소식을 듣고 좌의정과 세자까지 불러들였다. 그러고는 이런 말을 했다. "조종부는 괴이한 사람이 아니니 그가 쓴 (영의정을 탄핵하는) 글을 보면 알 수 있다. 일찍이 조종부 집안의 고추장 맛이 좋은 것은 알고 있었다만, 그가 고추장을 지나치게 먹어서 고추의 화신이 된 것은 아닌가 싶다. (탄핵하는 글이) 아주 심하게 맵구나."[2] 조종부가 올린 상소문에는 영의정 이천보가 강(姜)씨의 아내를 빼앗았고, 항의하는 강씨를 죽이라고 포도대장에게 지시했지만 따르지 않자 거듭 사람을 시켜 강요하는 바람에 결국 무고한 강씨가 죽음에 이르렀다는 내용이 적혀 있었다.

그런데 탄핵 상소를 다시 살피고 난 뒤 영조는 앞서와 달리 이렇게 말했다. "나는 처음에는 (탄핵하는 글이) 고추장처럼 하찮은 일에 불과하다고 여겨 내버려두려 했는데, 이는 전적으로 당심(黨心)에서 비롯된 일이로구나."[3] 영조의 판단은 정확했다. 이천보와 당파가 다른 조종부가 단지 풍문만 듣고 탄핵을 요구한 사실이 판명되었기 때문이다.[4] 이처럼 탕평책으로 당파의 색을 옅게 만들려고 애썼던 영조의 심기를 조종부가

불편하게 했지만 그 집의 고추장 맛은 꽤나 좋았던 모양이다.

"만약 옛날에도 고추장이 있었다면 틀림없이 먹었을 것이다"

그렇다면 영조의 수라에는 어떤 고추장이 올랐을까? 마침 영조 때 의관 유중림이 쓴 《증보산림경제》의 〈치선〉에 '조만초장법(造蠻椒醬法)'이란 제목의 고추장 담그는 법이 나온다.5

콩을 꼼꼼하게 고르고 물에 일어 모래와 돌을 없애며 보통 방법대로 메주를 만든 뒤에, 바싹 말려서 가루로 만들고 체에 쳐서 받는다. 콩한 말마다 고춧가루 세 홉, 찹쌀가루 한 되의 비율로 넣고, 여기에 맛좋은 청장을 휘저어 뒤섞으면서 반죽하여 아주 되게 만들어 작은 항아리에 넣은 뒤 햇볕에 쪼이면 된다.

지금의 고추장 담그는 법과 비슷하지만 조청을 넣지 않았기 때문에 맛은 그리 달지 않았을 듯하다. 이 고추장 담그는 법이 당시의 표준 제법(製法)이었던 모양이다. 유중림은 이어서 민간에서 고추장 담그는 법을 소개하는데, 먼저 민간의 잘못된 요리법부터 지적했다. 즉 고추장에 "볶은 참깨가루 다섯 홉을 넣기도 하는데 맛이 느끼하고 텁텁해서 좋지 않"다고 했다. 고추장에 고소한 맛을 보태려고 참깨가루를 넣는 가정이 있었나 보다. 또 "찹쌀가루를 많이 넣으면 맛이 시큼하여 좋지 않"다는 지적도 했다. 고추장 맛을 더욱 달게 하려고 했던 방법으로 보인다. 또 "고춧가루를 지나치게 많이 넣으면 너무 매워서 좋지 않다"고 했다.

유중림은 이렇게 문제점을 지적한 뒤에 민간의 고추장 담그는 법 중에 추천할 만한 방법을 소개했다. "콩 한 말로 두부를 만들어 꼭 짜서 물기를 뺀 뒤 여러 재료와 함께 섞어 익히면 아주 맛있다. 일반적으로 서로 버무릴 때에 소금물을 써도 되지만 맛좋은 청장만큼 맛있지는 않다. 또 다른 방법으로는, 말린 물고기를 머리와 비늘을 제거한 뒤 납작한 조각으로 썰어 넣고 또 다시마[昆布]와 다사마(多絲麻, 작은 다시마)[6] 따위도 함께 넣어 익기를 기다렸다가 먹으면 그 맛이 아주 좋다(마른 청어를 쓰면 더욱 맛있다)."

유중림은 숙종 때 두의(痘醫, 천연두 전문의)였던 유상(柳瑺, 1643~1723)의 아들로 영조 때 태의원의약(太醫院醫藥)을 지내는 등 의관으로서 영조를 가까이에서 모셨다. 영조 연간인 1766년에 《증보산림경제》를 편찬하면서 여러 가지 고추장 요리법을 책에 적어둔 것으로 보아 당시 민간에서 고추장이 꽤나 유행했음을 짐작할 수 있다.

영조가 칭찬을 아끼지 않았던 조종부 집의 고추장 요리법은 숙종 때 어의였던 이시필이 지은 《소문사설》〈식치방〉에서 단서를 찾을 수 있다.

쑤어놓은 콩 두 말과 흰 쌀가루 다섯 되를 섞고, 고운 가루가 되도록 마구 찧어서 빈 섬에 넣는다. 1, 2월에 이레 동안 햇볕에 말린 뒤 좋은 고춧가루 여섯 되를 섞고, 또 엿기름 한 되, 찹쌀 한 되를 모두 가루로 만들어 진하게 쑤어 빨리 식힌 뒤, 단 간장을 적당히 넣는다. 또 좋은 전복 다섯 개를 비스듬히 저미고, 대하와 홍합은 적당히, 그리고 생강은 조각내어 항아리에 넣은 뒤 보름 동안 삭힌다. 그런 뒤 시원한 곳에 두고 꺼내 먹는다.[7]

이 요리법은 유중림이 맛있다고 한 마른 청어를 넣는 제법과 비슷하게 해산물이 들어갔다. 더욱이 이시필은 이 요리법의 이름을 '순창고추장 만드는 법〔淳昌苦草醬造法〕'이라고 적었다. 오늘날 순창은 고추장으로 이름난 고장이다. 얼핏 생각하면 이시필이 소개한 고추장과 지금의 순창고추장이 어떤 연관이 있을 듯하다. 그러나 숙종과 영조 때 문헌 중에서 순창이 고추장으로 유명하다는 기록은 아직 발견되지 않았다. 이시필이 말했던 순창은 바로 순창 조씨인 조언신의 집을 두고 한 말이 아닐까 추정된다. 영조가 칭찬을 아끼지 않았던 조종부 집의 고추장도 유중림의 표준 고추장 요리법보다는 이시필의 '순창고추장 만드는 법'과 같은 방법으로 담갔을 가능성이 크다.

그렇다면 영조는 고추장을 언제부터 먹었을까? 1752년 음력 4월 10일자 《승정원일기》에서 실마리를 찾을 수 있다. 이날도 도제조 김약로가 "조종부의 장은 과연 잘 담갔다고들 합니다"라고 아뢰었다. 그러자 영조는 "고추장은 근래 들어 담근 것이지. 만약 옛날에도 있었다면 틀림없이 먹었을 것이다"라고 말했다. 그러자 우부승지(右副承旨) 김선행(金善行, 1716~1768)이 "지방의 여염집에서는 성행했습니다"라고 했다.[8] 이 대화로 미루어 보면 영조 때 들어서야 수라에 고추장을 올렸던 듯하다. 그러나 서울이나 지방의 여염집에서는 이미 고추장이 유행했음을 알 수 있다.

유중림의 글에서도 보았듯이 민간의 문헌에서는 고추장을 '만초장(蠻椒醬)'이라고 적었다. 여기에서 '만(蠻)'은 남방의 오랑캐로 지금의 동남아시아를 뜻한다. 즉 동남아시아에서 전해진 '초(椒)'로 만든 장(醬)이란 말이다. 그런데 《승정원일기》에서는 고추장을 한자로 '초장(椒醬)' 또는 '고초장(苦椒醬, 古椒醬, 枯椒醬)', 심지어 '호초장(胡椒醬)'이라고도 적었다. 실제로《승정원일기》에서 고추장과 관련된 이 단어들을 검색하면 영조 대에서만 22건이 검색된다. 이로 미루어 보아 영조야말로 조선 국왕들 중에서 가장 고추장을 즐겨 먹은 왕이 아니었을까 싶다.

심지어 75세의 영조는 스스로 "송이·생복(生鰒)·아치(兒雉, 어린 꿩)·고초장 이 네 가지 맛이 있으면 밥을 잘 먹으니, 이로써 보면 입맛이 영구히 늙은 것은 아니다"[9]라고 할 정도로 고추장을 즐겨 먹었다. 더욱이 "옛날에도 만약 있었다면 틀림없이 먹었을 것이다"라고까지 말하지 않았던가? 왜 영조는 고추장을 이토록 좋아했을까?

"나도 천초가 들어간 음식과 고추장을 즐겨 먹는다"

영조 스스로 이에 대한 답이 될 만한 글이나 기록을 남기지 않았기 때문에 그 이유를 분명히 알기는 어렵다. 다만 몇 가지 추정은 가능하다. 영조는 44세였던 1737년 음력 9월 27일 영의정 이광좌(李光佐, 1674~1740)의 문안을 받는 자리에서 "얼마 전부터 비위(脾胃)가 허약하여 담음(痰飮)이 자주 생기곤 했"[10]다고 답했다. 여기에서 '담음'은 여러 가지 원인으로 인해 몸 안의 진액이 제대로 순환하지 못하고 일정 부위에 몰려서 생긴 병의 증상이다.

담음은 '구담지환(口淡之患)', 즉 '입이 싱거워 맛을 느끼지 못하는 증상'을 동반한다. 영조가 56세이던 1749년 음력 7월 24일에 제조 김상로(金尙魯, 1702~?)와 나눈 대화에 이런 내용이 나온다. 영조는 "콩밥을 먹을 때마다 구담지환의 증세가 있었는데, 보리밥에는 입맛을 잃지 않았지만 이 또한 몇 술밖에 먹지 못했다. 예전에 수라를 올릴 때, 반드시 짜

영조의 초상화. 영조는 생전에 일곱 차례나 초상화를 그려서 도합 12본의 어진을 제작하게 했다. 그러나 현재는 연잉군 시절인 21세 때(왼쪽)와 51세 때(오른쪽) 초상화 두 점만 전한다. 연잉군 시절의 초상은 1954년 화재로 일부 소실되었고, 51세 때의 영조 어진은 이모본(移模本)으로 1900년에 다시 제작된 것이다. 문화재청 제공.

고 매운 음식을 올리는 것을 보았다. 그런데 지금 나도 천초가 들어간 음식과 고추장을 즐겨 먹는다. 내 식성이 이런데, 갈수록 젊을 때와 달라지니 소화 기능이 약해져서 그런 것인가?"[11] 영조는 아버지 숙종과 형 경종의 밥상에도 짜고 매운 음식이 오른 것을 보았다며 자신도 매운 음식에 끌린다는 이야기를 하고 있다. 따라서 영조의 고추장 애호는 위장 장애로 입맛을 잃으면서 생긴 기호일 가능성이 크다.

영조의 어머니는 무수리 출신으로 알려진 숙빈 최씨(淑嬪 崔氏,

1670~1718)다. 아버지 숙종은 첫 왕비와 계비로부터 아들을 얻지 못하고 훗날 희빈(禧嬪, 1659~1701)이 된 나인 장씨와의 사이에서 경종(景宗, 1688~1724)을 낳았다. 하지만 이후 숙종은 희빈을 멀리하고 무수리였던 숙빈 최씨를 총애하게 되었다. 이런 정국에서 영조는 1694년(숙종 20) 음력 9월 13일 새벽 창덕궁 보경당(寶慶堂)에서 태어났다. 6세 때 연잉군(延礽君)에 봉해진 영조는 커가면서 왕실에서 본인이 처한 위태로운 위치를 알게 되었다. 더욱이 몇 차례 잘못된 행동 때문에 숙종으로부터 질책을 받아 눈 밖에 났던 적도 있었다.

1720년 숙종 사후에 소론의 지원을 받은 경종이 왕위에 올랐지만, 노론의 후원을 받은 연잉군이 이듬해 음력 8월에 세제(世弟)로 책봉되었다. 이후 병약하던 경종이 1724년 음력 8월 갑작스럽게 숨을 거두자 왕위를 물려받게 되었다.

영조는 연잉군 시절부터 왕실의 정치적 암투 속에 생존을 도모할 수밖에 없었다. 그러다 보니 위장 장애가 생겼을지도 모른다. 앞에서도 소개했듯이 왕위에 오른 뒤에도 비위가 허약한 탓에 자주 담음에 시달렸다. 한의사 김민호는 《영조실록》에 나타난 몇몇 기사를 통해서 영조에게 '심화(心火)'라는 질병이 있었다고 보았다.[12] 심화는 마음속의 울화로 몸과 마음이 답답하고 몸의 열이 높은 병을 가리킨다. 심화에 걸리면 아주 사소한 일에도 조바심을 내고 불안감이나 초조함에 시달린다. 영조가 그랬다는 것이다. 그런데 여기에서 의문점이 한 가지 생긴다. 몸 자체가 지병 덩어리였을지도 모를 영조가 어떻게 83세라는 성수(聖壽)를 누리며 조선의 27명 왕 중에서 가장 오래 살았을까?

"이것은 이중탕의 공(功)이다"

영조의 나이 65세였던 1758년 음력 12월 11일, 조정의 상황은 매우 긴박했다. 약방의 제조 세 명이 모두 시강원(侍講院)에서 당직을 서고, 의관들도 모두 대령하고 있었다. 심지어 조정 대신들도 모두 대궐 뜰에 모였다. 영조가 앓아눕자 혹시나 모를 변고가 생기지 않을까 걱정해서였다. 진맥이 끝난 후 약제가 올라갔다.

12일에 약방에서는 이중탕(理中湯)을 달여서 올렸다. 그래도 차도가 없자 다음 날인 13일에 약방에서 오적산(五積散)을 달여서 올렸다. 그다음 날인 14일에는 인삼양위탕(人蔘養胃湯)을 올렸다. 12월 15일에는 인삼양주탕(人蔘養胃湯)을 달여 올렸다. 16일, 17일, 18일, 19일에는 연이어 이중탕을 올렸다. 병이 난 지 열흘이 지난 음력 12월 21일 영조의 병에 조금씩 차도가 있었다. 이른바 '사직의 위기'를 넘긴 것이다. 그러자 영조는 "이것은 이중탕의 공(功)이다. 이중탕의 이름을 '이중건공탕'(理中建功湯)이라고 하사하겠다"고 했다.[13]

본래 이중탕은 명나라 때의 의서인 《만병회춘(萬病回春)》,《보유방(補遺方)》,《의학입문(醫學入門)》 등에 처방이 나온다. 조선의 의서인 《동의보감(東醫寶鑑)》,《제중신편(濟衆新編)》,《방약합편(方藥合編)》 등에도 처방이 실려 있다. 이중탕은 인삼·백출(白朮, 삽주의 뿌리를 말린 약재)·건강포(乾薑炮, 말린 생강)·감초 네 가지 생약으로 만든다. 여기에서 인삼·백출·감초는 원기를 돋우는 약재이다. 건강포는 체온을 올려 추위를 쫓아주는 약재로, 위장 기능이 허약하여 수족이 차고 구토를 하거나 복통에 효능이 있다.

자주 복통에 시달렸던 영조는 이후에도 이중탕의 덕을 많이 보았다.

御製建功可憎

建功可憎　神農命乎
一日三貼　扁鵲劑乎
若問朝鮮　且問其由
大小皆迷　其皆時體
予云支撐　每見鎖鈔
咸曰靈丹　嗟我暮年
能視能步　猶苦猶困
其雖若此　先自感眉
加八鹿茸　予自一哂
其果雙補　泉皆其信
君與其臣　其欲端本
日困日迷　宜曉此心
建功建功　靈丹靈丹
何困何困　徒苦徒苦
可憎此湯　其將鎖鈔
於盡於夜　深藏深藏
歲同年同月日朝未呼書

영조가 직접 지은 〈어제건공가증(御製建功可憎)〉이란 제목의 글이다. 이중건공탕 처방전을 깊이깊이 감추고 싶다는 영조의 심정이 담겨 있다. 한국학중앙연구원 장서각 소장.

1761년 음력 3월 24일에 영조는 "이중건공탕을 날마다 두 번씩 달여서 들이도록 명"[14]했다. 영조와 신하들은 이중건공탕의 이름도 아예 '건공탕'이라고 줄여 불렀다. 1762년 음력 1월 20일에는 영조가 다시 복통을 호소하자 약방에서 "하루에 건공탕을 네 차례 올렸다."[15] 결국 영조는 1773년 음력 5월 16일에 시를 잘 짓는 정범조(丁範祖, 1723~1801)에게 이중탕을 칭송하는 〈건공가(建功歌)〉를 짓도록 명하기까지 했다.[16]

그러나 '과유불급(過猶不及)'이라 했던가? 아무리 몸에 좋은 약도 남용하면 약효가 떨어지게 마련이다. 그럼에도 의관들은 영조가 복통을 호소할 때마다 계속해서 건공탕을 올렸다. 결국 영조는 〈어제건공가증(御製建功可憎)〉, 즉 "건공탕이 가증스럽다"는 글을 통해 '건공탕 만능주의'를 탓했다.

가증스러운 건공탕을 하루에 세 첩이라니. 신농이 명했나, 편작이 처방했나? 조선의 대소신료들에게 물어보아도, 모두 헷갈려하네. 또 그리 해야 할 까닭을 물어도 그때그때 몸 상태에 따른 것이라 하네. 비록 이렇기는 하지만 (복용하면) 볼 수 있고, 걸을 수 있네. 아아! 늘그막에 너무 괴롭고 고달파라. 모두 말하기를 신령스러운 단약이라 하지만 나는 지지대(쓰러지지 않게 겨우 지탱시키고 있는 것)라고 하네. 처방전을 볼 때마다 먼저 저절로 눈썹이 일그러지네. 녹용을 더하여 넣으면, 과연 기(氣)와 혈(血) 둘 다 보할 수 있나? 나는 절로 비웃음만 나오지만, 뭇사람들은 모두 그렇게 믿네. 이처럼 임금은 괴롭고 신하는 헷갈리지만, 근본을 바르게 하려면 이 마음을 밝혀야 하리. 건공탕아! 건공탕아! 매우 고달프고도 고달프구나, 영단(靈丹)아! 영단아! 다만 괴롭고 괴로울 뿐. 이 탕을 밤낮으로 증오할 수밖에 없네. 그리하여 이 처방전을 깊이깊이 감추고 싶네.[17]

하지만 영조는 사망 바로 이틀 전인 1776년 음력 3월 3일에도 이중건공탕을 복용했다.

"궁중에서 드디어 낮과 밤 두 번의 찬선을 폐지했다"

그렇다고 영조의 83세 장수가 오로지 이중건공탕 덕분이라고 보면 안된다. 영조는 평소에도 건강을 유지하기 위해 생강과 귤껍질 등을 달인 강귤차(薑橘茶)나 산삼을 달인 삼차(蔘茶)와 같은 '다음(茶飮)'을 음료처럼 마셨다.[18] 다음은 탕제처럼 처방에 따라 종류를 가려야 하지만 다른 보약보다 음료로 마시기에 좋았다. 영조는 허리와 다리에 담이 오면 송절차(松節茶, 소나무 줄기와 가지에서 마디를 이루고 있는 부위를 잘라서 썰어 말린 송절에 오가피·우슬 등을 넣고 끓인 차)를 마셨고, 갈증과 심화가 생기면 강귤차·계귤차(桂橘茶, 계피와 귤껍질 등을 넣고 달인 차)·향귤차(香橘茶, 귤껍질을 넣고 달인 차) 등을 마셨다.

이뿐만 아니다. 영조는 어느 왕보다 자신의 건강상태를 의관들과 자주 의논했다. 영조 이후에 편찬된 승정원의 업무지침서인《은대조례(銀臺條例)》(1870)에는 승지가 내의원의 의원과 함께 왕을 만나 건강상태를 세밀하게 점검하는 '문안진후(問安診候)'에 대한 규정이 나온다. 이 규정에 따르면 승지들과 의원들은 닷새에 한 번씩 문안진후를 하도록 되어 있다. 그런데 영조 대의《승정원일기》를 보면, 재위 52년 동안 무려 7,284회나 문안진후를 했다고 나온다. 즉 평균 2.6일에 한 번씩 문안진후를 받은 셈이다. 재위 초기에는 문안진후의 횟수가 잦지 않다가 날이 갈수록 빈번했고, 세상을 떠나기 전 마지막 4년 동안 하루 평균 1.2회의 진찰을 받았다.

문안진후의 횟수도 중요하지만 영조가 의관들과 나눈 대화를 보면 그가 상당한 의학 지식을 갖추고 있었다는 사실을 알 수 있다. 영조는 아버지 숙종의 병간호를 하면서 의관들과 처방과 약제에 대해 열띤 토론을 벌였다. 형 경종의 임종을 앞두고도 마찬가지였다. 영조의 장수 비결은 해박한 의학 지식을 갖추고 스스로 자신의 몸을 살필 수 있었기 때문으로 보인다.

또 다른 장수 비결은 부지런함이다. 영조는 숨을 거두기 열흘 전까지도 신하들과 강연(講筵)을 했으며, 많은 글을 남겼다. 영조가 직접 지은 어제(御製)는 한국학중앙연구원의 장서각 소장본만 무려 5,400여 건에

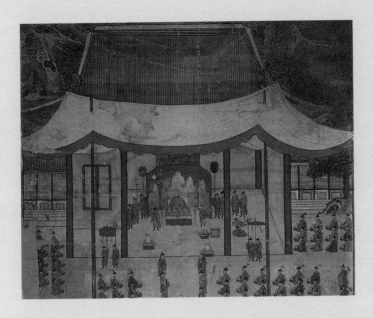

《영조을유기로연·경현당수작연도병(英祖乙酉耆老宴·景賢堂受爵宴圖屛)》 중 5·6·7첩. 1765년(영조 41) 10월 11일, 영조가 72세가 되고, 즉위한 지 만 40년이 넘은 것을 경축하여, 경희궁의 경현당(景賢堂)에서 열린 잔치를 그린 기록화이다. 다른 왕의 진연(進宴)·진찬(進饌) 기록화에서는 매우 많은 음식이 왕을 위해 차려졌지만, 여기에서는 그렇지 않다. 서울역사박물관 소장.

이른다. 재위 기간이 가장 길었기 때문에 어제의 양을 두고 다른 국왕들과 비교하기는 어렵다. 그래도 영조만큼 많은 글을 지은 왕은 없었다. 영조의 어제를 연구한 역사학자 노혜경은 영조의 글이 대부분 과거를 회상하는 내용이라고 밝혔다.[19] 영조는 지난 일을 떠올리며 기억을 되새기고, 추억의 장소를 찾아가는 등 어제 집필을 통해 마음속에 맺힌 응어리를 풀었다. 한마디로 말하면 노년에 활발한 집필활동을 통해 정신 건강을 유지하고 심리를 안정시킬 수 있었던 것이다.

여기에 더하여 영조가 실천했던 '절음식(節飮食, 음식 절제)'도 장수 비결이라 할 수 있다. 서명응(徐命膺, 1716~1787)은 〈영종대왕행장(英宗大王行狀)〉에서 "국법에는 내선부(內膳夫)가 하루에 다섯 번 왕의 찬선(饌膳)을 바치게 되어 있으나 왕께서는 하루에 세 번 찬선을 드시고 찬선도 배불리 드신 적이 없으므로 궁중에서 드디어 낮과 밤 두 번의 찬선을 폐지했다"[20]고 적었다. 즉 영조는 하루에 죽수라(粥水刺, 오전 6시)·조수라(朝水刺, 오전 10시)·석수라(夕水刺, 오후 5시) 세 차례 식사만을 했던 것이다. 여름이면 콩밥이나 보리밥에 반찬 몇 가지만 놓인 수라상을 좋아했던 영조. 평소의 식사나 잔치 때를 가리지 않고 행했던 절음식의 신조는 백성을 먼저 생각하는 성왕(聖王)의 자세였으며, 동시에 자신의 체질에 맞는 장수 비결이었다.

4부

사대부 남성의 음식:
군자의 도리

"지금 엿집에서 사용하는 좋은 방법이다"

김유의 엿

"맛을 보아 단맛이면 잘된 것이다"

황홍색이 되면, 바로 밀가루를 상 위에 깔고 그 위에 쏟아붓는다. 굳어지기를 기다렸다가 흰색이 될 때까지 잡아당긴다.[1]

이 글은 김유가 편찬한 《수운잡방》 중 상편에 해당하는 〈탁청공유묵(濯淸公遺墨)〉에 나온다. 글의 제목은 '이당(飴餹)', 곧 '엿'이다. 요즈음도 전라남도 담양군 창평의 전래 쌀엿을 만드는 곳에 가면 볼 수 있는 장면이다. 다만 한 사람이 아니라 두 사람이 서로 마주 보고 황홍색, 즉 호박색(琥珀色, 진한 노란빛을 띤 주황색) 엿 덩어리의 양 끝을 쥐고서 잡아당겼다가 꼰 다음 다시 합치기를 반복하면 속에 구멍이 송송 뚫린 흰색 엿이 완성된다. 간혹 엿 덩어리가 빨리 굳지 않도록 바닥에 뜨거운 물을 담은 솥을 두기도 한다. 그러면 수증기가 올라와서 잡아당기는 엿이 바로 굳지 않는다.

450여 년 전, 경상도 예안현(禮安縣) 오천(烏川, 한글로 외내, 지금은 안동 댐 공사로 수몰되었다) 마을에 살았던 선비 김유는 엿 만드는 방법을 기록으로 남겼다. 이때 엿은 지금의 창평 쌀엿과 마찬가지로 쌀이 주재료였는데, 김유는 단지 멥쌀이라고 하지 않고 '중미(中米)'라고 적었다. 조선시대 문헌에서는 도정 정도에 따라 쌀을 백미(白米)·중미·조미(糙米)로 나누었다. 백미는 겉겨(왕겨)는 물론 속겨(쌀겨)까지 완전히 제거한 쌀이다. 이에 비해 조미는 겉겨만 벗겨내고 속겨를 남겨둔 쌀로 오늘날의 현미(玄米, 현미는 일본에서 들어온 용어이고, 우리말로는 '매조미쌀'이라고 한다)다. 중미는 백미와 조미의 중간 정도로 속겨를 벗겨낸 쌀을 일컫는다. 김유는 엿 만드는 방법의 시작을 "중미 한 말을 깨끗이 씻어 오랫동안 불을 때서 푹 익혀 밥을 짓고, 뜨거울 때 항아리에 담는다. 그런 다음 즉시 밥을 지은 솥에 깨끗한 물 열 사발을 넣고 팔팔 끓여서 밥에 붓는다"[2]고 했다.

이렇게 하면 효소를 더했을 때 고두밥의 녹말 성분이 쉽게 당화(糖化)된다. 조선시대 사람들이 녹말을 당화하는 데 사용한 효소는 엿기름이다. 김유는 가을보리로 엿기름을 만든다고 했다. 그런데 한문으로 쓴 다른 조선시대 요리책에서는 밀로 엿기름을 만드는 중국식을 소개하고 있다. 다만 6세기 전반 북위(北魏)의 북양 태수(北陽 太守) 가사협(賈思勰)이 편찬한 《제민요술(齊民要術)》을 보면, 밀로 엿기름 내는 방법을 소개하면서 "엿이 호박색을 띠게 하려면 반드시 보리[大麥]로 엿기름을 만들어야 한다"[3]는 방법도 일러주고 있다. 확실한 근거는 없지만 김유가 《제민요술》의 내용을 보았을 수도 있다. 그러나 "우리나라 사람들은 보리

싹으로 만드는 것밖에 모른다"[4]고 한 서유구의 글을 보면 김유가 적은 방법은 오로지 조선식이었을 가능성도 있다.

이런 사실은 19세기 말 경상도 상주의 한 집안에서 쓴 한글 요리책 《시의전서·음식방문》을 통해서도 확인된다. 이 책의 '엿기름 기르는 법'에서도 보리로 엿기름 만드는 방법만 나온다. 김유가 엿 만드는 법을 남긴 후 300년 가까이 지났지만, 보리 엿기름 만드는 방법은 비슷하지 않았을까? 겉보리를 물에 불려서 씻은 뒤 시루에 안쳐 물을 주면서 하루 건너씩 다시 물에 씻어 안치기를 반복하면 보리에서 열이 생겨 싹이 트기 시작한다. 알맞게 난 싹에 효소가 들어 있다. 가을보리로 만든다고 김유가 밝혔듯이, 여름에 수확한 보리로 가을에 만들면 기온이 알맞아서 품질 좋은 엿기름을 만들 수 있었을 것이다. 이어서 김유는 엿기름을 쌀밥에 넣고 삭히는 과정을 설명한다.

> 가을보리로 만든 엿기름 한 되를 곱게 가루 내어 냉수와 섞어 (밥이 담긴) 항아리에 붓고, 나무로 고루 휘젓는다. (항아리를) 온돌에 놓고 유의(襦衣, 가운데 솜을 넣고 안팎으로 생무명을 받쳐 넣은 겨울옷)로 두껍게 싼다. 두 번 밥 지을 시간(한나절)을 기다렸다가 맛을 보아 단맛이면 잘된 것이다. 조금 시큼하면 잘못된 것이니, 너무 오래 싸두었기 때문이다.[5]

요사이 창평 지역에서 사용하는 방법도 김유가 소개한 방법과 크게 다르지 않다. 끓여서 60℃로 식힌 물, 엿기름물, 쪄낸 밥을 함께 항아리에 넣고 섞은 다음, 그 항아리를 뜨거운 방에 놓고 담요로 덮어 열 시간 정도 삭힌다.[6]

김유, 《수운잡방》, 〈탁청공유묵〉의
'이당' 부분. 한국국학진흥원 소장.

이제 엿 만들기의 마지막 작업이다. "모름지기 적당한 크기의 베보자기로 즙을 짜서 솥에 붓고, 은근한 불로 졸이면서 자주 저어준다. 젓지 않으면 솥 밑바닥에 눌어붙는다."[7] 요즈음 창평에서는 거른 즙을 솥에 넣고 센 불에서 한 시간 반 동안 끓인 다음, 중간 불에서 네 시간 정도 저으면서 끓인다. 즙이 점점 졸아들면 한 숟갈 떠내어 찬물에 떨어뜨려 보는데, 엿처럼 굳으면 입에 넣어서 굳은 정도를 확인한다. 엿이 치아에 붙지 않고 바삭거릴 정도면 달이기를 멈춘다. 이때쯤 솥 안의 엿은 황홍색으로 변해 있다. 김유는 이것을 꺼내서 "흰색이 될 때까지 잡아당"기면 엿이 된다고 했다.

조선의 미식가들

"지금 엿집에서 사용하는 좋은 방법이다"

김유의 엿 만드는 방법은 1970년대 말 창평에서 전문가가 조사하여 적은 방법만큼이나 구체적이다. 김유는 이 엿 만드는 방법을 두고 "지금 엿집에서 사용하는 좋은 방법이다"[8]라고 제목 옆에 적어두었다. 만드는 과정을 충분히 이해하지 않았다면 이렇게 체계적으로 기록하기 어려웠을 것이다. 직접 보았든지, 아니면 누군가에게 만드는 과정을 듣고 적은 것으로 여겨진다.

이 점은 홍만선이 한문으로 쓴 《산림경제》에 소개된 엿 만드는 방법과 비교해도 확인이 된다. 홍만선은 엿 만드는 방법 두 가지를 수록했다. 하나는 약이 되는 찹쌀엿 만들기로 《동의보감》에 나오는 방법이고,[9] 다른 하나는 '속방(俗方)', 즉 민간의 방법이다. 그중 민간의 방법은 이러하다. "멥쌀로 밥을 지어 그대로 솥에 두고 뜨거운 김이 올라올 때 엿기름가루와 따뜻한 물을 넣는다(쌀 한 말에 엿기름 한 되 세 홉과 물 두 병쯤을 탄다). 다시 솥뚜껑을 덮고, 솥 밑에 겻불을 때서 식지 않을 정도로 반일쯤 두면 밥이 삭아서 물이 되어 밥알찌꺼기(米皮)만 남게 된다. 이때 베로 짜서 쌀물(米水)만 솥 안에 붓고, 다시 졸여 엿을 곤다. 졸일 때 시루를 솥 위에 엎어놓으면 끓어 넘치는 것을 막을 수 있다."[10] 김유의 서술과 비교하면, 엿기름가루와 따뜻한 물의 배합 비율을 써놓은 점이 돋보이긴 하나 엿을 졸이는 시간이나 잡아당기는 과정 등 후반부 작업에 해당하는 내용이 빠져 있다. 김유의 서술이 그만큼 체계적이다.

엿 만드는 방법 외에도 《수운잡방》의 〈탁청공유묵〉에는 총 86가지의 요리법이 실려 있다. 가장 먼저 술 빚는 법, 그다음에 식초 제조법, 채소 절임 음식인 침채와 저, 동아정과·두부·타락·엿 만드는 법, 몇 가지의 장류, 더덕좌반과 육면 같은 음식, 그리고 마지막에 간장(水醬) 제조법이다.

그런데 채소절임 음식의 중간에 생가지·오이·생강·배추·참외·연근의 파종법이나 저장법이 적혀 있어 약간 뜬금없어 보인다. 조선 후기의 유서(類書)에서는 주로 '치농(治農)'에서 파종법이나 저장법을 다루기 때문에 더욱 그러하다. 또 각종 장류 다음에 더덕좌반과 육면을, 마지막에 간장을 배치한 목차도 조선 후기의 요리책과 달라서 얼핏 맥락이 없어 보인다. 하지만 세조 때 어의 전순의가 편찬한 요리책《산가요록》의 목차도 〈탁청공유묵〉과 비슷하다. 술을 으뜸에 두고, 그다음에 채소절임 음식과 채소 농사법, 그리고 음식과 장류를 서술하는 방식은 조선 초기 요리책 목차의 일반적인 경향이었던 것 같다.

할아버지와 손자가 이어서 쓴 《수운잡방》

《수운잡방》은 김유와 그의 손자 김령이 각기 쓴 두 책을 묶은 것이다. 김유가 쓴 부분의 제일 앞에는 '탁청공유묵', 그리고 김령의 글 앞부분에는 '계암선조유묵(溪巖先祖遺墨)'이라는 간지가 들어 있다.《수운잡방》에서 '수운'은《주역(周易)》의 64괘 중 다섯 번째 괘인 '수괘(需卦)'에서 따온 것이다. 곧 "수(需)는 구름이 하늘에 오르는 격이니, 군자가 잔치를 베풀고 음식을 즐기는 것이다."[11] 그러니 '수운잡방'이라는 책 제목은 "군자가 잔치를 베풀 때 필요한 온갖 요리법"이다. 사실 '수운잡방'이라는 제목의 글씨, '탁청공유묵'과 '계암선조유묵'의 서체를 비교하면 모두 약간씩 차이가 보인다. 후손 중 누군가가 두 조상의 책을 묶고 글을 썼기 때문으로 여겨진다.

'탁청공유묵', 즉 김유의 《수운잡방》에서는 먼저 삼해주를 시작으로 41가지의 술 빚는 법이 나온다. 이 술들은 몇 가지 범주로 나눌 수 있다.[12] 일일주(一日酒)·삼일주(三日酒)·하일청주(夏日淸酒)·보경가주(寶卿家酒, 하일청주의 일종)와 두 종류의 이화주(梨花酒)는 한 번만 빚는 단양주(單釀酒)에 속한다. 이에 비해 사오주(四午酒)를 비롯하여 21가지의 술은 곡물에 누룩과 물을 넣어 빚은 밑술에 다시 곡물을 넣고 익힌 이양주(二釀酒)다. 또 삼해주·벽향주(碧香酒)·소곡주(小麯酒)·별주(別酒)·두강주(杜康酒)·삼오주(三午酒) 등 9가지 술은 밑술에 두 차례 덧술을 한 삼양주(三釀酒)다. 또 약재를 넣어 약용으로 만든 청주로는 백자주(柏子酒, 잣술)·호도주(胡桃酒, 호두술)·도인주(桃仁酒, 복숭아씨술)·백출주(白朮酒, 삽주뿌리술) 등이 있다. 그리고 진맥소주(眞麥燒酒, 밀소주)라는 증류주도 나온다.

그렇다면 김유는 왜 〈탁청공유묵〉의 86가지 요리법 중에서 술 빚는 법을 절반 가까이 실어놓았을까? 그것도 제일 앞부분에 말이다. 이웃이면서 사돈이었던 이황(李滉, 1501~1570)은 김유의 집 "항아리에는 맛있는 술이 넘쳐났다"[13]고 했다. 예나 지금이나 집에 각종 술을 갖추려면 상당한 재력이 있어야 가능하다. 김유는 35세 때인 1525년에 생원시에 합격한 것을 마지막으로 과거를 보지 않았다. 그런데 후사가 없던 고모부 김만균(金萬鈞)의 양자가 되면서 부자였던 김만균의 재산을 물려받았다. 김유의 아버지 김효로(金孝廬 1454~1534)의 재산 일부에 김만균의 재산까지 상속받은 김유는 인근에서 으뜸에 드는 재력가가 되었다.[14] 이런 배경 때문에 김유의 집에 술이 넘쳐났다고 할 수 있다.

또 이황은 "집 옆에도 정자가 있었는데, 공이 모두 수리하여 넓혔다.

탁청정 내부. 현재의 탁청정은 본래 낙동강에 인접한 오천리(烏川里, 외내마을)에 있었으나 안동댐이 건설되면서 1974년 안동 군자마을로 옮겨졌다. 문화재청 제공.

손님을 맞아 언제나 만류하여 못 가게 하면서 술을 많이 마셨고, 간혹 밤을 새웠지만 피곤한 빛이 없었다"[15]고 했다. 지금도 남아 있는 탁청정 (濯淸亭)이 바로 그 정자다. '탁청(濯淸)'이란 말은 굴원의 〈어부사(漁父 詞)〉에서 가지고 온 것이다. 굴원은 초나라의 어지러운 정치 상황에서 추방당해 강변을 거닐고 있었다. 그런데 한 어부가 혼자만 깨끗하면 된 다는 굴원을 비판하면서 "창랑(滄浪)의 물이 맑으면 내 관(冠)의 끈을 씻고, 창랑의 물이 흐리면 내 발을 씻으리라"[16]라는 노래를 부르며 떠나갔다. 굴원은 시에서 맑고(淸) 흐림(濁)의 순서로 썼지만, 김유는 글자의 순서를 바꾸어 정자 이름을 지었다.

조선의 미식가들

이황은 김유의 인물됨을 평하면서 "이 고을을 지나는 지체 높은 이들이 찾아와 실컷 즐기기가 예사고" 또한 "비록 비천한 이라 하여도 반드시 제대로 갖추어 대접하네"라고 적었다.[17] 그러니 김유가 정자 이름을 '탁청정'이라 짓고, 자신의 호도 '탁청'이라 한 이유는 이름을 높이는 일, 즉 벼슬자리에 연연하지 않고 좋은 벗들과 술과 음식과 시를 나누며 유유자적한 삶을 살고자 했기 때문이다. 그런데 문제는 술 빚기가 여느 음식 만들기와 달리 상당한 기술을 필요로 한다는 점이다. 그래서 자기 집안에서 내려오는 제조법은 물론이고 다른 집안의 비법이나 다른 책에 나온 방법까지 적어둔 것이 아닐까?

《수운잡방》의 후편을 편찬한 김령은 김유의 셋째 아들인 김부륜(金富倫, 1531~1598)의 아들이다. 김령은 17세의 나이로 유성룡(柳成龍, 1542~1607)을 따라 임진왜란에 참전했으며, 1612년(광해군 4) 증광 문과에 병과로 급제해 승문원(承文院)에 등용된 뒤 여러 벼슬을 거쳐 주서(注書)에 이르렀으나, 광해군 말년의 복잡한 정치 상황을 보고 낙향했다. 병자호란이 일어나자 가산을 털어서 의병들의 군량미에 보탰다. 인조로부터 여러 차례 벼슬 권유를 받았지만, 문밖출입마저 삼갔다.

김령의 《수운잡방》에도 처음에 18가지의 술 빚는 법과 17가지의 음식 요리법이 나온다. 목차의 순서는 할아버지의 것을 모방했지만 요리법은 같지 않다. 술 중에 '삼오주'는 김유의 《수운잡방》에도 나오지만, 빚는 법이 다르다. 또 전약·생강정과·습면(濕麵, 녹두국수)·탕(湯)·채소절임·누룩·전곽(煎藿, 잣가루+식초+다시마)·다식 등은 김유의 《수운잡방》에는 나오지 않는 음식이다. 특히 탕류 요리법에 대한 자세한 설명은 김령의 《수운잡방》이 지닌 특징이다.

"이 탕은 고기를 많이 넣을수록 맛이 좋아진다"

김령의 《수운잡방》에 나오는 탕은 모두 6가지다. 즉 서여탕(薯蕷湯, 고기+마+계란)·전어탕(煎魚湯, 참기름에 볶은 작은 민물생선+마+계란)·분탕(粉湯, 고기+녹두묵)·삼하탕(三下湯, 세 가지 완자탕)·황탕(黃湯, 노랗게 물들인 떡국)·삼색어아탕(三色魚兒湯, 은어+숭어+새우)이다. 보통 탕은 국에 비해 건더기가 많고 국물이 적은 음식을 말한다.

이 가운데 분탕, 즉 묵국 요리법을 한번 보자. 분탕 요리법은 '육수'와 '건더기' 두 부분으로 나뉘어 있다. 먼저 육수 만드는 법이다.[18] "참기름 한 되와 파 흰 부분 썬 것 한 되를 같이 볶고, 청장 한 사발과 물 한 동이를 넣어 이 네 가지로 묽은 탕을 끓인다." 분탕의 육수는 참기름과 파를 함께 볶아 일종의 '파기름'을 만든 뒤에 물 한 동이를 붓고 청장 한 사발로 간을 맞추었다. 실제로 이렇게 만들어보면 매우 싱거운 '멀건 탕(稀湯)'이 된다. 그래서 김령은 "탕을 낼 때 짜고 싱거운지 간을 맞"추라고 적어두었다.

다음은 건더기 만드는 법이다.[19] "고육(膏肉)을 얇게 썰고, 녹두묵은 긴 국수처럼 써는데, 황색 녹두묵과 백색 녹두묵 두 가지를 쓴다"고 했다. 여기서 '고육'이 어떤 고기인지 이 기록만으로는 알기 어렵다. 고육은 김유의 육면에도 재료로 나온 적이 있는데, 글자 자체로는 기름진 고기다. 당시 법률에 의하면, 관청의 허락을 받아야만 소를 도살할 수 있었다. 그렇다고 돼지고기를 사용한 것 같지는 않다. 혹시 허가받지 않은 쇠고기라서 그냥 고육이라 적었을지도 모른다.

그다음에 "생오이·미나리·도라지는 한 치 길이로 채 썰어서 녹두가루를 입혀 끓는 물에 데친다"고 했다. 이렇게 하면 고육(쇠고기)·황색녹

미리 준비한 육수에 쇠고기·황색녹두
묵·백색녹두묵·오이·미나리·도라지를
넣어 만든 '분탕' ⓒ수운잡방연구원

두묵·백색녹두묵·오이·미나리·도라지 등의 건더기 재료가 마련된 것
이다. 이 재료들을 육수에 넣어 끓이는데, 먹을 때 "흰 파를 잘게 썰어
넣어"라고 했다. 덧붙여 김령은 고육을 많이 넣을수록 맛이 좋아진다고
했다. 상상해보라. 채를 썰어 녹두가루를 입힌 오이·미나리·도라지와
황백색의 녹두묵, 그리고 쇠고기가 가득한 묽은 탕. 비록 요사이의 '샤
브샤브'처럼 국물이 많지는 않지만, 건더기를 건져 먹는 재미가 쏠쏠했
을 것이다.

앞서 설명했던 세조 때 전순의가 쓴 《산가요록》에는 대구어피탕(大口
魚皮湯, 대구껍질+도라지+건새우가루+꿩고기+간장+식초), 장사탕(長沙湯, 냉
이+석이+꿩고기+노루고기+계란+장국물), 진주탕(珍珠湯, 꿩고기+도라지+노루
고기+생선+계란+오이지+간장) 등 세 가지 탕이 나온다. 이 세 가지는 '육해
공(陸海空)'의 식재료를 모두 넣은 탕이다. 이에 비해 김령의 탕은 육해
공 중 한 가지만을 주로 사용했다.

그런데 17세기 경상도의 영해현(寧海縣, 지금의 경상북도 영덕군 창수면과 영양군 석보면)에 살았던 장계향은 《음식디미방》에서 족탕·말린고기탕·쑥탕·천어순어탕·붕어순갱·와각탕·난탕·계란탕·양숙편·전복탕·자라갱의 11가지 탕류 요리법을 적어놓았다. 18세기 이후의 한문 또는 한글 요리책에는 탕 요리법이 더욱 많이 나온다. 임진왜란과 병자호란 이후 시간이 갈수록 각종 탕 요리법이 증가한 것은 분명해 보인다. 다만 《수운잡방》에서 김유가 쓴 부분에는 탕류 요리법이 적혀 있지 않아 궁금증을 자아낸다.

　김령의 《수운잡방》이 지닌 또 다른 특징은 전약 제조법이 실려 있다는 점이다. 전약은 쫄깃하고 단맛이 나는 정과의 한 종류로, 궁중의 고급 음식이자 조선 후기에 연경에 가는 사신(연행사)이 선물로 챙겨 갈 정도로 중국인들에게까지 인기가 높았던 음식이다. 김령은 전약 만드는 법을 "청밀(꿀)과 아교(阿膠) 각각 세 사발, 대추 한 사발, 후추와 정향(丁香) 한 냥 반, 말린 생강 다섯 냥, 계피 세 냥을 법도에 맞게 섞어 졸인다"[20]고 간단하게 적었다. 여기에서 아교는 동물의 가죽·힘줄·창자·뼈 등을 고아 그 액체를 굳힌 것이다. 조선시대에는 전약을 만들 때 주로 소가죽을 고아서 만든 아교를 사용했다.

　허준(許浚, 1539~1615)의 《동의보감》에도 전약 제조법[21]이 나온다. 김령의 방법과 비교하면 재료와 분량이 거의 비슷하다. 다만 허준은 대추의 양을 두 사발이라고 한 데 비해 김령은 한 사발이라 적었고, 김령이 계피를 세 냥이라고 적은 데 비해 허준은 한 냥이라고 했다. 또 허준은 재료 졸이는 법을 상세하게 밝혔지만, 김령은 단지 "법도에 맞게 섞어 졸인다"고만 적어놓았다. 서울에서 벼슬살이를 했던 김령이 내의원이나 사람들로부터 들은 제조법을 적다 보니 차이가 생긴 것일 수도 있다. 하지만 시기마다 전약의 재료와 분량에 약간의 변화가 있었기 때문에 분량 차이는 큰 문제가 되지 않는다. 무엇보다 현재까지 발견된 조선시대 향촌의 요리책 중에서 전약 제조법이 소개된 가장 이른 시기의 요리책이라는 점에서 그 의의가 있다.

"오천가의 술 빚는 법이다"

다시 김유가 쓴《수운잡방》을 살펴보자. 김유의《수운잡방》에 '진맥소주' 제조법이 나오는데, 거의 100여 년 후에 쓰인 장계향의《음식디미방》에 '밀소주'라는 이름으로 똑같은 내용이 나온다. 다만 김유는 한문으로, 장계향은 한글로 쓴 점이 다르다.

먼저 김유의 진맥소주 제조법을 살펴보자. "밀 한 말을 깨끗이 씻어서 푹 찌고 좋은 누룩 다섯 되와 함께 절구에 찧어 독에 넣고 냉수 한 동이를 부어서 저어준다. 5일째 되는 날 고아서 술을 모으면 네 선(鐥)이 되는데, 술맛이 매우 독하다."[22] 장계향 역시 "(밀) 한 말을 깨끗이 씻어 무르게 쪄 누룩 다섯 되를 한데 섞어 찧어 냉수 한 동이 부어 저어두었다가 닷새 만에 고면 네 대야가 나나니라"[23]라고 적어놓았다. 두 요리책 모두 '밀 한 말+누룩 다섯 되+냉수 한 동이'라는 재료의 배합 비율과 서술 순서가 똑같다.

장계향은《수운잡방》의 '선(鐥)'을 '대야'라고 한글로 적었다. 정약용에 따르면 '선'은 술의 양을 재는 조선의 그릇이며 조선식 한자어다.[24] 사용한 그릇의 명칭을 보면 김유의 진맥소주 제조법이 중국 문헌에서 가져온 것이 아님을 알 수 있다. 대야에 대해서도 정약용은 선을 사람들이 그렇게 부른다고 했다. 다만 김유는 마지막에 "술맛이 매우 독하다"라고 적었지만, 장계향은 이 말을 쓰지 않았다. 핵심적인 내용만 인용하고 맛의 평가를 쓰지 않는 방식은 조선 후기 요리책에서 다른 문헌을 인용할 때 자주 나타나는 경향이다.

과연 장계향은 《수운잡방》의 진맥소주 요리법을 보았을까? 지금 당장 답을 내리기는 어렵다. 만약 장계향이 《수운잡방》을 읽었다면 진맥소주 한 가지만 옮기지는 않았을 것이다. 그런데 신기한 점은 장계향의 남편 이시명(李時明, 1590~1674)의 첫 번째 부인인 광산 김씨(光山 金氏)의 부친 김해(金垓, 1555~1593)가 김유의 조카라는 사실이다. 그러니 김씨 부인은 김유의 종손녀(從孫女)인 셈이다. 광산 김씨 부인이 친정에서 배운 《수운잡방》식 진맥소주 제조법이 이시명의 집안에서 쓰이다가 계실(繼室)로 들어온 장계향에게 전수된 것은 아닐까?

또 다른 가설은 오늘날 전하지 않는 조선 초의 어떤 요리책에 진맥소주 제조법이 나오고, 김유와 장계향이 각자 읽고 옮겼을 가능성이다. 중세 유럽의 요리책은 대부분 부엌에서 요리한 경험을 기록한 데에서 탄생했다.[25] 이에 비해 조선시대 요리책은 서재에서 책을 읽다가 필요한 내용을 선별해 옮겨 적어 탄생한 것이 많다. 물론 그중 몇 가지 요리법은 부엌에서 직접 실행에 옮겨본 후 종이에 옮겨 적은 것이다. 앞의 《수운잡방》에 실린 엿 제조법에서 "지금 엿집에서 사용하는 좋은 방법이다"라고 했듯이, "오천(烏川)의 술 빚는 법"이라고 적은 '또 다른 벽향주', 그리고 "오천가(烏川家)의 방법"이라고 적은 '고리(식초를 만들 때 사용하는 밀로 만든 발효제) 만드는 법'과 '고리초(중미+누룩+고리로 만든 식초) 만드는 법'을 눈여겨보아야 하는 이유가 이 때문이다.

'오천가의 비법'이라고 할 수 있는 이들 요리법을 유학자였던 김유가 직접 요리해보고 작성했다고 단언하기는 어렵다. 오히려 김유의 부인인 순천 김씨(順天 金氏)가 그 주인공이 아니었을까? 이황은 순천 김씨가 "열일곱에 공에게 시집와서 집안일을 잘 다스렸고, 제사를 정성스레 받들고, 손님을 응대함에 비록 집안일이 바쁘더라도 순식간에 잘 처리하지 않음이 없었다"[26]고 했다. 이처럼 제사와 손님을 위한 술과 음식 장만은 순천 김씨의 몫이었다. 그러니 오천가의 비법은 물론이고 김유의《수운잡방》은 오롯이 순천 김씨의 손끝에서 나온 요리법일 가능성도 배제할 수 없다.

또 90세가 넘도록 장수한 김유의 어머니 양성 이씨(陽城 李氏) 역시《수운잡방》편찬에 큰 역할을 했을 것 같다. 그녀는 세종 때의 역법서(曆法書)《칠정산내외편(七政算內外篇)》에서 역법 계산을 담당했던 이순지(李純之, ?~1465)의 손녀다. 이순지와 함께 일했던 김담(金淡, 1416~1464)은 김유의 양아버지 김만균의 부친이다. 이와 같이 생활에 필요한 실용지식에 관심이 많았던 서울의 과학자 집안과 김유 집안의 인연이 김령까지 이어져 대를 이은 요리책《수운잡방》이 탄생했을지도 모른다.

《수운잡방》에 수록된 요리법은 단지 16~17세기 경상도 안동의 한 집안에서 전하던 요리법에 국한되지 않을 수 있다. 혹시 지금 우리에게 전하지 않지만 16세기 조선의 어떤 책에 담긴 요리법이 이 책에 담겼을지도 모른다. 그래서 '오천가의 비법'이 담긴 요리책에 더욱 눈이 간다.

"먹으면서 꽤 오랫동안 이야기를 나누다가 파했다"

조극선의 두붓국

"이장과 연포를 하기로 약속하고"

어제 이장(李丈)과 연포(軟泡)를 하기로 약속하고, 이장이 설판(設辦)을 맡아 어린 닭을 구해 오라고 해서, 나는 바로 잡아 보냈다. 하택(下宅)을 찾아뵙고 집으로 돌아와서 옷을 갈아입고 다시 가서 사촌형에게 같이 가자고 했더니 싫단다. 내가 홀로 와사(瓦寺)에 도착했더니 이장은 이미 신조(申祖)와 바둑을 두고 있고, 그 옆에 정언일(鄭彦逸)이 앉아 있었다. 이윽고 정곡산(鄭谷山)과 박홍(朴泓)이 도착했다. 설포(設泡)하여 먹으면서 꽤 오랫동안 이야기를 나누다가 파했다.[1]

이 글은 조선시대 인조 때 문인 조극선이 쓴 일기 《인재일록》의 1615년 음력 10월 3일자 기록이다. 개인의 내밀한 일기라서 등장인물과 장소 등을 제대로 파악하기가 여간 어렵지 않다.[2] 더욱이 한문으로 쓴 일기라 전후 사정을 이해하는 일도 어렵다. 이 일기를 썼을 때 조극선의 나이는 21세였다. 이 글의 처음에 나오는 '이장(李丈)'은 조극선보다 나이가 많은 이씨 성을 가진 어른으로 보인다. 오늘날 말로 하면 '이씨 어른'이다. 어제 만난 이씨 어른이 연포를 하자기에 그러자고 약속했다는 말이다. 그렇다면 '연포'는 무엇일까?

조극선보다 160여 년 뒤의 사람인 정약용은 "민간에서는 두붓국(菽乳湯)을 '연포'라 한다"[3]고 했다. 그러니 "연포를 하기로 약속했다"는 말은 두붓국을 만들어 먹자고 약속했다는 말이다. 그러나 조극선과 이씨 어른이 직접 두붓국을 만들었다고 생각하면 오해다. 조극선은 여러 사람이 모여서 두붓국을 함께 먹는 '연포회(軟泡會)'를 열자는 말을 '연포를 하자'라고 줄여서 쓴 것이다.

조극선의 이날 연포회는 '와사'라는 절에서 열렸다. 불교를 억압했던 조선 왕실이지만, 고려시대부터 두부를 대량으로 만들어왔던 일부 절을 조포사(造泡寺)로 지정하여 왕실과 능원(陵園)의 제사에 쓰는 두부를 공급하도록 했다. 그래서 연포회도 주로 절에서 열렸다. 당시의 와사가 어디인지 정확히 알 수 없지만, 조극선의 집과 그리 멀지 않은 덕산현(德山縣, 지금의 충청남도 예산군 덕산면)에 있던 절로 추정된다.

그렇다면 "이장이 설판을 맡아"라는 말은 무슨 뜻일까? '설판(設辦)'은 문자 그대로 번역하면 '주관하여 설치하다'라는 뜻이다. 이 말은 원래 불교에서 유래했다. 즉 법회를 개최할 때 신도와 승려 들이 비용을 마련하는 행위를 '설판'이라고 불렀다. 요사이 말로 하면 '십시일반'의 '펀딩(funding)'인 셈이다. 조극선의 글을 보면, 설판은 연포회의 주관자를 부르는 말로 쓰인 듯하다. 설판은 연포회의 날짜, 참석자, 준비물 등을 정

조선의 미식가들

이색의 소주, 영조의 고추장, 장계향의 어만두
맛 좀 아는 그들의 맛깔스런 문장들

왕의 입맛을 사로잡은 수라간 하인 권타석의 레시피!!

 # 황자계만두
黃 雌 鷄 餛 飩

재료

◆ **황자계(털이 누런 암탉) 두 마리** 생닭 또는 손질된 닭, 다이어트 중이라면 닭가슴살도 OK!
◆ **꿩 한 마리** 구하기가 쉽지 않으니 '꿩 대신 닭'으로……
◆ **송이버섯** 3,000원이면 살 수 있는 새송이버섯으로 대체!
◆ **파, 마늘, 생강, 참기름, 간장, 식초, 소금**
◆ **메밀가루** 조선시대에는 밀가루가 귀해서 메밀가루를 많이 먹었대요. 지금은 메밀가루가 더 비싸니 밀가루를 써도 좋아요!

만드는 법

1. 닭은 내장과 기름기를 제거하고 깨끗이 씻어 푹 삶아주세요.
2. 무를 정도로 삶아지면 닭을 건져 식힌 다음, 뼈는 발라내고 살을 잘게 찢습니다.
   닭 삶은 물은 버리지 마세요.
3. 새송이버섯과 파를 잘게 다져 찢어놓은 고기와 함께 볶아 소를 만듭니다.
   이때 참기름, 다진 마늘, 다진 생강을 넣고 간장으로 간을 맞춰주세요.
4. 기름을 제거한 육수는 간장, 파, 마늘, 생강을 넣어 양념합니다.
5. 열 번 정도 체에 내린 고운 메밀가루(또는 밀가루)에 소금을 한 꼬집 섞어 물로 반죽합니다.
   만두피는 반죽을 홍두깨로 밀어서 얇고 둥글게 빚어주세요.
6. 둥근 만두피에 미리 준비해둔 소를 넣고 만두피 가장자리에 물을 발라 붙입니다.
7. (4) 국물이 끓어오르면 (6)을 살짝 데쳐냅니다. 밀가루일 경우는 반죽이 익도록 좀 더 끓여주세요.
8. 오목한 그릇에 만두를 담고, (7) 국물을 반 정도 붓습니다.
   먹을 때는 식성에 따라 파와 마늘을 더 넣거나 식초, 간장으로 간을 더합니다.

◆ 황자계만두 요리법은 이시필의 《소문사설》〈식치방〉에 실려있습니다. '식치방(食治方)'은 '음식으로 자신의 몸을 다스리는 법'이라는 뜻이니 건강에 좋은 건 두말할 필요가 없겠죠? 이 음식을 만든 사람은 왕실의 음식과 식재료를 담당했던 부서인 사옹원의 수라간 하인 권타석이었는데, 수라간의 정식 요리사인 '숙수'들이 그에게 요리법을 배워 왕께 올렸다고 합니다. 병에 걸려 마음도 못 넘기던 숙종이 이 만두를 먹었고, 이후에도 황자계만두를 찾았다고 하니 몸에 좋은 음식이 맛도 좋았나 봅니다.

하는 일을 했다. 특히 연포회를 할 만한 절을 섭외하여 그곳의 승려에게 대두(大豆, 콩)를 비롯해 그날 먹을 식재료를 보내는 것이 설판에서 가장 중요한 일이었다. 조극선의 일기에는 나오지 않지만, 두부를 한두 시간 안에 만들 수 없기 때문에 이씨 어른은 연포회 전날 하인을 시켜 와사의 승려에게 콩을 보냈을 것이다.

다시 연포회가 있던 날 일기를 보자. 그날 낮에 조극선은 막내 숙부의 아들인 한 살 많은 조종선(趙從善, 1594~1647)에게 가서 연포회에 함께 가자고 했다. 그러나 종선 형은 가기 싫다고 했고, 결국 혼자서 와사로 갔다. 설판 이씨 어른과 항렬로 할아버지뻘이 되는 인척 신씨(申祖)가 벌써 와서 바둑을 두고 있었고, 정언일이 옆에서 구경을 하고 있었다. 얼마 지나지 않아 곡산에 사는 정씨와 박홍이 도착했고, 드디어 연포회가 시작되었다.

조극선은 연포회의 시작을 한자로 '설포(設泡)'라고 적었다. 즉 두붓국을 차려 냈다는 말이다. 그리고 오랫동안 이야기를 나누다가 헤어졌다. 이씨 어른과는 전날에도 만나서 진하게 술을 한잔했는데,[4] 또 길게 자리를 함께한 모양이다. 오후 늦게 조극선은 이씨 어른과 산길을 걸어 내려오다 소나무 밑동에 마주 앉아 이야기를 나누다 헤어졌다.[5]

"어린 닭을 구해 오라고 해서, 나는 바로 잡아 보냈다"

조극선 일행이 와사의 연포회에서 먹었던 두붓국 맛이 어땠을까 궁금하지만, 일기에 요리법은 나오지 않는다. 할 수 없이 비슷한 시기에 나온 다른 문헌을 뒤질 수밖에 없다. 이 기록보다 30여 년 후에 쓰인 홍만선의《산림경제》에 당시 민간의 '자연포법(煮軟泡法)', 즉 두붓국 끓이는 방법이 나와 있다.

두부를 만들 때 단단하게 누르지 않으면 연한 두부가 되니, 이것을 잘게 썰어 한 꼬치에 서너 개씩 꽂는다. 흰새우젓국〔白蝦醢汁〕에 물을 타서 그릇에 끓이되, 베를 그 위에 덮어 소금물이 스며 나오게 한다. 그 속에 두부꼬치를 거꾸로 담가 슬쩍 익으면 꺼낸다. 따로 굴을 국물에 넣어서 끓인다. 국물에 잘 다진 생강을 타서 먹으면, 극히 부드럽고 맛이 매우 좋다. 민간의 방법이다.[6]

그런데 조극선 일행은 이 요리법으로 두붓국을 만든 것 같지 않다. 일기에서 조극선은 어린 닭을 구해 보냈다고 하여, 두붓국에 닭고기를 쓴 것으로 보인다. 닭고기를 이용한 두붓국은 무려 150여 년 뒤인 1766년에 쓰인《증보산림경제》의 〈치선〉에 '조연포갱법(造軟泡羹法)', 즉 '두붓국 만드는 법'이라는 제목으로 소개되어 있다. 이 책의 저자인 의관 유중림은 본격적인 요리법을 소개하기에 앞서서 두붓국이 겨울에 먹기 좋다고 썼다. 요리법의 대강을 요즘 말로 옮기면 다음과 같다.[7]

깨끗하게 손질한 닭과 핏물을 뺀 쇠고기 큰 것 한 덩어리를 솥에 같이 넣고 물을 많이 부어 푹 삶는다. 유중림은《산림경제》에 소개된 요리법과 달리 단단한 두부가 두붓국에 좋다고 했다. 솥뚜껑을 숯불 위에 올려놓고 기름을 많이 두르고 두부를 지진다. 그런 다음 닭과 쇠고기를 삶은 육수에 지져낸 두부를 넣고 기름장〔油醬〕으로 간을 맞춘 뒤, 생강·파·참버섯·표고버섯·석이버섯 등을 곱게 채 썰어 넣고 끓인다. 또 그릇에 육수를 조금 담아 곱게 썬 무와 밀가루를 조금 넣고 골고루 갠다. 여기에 계란을 여러 개 깨뜨려 넣고 빠르게 저어 풀어서 두붓국에 붓는다. 여러 재료가 골고루 섞이도록 대여섯 번 끓어오를 때까지 두붓국을 끓인다. 그리고 미리 삶아놓았던 닭은 살만 실처럼 가늘게 발라놓는다. 또 계란 노른자와 흰자를 나누어 기름에 얇게 부쳐낸 뒤 가늘게 채를 썰어둔다. 주발에 두붓국을 담고 여기에 발라놓은 닭고기와 채 썬 계란을 올리고 천초가루와 후춧가루를 쳐서 먹는다.

상상만 해도 그 맛이 떠올라 입에 침이 고인다. 조극선 일행이 와사의 연포회에서 먹었던 두붓국의 맛도 이와 비슷하지 않았을까? 이 두붓국은 고기와 기름장으로 만든 국물 맛도 중요하지만, 핵심은 뭐니 뭐니 해도 두부다. 두부는 여러 품종의 콩 중에서 노란색의 대두로 만든다. 대두에는 식물성 단백질이 많이 들어 있다. 이 식물성 단백질을 추출해 거기에 응고제(coagulant)를 넣어 덩어리로 만든 음식이 바로 두부다.

요사이야 두부를 공장에서 생산하니 만드는 과정을 볼 기회가 적다. 그러나 조선시대만 하더라도 사찰뿐 아니라 민가에서도 직접 두부를 만들었다. 먼저 콩을 물에 불린다. 겨울이면 하루 종일, 여름이면 반나절 정도 담가둔다. 콩이 적당히 불면 맷돌로 콩을 탄다. 물을 조금씩 부어가며 콩을 타면 맷돌 가운데서 하얀색의 콩비지가 거품처럼 새어나온다. 이 콩비지 거품을 보고 조선시대 사람들은 두부를 '포(泡)'라고 불렀다.

이 콩비지를 솥에 넣은 뒤 약한 불로 끓인다. 맷돌로 막 간 콩비지에는 묘한 비린내가 난다. 비린내는 콩 속에 있는 식물성 단백질에서 나는 냄새인데, 익히면 없어진다. 함지박 안에 삼베나 무명으로 만든 주머니를 놓고 끓인 콩비지를 퍼서 주머니에 담는다. 콩비지가 식기 전에 주머니의 양쪽 끝을 묶고, 그 사이에 나무막대를 꽂아 돌리면서 콩물을 빼낸

19세기 조선 여인들이 두부를 짜는 모습이다. 간수를 넣은 뒤 콩물이 엉기면 보자기에 싸서 널빤지 사이에 넣고 돌로 누르거나 아예 사람이 올라가 앉으면 물이 빠지면서 단단한 두부가 만들어진다. 김준근, 〈두부 짜는 모양〉. 19세기 말경. 독일 함부르크민족학박물관 소장.

다. 콩비지의 식물성 단백질은 수용성이라 콩물에 녹아 있는데, 콩비지가 식으면 굳어버리기 때문에 반드시 뜨거울 때 빼내야 한다. 콩비지가 너무 뜨거워서 손을 델 수도 있으니 나무막대를 하나 더 사용해 주머니의 배를 꾹꾹 눌러주면 손을 데지 않고도 콩물을 잘 뺄 수 있다. 이 콩물이 바로 두유(豆乳)다.

이제 두유를 응고시키는 과정이 남았다. 김이 모락모락 나는 두유에

'간수(艮水)'를 한 사발 넣고 주걱으로 잘 저어준다. 간수는 소금에서 습기가 저절로 녹아 흐르는 짜고 쓴 물로, '고염(苦鹽)' 또는 '노수(滷水)'라고 부른다. 간수의 주성분은 염화마그네슘이다. 물에 잘 녹는 식물성 단백질은 염화마그네슘을 만나면 바로 응고된다. 두유에 간수를 넣고 잠시 기다리면 응고되어 하얀 덩어리와 물로 분리된다. 함지박 바닥에 가라앉은 덩어리는 두고 물만 사발로 떠서 버린 뒤 덩어리를 무명 주머니에 옮겨 담는다. 아직도 응고가 이루어지는 과정이기 때문에 덩어리를 싼 주머니에서 두유와 물이 줄줄 흐른다. 함지박 위에 널빤지를 올리고, 그 위에 잘 묶은 주머니를 올려놓는다. 또 다른 널빤지를 주머니 위에 올려놓고, 무거운 돌로 눌러놓거나 아예 사람이 그 위에 올라앉기도 한다. 이렇게 한참을 누르고 있으면 주머니 안의 덩어리가 굳어지면서 서서히 두부로 변해간다.

이때 압력의 강도에 따라 《산림경제》에 소개된 것처럼 연한 두부가 되기도 하고, 《증보산림경제》에 나온 단단한 두부가 되기도 한다. 새우젓국으로 국을 끓일 때는 연한 두부가 좋고, 지져서 육수에 넣고 오래 끓일 때는 단단한 두부가 좋았을 것이다.

그런데 한 가지 의구심이 생긴다. 설마 닭고기로 두붓국을 끓이는 일까지 와사의 승려들에게 시켰을까? 정약용은 이런 의구심에 답이 될 시를 한 수 남겼다. 제목도 〈절에서 밤에 두붓국을 끓이다〉이다. 이 시에서 정약용은 "비구(比丘)는 살생을 경계해 손대려고 않는지라, 젊은이들이 소매 걷고 친히 고기를 썰었네"[8]라고 읊조렸다. 조극선 일행 역시 그랬을 것이다.

조극선의 일기와 식생활 기록

조극선은 부친 조경진(趙景璡, 1565~1615)과 모친 공주 이씨(公州 李氏) 사이에서 임진왜란이 아직 끝나지 않은 1595년 음력 2월 28일에 태어났다. 어려서 아버지로부터 글공부를 배우다가, 1609년 15세 때 덕산현감으로 온 이명준(李命俊, 1572~1630)을 만나 사제의 인연을 맺게 되었다. 이 무렵에 조극선은 일기를 써야겠다는 결심을 했다. 1609년 음력 12월 3일 일기를 시작으로 29세이던 1623년 음력 12월 30일까지 쓴 일기를《인재일록》5책으로 묶었으며, 30세(1624)부터 41세(1635)까지의 일기를《야곡일록(冶谷日錄)》이라는 이름으로 모두 6책으로 꾸몄다.

조극선이 일기를 쓰고자 마음먹은 이유는 하루의 독서를 기록하기 위해서였다. 그런데 일기에는 독서한 내용보다 일상을 기록한 내용이 더 많다. 그중에서도 가족과 친척은 물론 스승과 친구 들, 그리고 이웃과 교류한 이야기가 특히 많다. 그리고 부조와 선물 등을 받았을 때는 보낸 사람의 이름과 내역까지 꼼꼼하게 기록해두었다.

초년기에 쓴《인재일록》은 고향에 머물러 살던 내용이 대부분이다. 30세 때부터 쓴《야곡일록》은 버슬살이하던 이야기가 주류를 이룬다. 1624년 30세의 조극선은 이괄의 난으로 공주에 피난 온 인조를 가까이에서 모시게 되었는데, 이때 조정의 실권을 장악하고 있던 서인 세력의 눈에 들었다. 그리고 두 번째 스승 조익(趙翼, 1579~1655)의 추천으로 그해 여름에 동몽교관(童蒙教官, 아이들을 가르치는 교관)에 제수되었다.

이후 조극선은 서울에서 버슬을 하다가, 1635년 음력 5월에 고향 근처인 면천의 군수로 임명되었다. 그리고 다음 해 음력 10월에 건강이 좋지 않은 부친을 모시기 위해 면천 군수를 사직했다. 이후 1641년 음력

8월에 부친의 삼년상을 끝내고 독서와 집필에 열중했다. 조정으로부터 서울의 벼슬을 받으라는 명이 내려와도 사양하다가 조익의 설득으로 1648년 음력 8월에 온양 군수에 부임했다. 이후 조극선은 서울과 지방의 여러 관직을 거쳤다. 64세가 된 1658년 음력 1월에 사헌부 장령으로 제수되었으나 곧 사망했다.

조극선의 일기 11책은 줄곧 집안에서 보관되다가, 1930년 1월 22일 당시 조선사편수회에서 유리원판 사진으로 표지와 본문 일부를 촬영하면서 세상에 알려졌다. 그러나 다시 후손의 집에 묻혔다가 2003년 한국학중앙연구원 장서각의 학자들이 예산 한양 조씨(漢陽 趙氏) 고문헌을 조사·수집하면서 공개되었다. 조극선의 일기는 사적인 기록이라서 가족·친척·이웃·친구·하인 등의 인명이 대부분 약칭으로 적혀 있다. 심지어 음식과 식재료의 명칭도 지금과 달라 오독의 여지가 있다.

"박이 돌아갔다가 삶은 개다리 하나를 가지고 다시 왔다"

조극선의 일기에서 잘못 이해할 만한 음식과 식재료 명칭 가운데 대표적인 사례가 '가장(家獐)'과 '장육(獐肉)'이다. 조극선은 1611년 음력 7월 27일자 일기에서 숙부뻘인 외척(外戚) "김숙부가 구덕인(具德仁)·정종의(鄭宗義)·김응호(金應豪) 등과 가장(家獐)을 차렸는데, 나도 동참했다"[9]라고 적었다. 1620년 음력 11월 21일자 일기에서는 고모의 친척인 현즙(玄楫, ?~1624)이 "지난 13일에 장육(獐肉)을 보내주었는데, 오늘도 고기를 보내주었다"[10]라고 적었다. 조극선이 가장 또는 장육이라고 쓴 고기는 이름에 '노루 장(獐)' 자를 쓰긴 했지만 실제로 노루고기가 아니라 개고기다.

조극선보다 조금 앞선 시기에 살았던 경상도 함양의 정경운(鄭慶雲, 1556~?)도 《고대일록(孤臺日錄)》에서 1609년 음력 7월 6일에 친구들과 가장을 먹었다고 적었다.[11] 개고기를 집에서 기르는 노루의 고기인 양 가장 또는 장육이라고 부른 이유를 알 길은 없다.

그런데 조극선은 일기에서 가장 또는 장육이라고만 쓰지 않았다. 1621년 음력 6월 20일자 일기에서는 '팽구(烹狗)', 즉 '삶은 개고기'라는 표현이 나온다.

> 박 주인(朴 主人)이 일이 있어 왔는데, 조금 있다가 큰형이 와서 오랫동안 이야기를 나누었다. 박이 돌아갔다가 삶은 개다리를 하나 가지고 다시 왔다. 자신의 질녀 성룡가(成龍家)에서 개를 잡았는데, 아침에 그 집에서 받은 것이라고 했다.[12]

여기에서 '박 주인'은 병영의 군사로 있던 박복년(朴卜年)을 가리킨다. 1621년 음력 4월 초순에 조극선의 집에서 부리던 하인이 역질(疫疾)에 걸리자, 조극선 일가는 같은 달 음력 21일부터 이듬해 음력 2월 17일까지 박복년의 집으로 피신하여 지냈다.[13] 당시 역질로 인해 조극선은 세 살 난 아들과 열아홉 살이던 동생을 잃었다. 박복년은 조극선 일가에게 집을 내주었을 뿐 아니라, 밥·반찬·곡식·채소·과일·고기·술 등을 마련해주었다. 조극선은 박복년을 집주인이라는 의미로 '박 주인'이라고 일기에 적었다.

앞의 개고기도 조극선 일가가 역질을 피해 박 주인의 집에 살 때 받은 것이다. 이 개고기를 어떻게 요리해 먹었는지는 조극선의 일기에 나오지 않는다. 비슷한 시기에 경상도 영해현에서 살았던 장계향이 쓴《음식디미방》에는 개장고지누르미, 개장국누르미, 개장찜, 누른 개 삶는 법, 개장 고는 법 등 무려 다섯 가지의 개고기 요리법이 나온다. 그런데 이 책에서는 가장이나 장육이라는 표현이 한 번도 나오지 않는다.

이에 비해 조극선은 어른들이 개고기 음식을 제공한 경우에는 대부분 가장이나 장육이라고 적고, 동년배나 아랫사람 들이 제공했을 때는 '구육(狗肉)'이라고 적었다. 가령 1615년 7월 22일자 일기에서 "돌세가 구육을 바쳤다"[14]라고 적었다. 마치 '진지'와 '밥'이라는 표현을 대상에 따라 구분해서 사용하듯이, 구육과 가장 또는 장육도 이런 기준에 따라 구분해서 표현한 것은 아닐까?

또 한 가지 당시 개고기 음식과 관련해 조극선의 일기에서 확인할 수 있는 사실이 있다. 즉 '때를 가리지 않고' 개고기를 먹었다는 것이다. 그런데 19세기 초 세시기 문헌의 대부분은 개고기 음식을 음력 6월의 '삼복(三伏)' 음식으로 기록했다.[15] 여기서 주의할 점은 세시기의 기록이 19세기 초반 서울 풍속에 한정되어 있다는 점이다. 요즘 사람들은 이런 기록에 의지해 조선시대 사람들이 삼복 때 계절 음식으로 개장국을 챙겨 먹었다고 생각하는데, 조극선의 일기를 보면 그 이상으로 개고기 음식을 즐겼음을 알 수 있다.

"만두와 술을 먹었다"

비슷한 사례가 또 있다. 조극선은 1616년 음력 1월 3일자 일기에서 "자명가(子明家)에서 아침에 만두를 보냈다"[16]고 썼다. '자명가'는 화변

(禾邊, 지금의 충청남도 서산시 부석면)에 사는 먼 친척인 조자명(趙子明)의 집안을 가리킨다. 조자명의 집에서 설날이라고 만두를 보낸 것이다. 조극선은 다음 날 아침에는 사촌형 조희선(趙希善)과 함께 아버지를 모시고 막내 숙부 조경유(趙景瑜)의 집에 가서 새해라고 만두와 술을 먹었다.[17]

그런데 설날에 떡국을 먹었다는 기록은 주로 동네에서 떨어진 친척집에 갔을 때만 나온다. 가령 1619년 음력 1월 6일 조극선은 이곡(狸谷, 지금의 충청남도 아산시 신창면)에 있는 처가에 가서 새해 떡국(餠湯)을 먹었다.[18] 또 1623년 음력 1월 1일 큰 숙부 집에 가서 사당에 제사를 올린 다음에 떡국을 함께 먹었다.[19]

조극선과 비슷한 시기에 서울에서 살았던 이식(李植, 1584~1647)은 음력 설날 차례를 지낼 때 각 위패마다 '떡국(餠湯)과 만두탕(曼頭湯)'을 한 그릇씩 올린다는 글을 남겼다.[20] 이에 비해 허균은 〈도문대작〉에서 서울의 명절 떡을 소개했는데, 여기에 설날 떡국은 나오지 않는다. 즉 17세기 초반은 서울을 비롯해 조극선이 살던 충청도 등 일부 지역에서 설날 세찬(歲饌)이 만두에서 떡국으로 바뀌는 과도기였다. 19세기 초반이 되면 서울과 경기도·충청도, 경상도와 전라도의 북부 지역 일부 사대부가에서는 설날 세찬으로 반드시 떡국을 먹었다. 그런데 조극선이 음력 설날에 먹었던 만두는 오늘날과 같은 밀만두가 아니었다. 한반도에서는 겨울에 심어 한여름인 음력 6월 초에 수확하는 겨울밀(winter wheat)만 재배된다. 조극선의 일기에도 주로 음력 6월에 밀(小麥)과 밀가루(眞末)를 선물로 받았다는 기록이 나온다.[21] 한여름에 수확한 밀을 이듬해 음력 1월까지 보관하기는 쉽지 않다. 더욱이 수확량도 많지 않아서 음력 설날을 맞이하여 밀만두를 먹을 수 있는 집은 거의 드물었다. 이런 사정은 17세기 중반에 집필된《음식디미방》에 나오는 만두 요리법

메밀만두. 오늘날에도 메밀만두를 먹긴 하지만 가정에서 직접 요리하기보다는 대부분 음식점에서 사
먹는다. ⓒShutterstock.com

이 대부분 메밀만두라는 사실에서도 확인된다.

조극선이 30세가 되던 해인 1624년에 쓴 《야곡일록》의 범례(凡例)에
는 이런 말이 나온다. "무릇 타인이 내게 덕을 베푸는 것은 내가 잊어서
는 안 되기에 물건의 크고 작음, 음식의 종류와 관계없이 빠뜨리지 않
고 상세히 기록한다." 곧 남의 도움을 잊지 않겠다는 말이다. 반대로 "내
가 남에게 덕을 베푸는 것은 반드시 잊어버려야 하기에 물건의 크고 작
음과 관계없이 모두 기록하지 않는다"고 했다.[22] 일기에 쓴 대로 조극선
이 얼마나 타인의 덕을 되갚았는지는 확인할 길이 없다. 다만 그의 꼼꼼
한 기록 덕분에 조선시대 500년의 음식문화가 결코 균질적이지 않았음
을 되새기게 되었다는 점만은 분명하다. 이것이 바로 조극선이 후손에
게 베푼 덕이 아닐까.

"목구멍에 윤낸다고 기뻐하지 말라"

이
덕
무
의

복
국

"나만은 볼 때마다 걱정이 앞서네"

하돈(河豚)에 미혹된 자들은, 맛이 유별나다고 떠벌린다. 비린내가 솥에 가득하므로, 후춧가루 타고 또 기름을 치네. 고기로는 쇠고기도 저리 가라 하고, 생선으로는 방어도 비할 데가 없다네. 남들은 보기만 하면 좋아하나, 나만은 볼 때마다 걱정이 앞서네. 아! 세상 사람들아, 목구멍에 윤낸다고 기뻐하지 말라. 으스스 소름 끼쳐 이보다 큰 화가 없고, 벌벌 떨려 해 끼칠까 걱정되네.[1]

이덕무의 시문집《영처시고(嬰處詩稿)》에 실린 한시 〈하돈탄(河豚歎)〉의 일부다.《영처시고》는 이덕무가 10대 시절과 20세 전후에 지은 한시를 모아 엮은 시집이다. 시에 나오는 '하돈'은 복어(鰒魚)다. 복어는 바람

빠진 작은 럭비공처럼 생겼는데, 적의 위협을 받으면 물을 빨아들여 몸을 부풀리고 소리를 내며 방어 태세를 취한다. 이때 복어는 이빨을 갈아서 소리를 내는데, 그 소리가 마치 돼지가 울부짖는 듯하다고 여겨 고대 중국인들이 '강의 돼지'라는 뜻으로 '하돈(河豚)'이라고 이름을 붙였다. 또 '강의 새끼돼지'라는 뜻으로 '하돈(河㹠)'이라고도 적는다. 복어가 내는 소리를 본떠서 만든 복어 '돈(魨)' 자도 있다.

복어는 바다는 물론이고 강에도 산다. 젊은 시절 마포에서 살았던 이덕무는 아마도 음력 3~4월에 산란을 위해 황해에서 한강으로 올라오는 '황복'을 보았을 것이다. 복어는 대부분 난소를 비롯하여 간·장·피부에 '테트로도톡신(tetrodotoxin)'이라는 독이 있는데, 이 독은 청산가리의 1,300배에 이를 정도로 맹독이다. 복어는 스스로를 보호하기 위해 독을 만들어내지만, 독을 제거하지 않고 복어를 먹은 사람은 입술 주위나 혀끝이 마비되면서 손끝이 저리고 구토를 한 뒤 몸 전체가 경직되어 결국 호흡 곤란으로 죽음에 이르게 된다. 특히 산란을 앞둔 암컷의 독은 아주 치명적이다.

이러니 복어를 먹지 않으면 그만이다. 그런데 복어 맛을 아는 이들은 그렇지 않았던 모양이다. 조선 초의 서거정(徐居正, 1420~1488)은 복어 요리를 즐겼던 문인이다. 그는 복어가 한강에 올라왔다는 말을 듣자, 자신도 모르게 흥이 났다. 그래서 "한강가에 3월이 되니, 가랑비에 복사꽃에 파란 물결 가득 차네. 바야흐로 하돈 맛이 좋을 때이건만, 조각배로 돌아가기에는 안타깝게도 너무 늦었네"[2]라는 시를 읊조렸다. 허균은 "한강에서 나는 것이 맛이 좋다"[3]고 했다.

그렇다면 어떻게 요리해서 먹었을까? 이덕무보다 한 세대를 앞서 살았던 유중림은 《증보산림경제》의 〈치선〉에서 복국 요리법을 자세하게 적어놓았다.

　복어를 가져다가 배를 가르면 얼기설기 핏줄이 보인다. 날카로운
칼로 깎아 버려 조금도 남기지 않는다. 또 등뼈 사이 피를 세세하게 제
거하되 고기 살을 조금이라도 상하게 하지 마라. 백반(白礬) 작은 것
한 덩어리를 솥에 넣고, 기름을 많이 붓고, 미나리와 소루쟁이를 넣고,
장과 물로 싱겁게 간을 맞추어라. …… 약한 불에 한두 시간 끓여서 먹
는다.⁴

　그러면서 유중림은 "이 탕은 비록 식는다 해도 비린 맛이 없어, 더욱
기이하다"⁵고 적었다. 처음 끓일 때는 비린내가 나지만 점차 냄새가 가
시면서 국물 맛이 담백해지는 것이 바로 복국의 진미다. 그런데 이덕무
는 앞에서 읽었던 시에서 "비린내가 솥에 가득하므로, 후춧가루 타고 또
기름을 치네"⁶라고 했다. 이것은 아마 복국을 몹시 싫어했던 이덕무가
약간 과장해서 표현한 것일 수도 있다. 유중림은 또 다른 복어 요리법으
로 "단지 복어의 하얀 살코기만 납작하게 썰어 참기름에 볶아 익히고,
꺼내어서 탕을 만들면, 만에 하나라도 잘못이 없으며, 그 맛이 매우 좋
다"⁷라고 했다.

　이미 사람들은 복어 독을 제거하고 요리하는 방법을 알고 있었다. 홍
만선은 민간에서 복어 독을 해독하는 방법을 《산림경제》에 적어놓았다.
"쪽즙(藍汁)을 먹이거나, 진피(榛皮, 개암나무 껍질)를 달여 먹인다. 또 괴
화(槐花, 회화나무의 꽃) 가루 세 전을 새로 길어 온 물에 타 먹이거나 달
여 먹인다. 또는 자하해(紫蝦醢, 곤쟁이젓)나 생자하(生紫蝦, 생곤쟁이)를
먹인다"⁸고 했다. 유중림 역시 "곤쟁이젓이 복어의 독을 푸는 데 좋다"⁹

는 말을 앞에서 소개한 요리법 다음에 덧붙였다.

그러나 이것으로 안심하면 안 된다는 것이 당시 사람들의 중론이었다. 복국을 먹고 탈 난 사람이 있었기 때문이다. 허균은 "사람이 많이 죽는다"[10]고 했고, 죽지는 않았지만 저승 문턱까지 다녀온 사람도 있었다. 바로 숙종 때의 영의정 최석정(崔錫鼎, 1646~1715)이다. 그는 복국을 먹고 거의 죽을 뻔했다가 살아났다.[11] 요리법과 민간의 해독법까지 소개했던 유중림 역시 "피와 알에 무서운 독이 들어 있는데, 잘못 먹으면 반드시 사람을 죽게 한다. 사람들이 모르는 바 아니지만, 한때의 별미를 탐하여 종종 그 독에 빠지기도 하니 참으로 슬프도다"[12]라고 했다.

이덕무도 복어 먹는 사람들을 보고 큰 화를 입을까 걱정하며 〈하돈탄〉에서 "목구멍에 윤낸다고 기뻐하지 말라" 하고 탄식했던 것이다. 이덕무는 여기에 멈추지 않고 살아가면서 지켜야 할 작은 예절에 대한 지침을 적은 《사소절(士小節)》에서 이런 말을 남겼다. "하돈은 먹어서 안되니, 자손에게 유훈으로 삼게 함은 습속에 물들기 쉽기 때문이다. 설령죽지 않는다 해도 그것은 요행으로 모면한 것이다."[13]

"쌈을 쌀 적에는 손바닥에 직접 놓고 싸지 말라"

이덕무는 조선시대 지식인 중에서 가장 많은 '잔소리'를 글로 남겼다. 그가 쓴 《사소절》은 잔소리의 압권이라고 해도 지나치지 않다. 이덕무는 《사소절》에서 선비·부인·자녀의 예절을 다루었다. 그중 첫 번째 대상인 선비를 향해 쓴 잔소리가 바로 〈사전(士典)〉이다. 〈사전〉은 선비의 성품과 행실에 관한 '성행(性行)', 말에 관한 '언어(言語)', 옷차림과 음식에 관한 '복식(服食)', 행동거지에 관한 '동지(動止)', 마음가짐에 관한 '근신(謹愼)', 공부에 관한 '교습(敎習)', 부모·형제·친척 사이의 관계에 관한 '인륜(人倫)', 동무 사귀기에 관한 '교접(交接)', 자녀 교육에 관한 '어하(御下)', 경제활동에 관한 '사물(事物)' 등으로 구성되어 있다. '성행'에서부터 '사물'에 이르기까지 음식과 관련된 내용이 두루 있지만, 특히 '복식'에 음식 이야기가 집중해서 나온다. 〈사전〉에 나오는 이덕무의 잔소리 한 대목을 보자.

> 나쁜 의복이나 음식일망정 조금도 싫어하거나 부끄러워하는 마음이 없어야 한다.[14] …… 부귀한 집 자제로서 거친 밥을 맛있게 먹는 사람은 좋은 사람이다. 위항(委巷, 좁고 굽은 골목길로, 민간의 초라함을 뜻함)에 사는 사람으로서 기장·피·보리·콩으로 지은 잡곡밥을 잘 먹지 못하는 사람은 매우 좋지 않은 사람이다. 천하에 어찌 먹지 못할 곡식이 있겠는가? 오직 쉬고 썩은 밥이나 설고 딱딱한 밥이나 겨와 모래가 섞인 밥, 벌레나 짐승이 먹고 남긴 것만은 먹을 수 없는 것이다.[15]

즉 음식에는 귀천이 없다는 말이다. 이덕무가 생각한 선비의 음식에 대한 자세는 이것뿐이 아니다. 음식이 나오면 즉시 먹으라든지, 남의 집에 가서 식사를 할 때도 그 집의 형편을 염려하라든지, 집에 색다른 음식이 있거든 아무리 적어도 노소와 귀천을 따지지 말고 고루 나누어 먹으라든지 등등 먹는 일에서 지켜야 할 작은 예절을 꼼꼼하게 제시했다. 이와 같이 〈사전〉의 '복식'에는 선비가 지켜야 할 음식에 대한 작은 예절이 많이 나온다.

이덕무의 음식 예절에 관한 잔소리를 읽다 보면 당시 선비들의 식생활 풍경을 짐작할 수 있다. 그중 가장 먼저 눈에 띄는 내용은 당시 선비들의 음식에 대한 금기다. "과거속류(科擧俗流, 과거 준비생 중 속된 사람)들은 과거를 볼 때 해(蟹, 게)를 먹지 않는다. '해'라고 읽는 한자에 '해(解)'자가 있어 (열리기로 했던) 과거시험이 해산(解散, 열리지 않음)될 것을 염려해서다. 장거(章擧, 낙지)도 먹지 않는다. 장거는 속명이 '낙제(落蹄)'이므로 그 음이 '낙제(落第)'와 비슷하여 싫어한다"[16]는 것이다. 당시 선비들은 과거급제가 인생의 가장 큰 목표였다. 요즈음에는 시험을 앞두고 미역국을 먹지 말라고 하는데, 당시 선비들은 게와 낙지를 먹지 않았던 모양이다. 그러나 '실사구시(實事求是)'의 성리학자 이덕무가 보기에 그것은 미신에 불과했다.

또 있다. "금법(禁法)을 범하고 사사로이 잡은 쇠고기를 사서 제사에 써서는 안 된다"[17]고 한 대목이다. 여기에서 '금법'은 바로 '우금(牛禁)'이다. '우금'은 조선시대뿐 아니라 고려시대와 중국의 역대 왕조에서도 시행했던 매우 오래된 법이다. 전근대시대 농경사회에서 소는 사람의 노동력을 대신하여 농사에 이용한 중요한 가축이었다. 정약용은 중국 후위(後魏, 북위, 386~534)의 세금 제도를 고증하면서 "농우 열 마리를 노비 여덟 명에 갈음했다"[18]고 밝혔다. 곧 소는 먹을거리이기 이전에 농사 도구였다. 그래서 예전 사람들은 소를 '농우(農牛)' 또는 '경우(耕牛)'라고 불렀다.

이덕무보다 한 세대쯤 뒤의 인물인 김매순은 《열양세시기》의 '원일(元日)'에서 "모든 법사(法司, 형조·사헌부·한성부·의금부·장례원 같은 사법업무 담당 부서)에서는 금지 조항을 두고 있는데, 이 중 우금이 가장 중요하다. 이를 어기는 자가 있으면 해당 부서에서는 패(牌, 일종의 영장)를 내어 잡아 조치한다"[19]고 했다. 그런데 우금을 어기고 몰래 소를 도축하는 자들

"나쁜 의복이나 음식일망정 조금도 싫어하거나 부끄러워하는 마음이 없어야 한다"라는 글로 시작되는 《사소절》〈사전〉의 '복식' 부분. 규장각한국학연구원/서울대학교 중앙도서관 소장.

이 적지 않았다. 일부 선비들 중에는 불법으로 도축한 쇠고기를 구입해 제사에 올리기도 했다. 성스러워야 할 제사에 불법으로 취한 쇠고기를 올려서는 안 된다는 점을 이덕무가 지적한 것이다.

또 "탁한 장국에 밥을 말아서는 안 된다. 그렇게 뒤섞인 것이 좋지 않기 때문이다"[20]라는 잔소리도 했다. 요사이 사람들 입장에서 보면 이덕무의 이 말은 좀 이상하다. 육개장·순댓국·우거지탕 등은 모두 국에다 밥을 말아 먹는 음식이 아닌가? 비록 이런 국밥이 음식점에서 팔리기 시작한 것은 20세기에 들어서였지만, 이미 이덕무가 살던 시대에 탁한 장국에 밥을 말아서 먹는 일이 가정에서 제법 유행했던 모양이다. 이덕무는 선비라면 맑은 장국에만 밥을 말아야지 탁한 장국에다 그렇게 먹는 것은 마땅치 않다고 여겼던 듯하다.

여기까지는 그런대로 이덕무의 잔소리가 그럴싸하다. 그런데 쌈밥 먹는 법을 두고 힐책하며 훈계하는 이야기를 보면 동조하기 쉽지 않다. 이덕무는 "상추·취·김 따위로 쌈을 쌀 적에는 손바닥에 직접 놓고 싸지 말라. 그 설만(褻慢, 하는 짓이 무례하고 거만함)이 좋지 않아서다"[21]라고 했다. 쌈밥이면 으레 손으로 싸 먹는 게 당연한데, 이덕무는 그런 행동이 무례하고 거만하다고 보았다. 그렇다면 어떻게 쌈을 싸라는 말인가? 이덕무가 제시한 쌈밥 먹는 방법을 읽어보자.

반드시 먼저 숟가락으로 밥을 뭉쳐 떠 밥그릇 위에 걸쳐놓고 젓가락으로 쌈 쌀 채소 두세 잎을 집어다가 떠놓은 밥 위에 단정히 덮은 다음 비로소 숟가락을 들어다 입에 넣는다. (그 숟가락을) 빼서 장을 찍어 먹는다.[22]

앞에서 다룬 대로, 상추쌈 먹는 법을 맛있게 묘사했던 이옥은 물론이고 쌈밥을 즐겨 먹었던 조선시대 사람들이 이덕무의 잔소리에 어떤 반응을 보였을까? 모름지기 쌈밥이라면 손바닥에 채소를 올려놓고 밥과 고기, 각종 반찬과 양념을 넣고 손으로 오므려 먹어야 쌈밥답다고 하지 않았을까? 더욱이 이덕무는 "입에 넣을 수 없을 정도로 크게 싸서 볼이 불거져 보기 싫게 말라"[23]라는 말까지 덧붙였으니, 아마도 그의 잔소리에 쉽게 수긍하기 어려웠을 것이다.

하지만 이덕무는 "군자의 행동거지는 온아하고 깨끗하고 민첩하며 관대해야 한다"[24]고 믿었다. 그러니 쌈밥을 먹을 때조차 선비라면 '군자다움'을 잃지 말아야 한다고 생각했던 것이다. 바로 이 생각이 《사소절》에서 이덕무가 세세하게 따지며 선비의 식사 예절을 강조한 바탕이었다.

이덕무와 《사소절》

이덕무는 1741년(영조 17) 음력 6월 11일에 서울의 중부(中部) 관인방 (寬仁坊) 대사동(大寺洞, 지금의 인사동과 탑골공원 주변)에서 태어났다. 비록 전주 이씨로 조선의 제2대 왕 정종의 열다섯 번째 아들인 무림군(茂林君) 이선생(李善生, 1410~1475)의 14대손이었지만, 서얼의 신분이었다. 이덕무의 아버지 이성호(李聖浩)가 서자이고, 외조부 박사렴(朴師濂) 역시 서자였기 때문이다. 서자 아버지와 서자의 딸인 어머니 반남 박씨(潘南 朴氏) 사이에서 태어난 이덕무는 서얼의 멍에를 벗어날 수 없었다.

게다가 집안 형편도 좋지 않아서 훌륭한 선생의 문하에 들어가 학문을 익힐 수도 없었다. 그러나 어려서부터 책 베끼기를 좋아했고, 6세 때 아버지로부터 《십구사략(十九史略, 태고부터 원나라까지 중국 역사를 정사와 야사 등에서 채록하여 축약한 책)》을 배웠는데 1편도 끝나기 전에 문리가 트일[25] 정도로 총명했다. 16세 때인 1756년 음력 8월 4일에 동갑인 수원 백씨(水原 白氏)와 혼인했다. 이덕무는 《무예도보통지(武藝圖譜通志)》를 쓴 백동수(白東脩, 1743~1816)와 예닐곱 살 때부터 동무로 지냈는데, 백동수의 누이가 부인이 되었다. 수원 백씨의 집안도 명문가였지만 부인의 조부가 서자였기 때문에 부인 역시 서얼 신분이었다.

이런 신분적인 한계에도 불구하고 이덕무는 당시 여느 선비들과 마찬가지로 과거 공부를 게을리하지 않았다. 1764년 24세 때 이덕무는 "내가 금년에 과거 공부에 얽매여 옛사람의 시서(詩書)가 있어도 보고 읽을 겨를이 없다"[26]고 했다. 그러나 그로부터 10년이 지나 1775년에야 증광초시(增廣初試)에 합격했다. 하지만 이덕무의 과거시험 합격은 이것이 끝이었다.

1766년(영조 42) 이덕무는 지금도 남아 있는 탑골공원의 백탑(白塔, 원각사지십층석탑의 별칭) 근처로 이사해 박제가(朴齊家, 1750~1805)·유득공·이서구(李書九, 1754~1825) 등과 교류했다. 이들은 1767년에 '백탑시사(白塔詩社)'라는 문학동인을 결성할 정도로 빈번하게 만났다. 이후 이덕무는 북학파의 대표 격 인물이던 박지원(朴趾源, 1737~1805)·홍대용(洪大容, 1731~1783)과도 가깝게 지냈다. 이들과 교류하면서 이덕무의 높은 학문 수준이 서울 선비들 사이에 알려졌다.

또 이덕무는 박제가·이서구·유득공과 함께 엮은 시집으로 중국에까지 이름이 알려지게 되었다. 유득공의 숙부인 유련(柳璉, 1741~1788, 후에 유금柳琴으로 개명함)이 1776년 연경을 방문하면서 이 시집을 당시 중국에서 시인으로 명성이 자자한 이조원(李調元, 1734~?)과 반정균(潘庭筠, 1742~?)에게 보였다. 그때까지 시집은 따로 이름을 붙이지 않고 보자기에 싸서 가져갔다고 해서 '건연집(巾衍集)'이라고 불렀는데, 이조원과 반정균이 시를 보고 평한 뒤에 《한객건연집(韓客巾衍集)》이란 이름을 붙여 연경에서 간행했다. 이후 사람들은 이덕무·박제가·이서구·유득공을 '사가시인(四家詩人)'이라 불렀다.

이 일이 계기가 되어 이덕무는 1778년 음력 3월 17일에 진주사(陳奏使)의 서장관인 심염조(沈念祖, 1734~1783)를 따라 연경에 갔다. 박제가 역시 정사(正使) 채제공(蔡濟恭, 1720~1799)을 수행하여 함께 갔으니 이덕무에게는 너무나 좋은 시간이었다. 음력 5월 15일에 연경에 도착한 이덕무는 30일 동안 머물면서 청나라의 여러 문인과 만났다. 《한객건연집》으로 이미 명성이 자자했던지라 청나라 문인들과 주고받은 필담이 책상 위에 가득했다. 이덕무가 남긴 《입연기(入燕記)》에는 이런 사정이 잘 적혀 있다.

사실 사가시인 중에서 이서구를 제외한 나머지 세 사람은 서얼 출신이었다. 그러나 이들은 신분의 한계와 차이를 뛰어넘어 학문적 동반자로서 서로를 존중하며 지냈다. 이후 정조는 사가시인을 초대 규장각 외각(外閣) 검서관으로 임명했다. 이덕무의 연보에는 임명일이 1779년 음력 6월 1일로 적혀 있다.[27] 규장각은 정조가 즉위한 1776년에 설립된 왕실 도서관이었다. 사가시인은 왕실의 서적을 교정하고 베끼는 일을 했다. 어려서부터 책 베끼기를 좋아했던 이덕무인지라 검서관 자리는 적격이었다. 14년간 검서관으로 근무한 이덕무는 스스로를 지나치게 책에만 열중하고 책만 읽어서 세상 물정에 어두운 사람이라는 뜻의 '간서치(看書癡)'에 비유했다.[28]

이덕무는 규장각 검서관이 되기 전인 1775년 음력 11월 1일[29]에 《사소절》을 탈고했다. 《사소절》은 본디 〈사전〉·〈부의(婦儀)〉·〈동규(童規)〉로 구성된 총 924장(章)의 글을 2책으로 엮은 것이다. 이덕무 사후에 아들 이광규(李光葵)가 이해하기 어려운 곳에 주석을 달아서 다시 3책으로 만들었고, 1806년경 문집 《청장관전서(靑莊館全書)》를 편찬할 때 주석을 빼고 다시 2책으로 묶었다.[30]

이덕무는 《사소절》의 서문에서 "사람들은 항시 소절(小節)에 구속을 받지 않는다고 말하지만, 미루어 생각해보면 경전의 뜻에 위배되는 말이다"[31]라고 했다. 여기에서 '소절'은 '대수롭지 않은 예절'을 가리킨다. 즉 선비들이 각종 의례의 절차는 잘 알고 실천하려 하면서도 사소한 예절은 무시하고 멋대로 행하는 자가 많다는 말이다. 이덕무는 "주자(朱子)가 이를 걱정하여 《소학(小學)》을 저술했다. 입교(立敎, 교육)·명륜(明倫, 오륜五倫)에서 심술(心術, 마음가짐)·위의(威儀, 몸가짐)·의복(衣服)·음식(飮食)의 예절에 이르기까지가 모두 작은 예절을 갖춘 것이었다"[32]라고 하면서 《소학》에 기반을 두고 《사소절》을 썼다고 밝혔다.

그런데 문제는 《소학》이 당시를 기준으로 하더라도 이미 600~700년 전에 지어졌고, 내용도 조선의 관습과는 맞지 않는 것이 한둘이 아니라는 점이었다.[33] 이덕무 자신도 《소학》에 나오는 대로 사소한 예절을 지켜보려 했지만 잘되지 않았다고 했다. 이 때문에 조선판 《소학》인 《사소절》을 지을 수밖에 없었다는 것이다.

이덕무는 자신이 빈천한 선비이기 때문에 기록한 말 중에는 빈천에 대한 예절이 많다고 하면서 《사소절》이 풍속을 바로잡고 남을 깨우치기 위한 것이 아니라, 자신과 가정의 법칙으로 삼기 위한 것이라며 집필 의도를 밝혔다.[34] 그러면서 《사소절》을 〈사전〉·〈부의〉·〈동규〉로 구성한 목적을 이렇게 적었다. "사전은 자신을 깨우쳐 되도록 허물을 적게 하기 위함이요, 부의는 내 집 부인을 경계하기 위함이요, 동규는 자제들을 훈계하기 위함이다."[35]

"음식에 관한 일은 오직 부인이 맡는다"

《사소절》의 두 번째 편인 〈부의〉는 부녀자의 예절에 관해 쓴 글이다. 성행·언어·복식·동지·인륜·사물의 항목 이름은 〈사전〉과 같지만, 자녀의 '교육'과 '제사' 항목은 〈부의〉에만 있다. 이덕무는 여기에서 음식과 부인의 관계를 논했다.

음식에 관한 일은 오직 부인이 맡는다. 이런 까닭에 시부모를 봉양하고, 제사를 받들고, 손님을 접대하는 데, 이 음식이 아니면 공경(恭

敬)과 환락(歡樂, 기쁘고 즐거움)을 다할 수 없다. 그런데 만일 음식의 생숙(生熟)이 제대로 되지 않거나, 간이 맞지 않거나, 냉난(冷暖)이 고르지 않거나, 먼지가 끼어서 먹을 수 없게 되면, 어떻게 신령을 흠향하고 사람을 봉양할 수 있겠는가? 음식을 풍성하고 사치스럽게 차리라는 것이 아니라, 비록 박나물·콩나물이라도 정결하게 하는 것이 좋다는 말이다.[36]

곧 부인이 음식을 만드는 이유는 시부모 봉양, 봉제사(奉祭祀), 그리고 접빈객(接賓客)에 있다는 것이다. 당연히 부인은 음식을 제대로 익혀야 하고, 간도 맞춰야 하고, 차고 따뜻함도 알맞아야 하고, 먼지 따위가 끼지 않도록 주의해야 한다. 그래야만 돌아가신 조상도, 살아 계신 시부모도 즐겁게 먹을 수 있다는 것이다.

특히 이덕무는 요리할 때 청결을 매우 강조하면서 구체적인 행동지침도 적어두었다. 요리를 하면서 머리를 긁지 말라, 아이에게 젖도 먹이지 말라, 말하거나 웃지도 말라, 손톱을 깎아라, 그릇마다 먼지가 앉지 않도록 덮어라, 겨자장을 갤 때 재채기가 나지 않도록 조심하라, 반지를 빼고 요리하라, 생선과 고기를 구울 때는 맨손으로 뒤집지 말라, 간을 맞출 때 숟가락으로 자주 휘젓거나 손가락으로 찍어서 맛보고서 치마나 벽에 닦지 말라, 고기 굽는 석쇠는 먼지가 묻지 않게, 또 개나 고양이가 핥지 못하게 깊숙한 곳에 보관하라, 도마와 밥상을 깨끗이 닦고, 솥을 말끔히 씻어라는 등이 그것이다.[37] 매우 엄격하지만, 요리 과정에서 기본적으로 숙지해야 할 수칙들이다.

이덕무는 부인이 술을 마련할 때 주의할 점도 빠트리지 않았다. "술을 데울 때 너무 뜨겁게 끓여 술의 본성을 파괴하지 말라. 술을 거를 때는 물을 너무 타지 말라. 신령을 흠향하고 손님을 대접하는 데 마땅치 않다"[38]고 적었다. 얼핏 보면 지극히 당연한 말처럼 들리지만, 당시에는 부인들이 직접 가정에서 술을 마련하면서 손님을 맞거나 제사를 준비할 때 술이 부족할까 염려하여 술독에 물을 붓고 거르는 경우가 제법 있었던 모양이다. 애주가였던 이덕무는 그렇게 하면 조상 신령에게도, 손님에게도 좋지 않다고 강조했다.

심지어 이덕무는 부인들이 "떡을 사서 먹기를 좋아하면 집안이 망할 징조다"[39]라는 말까지 했다. 떡 하나 사 먹었다고 집안이 망할 리는 없다. 다만 홍석모의 《동국세시기》에서도 보았듯이 이덕무가 살던 시기에 서울에 떡집이 많았고, 계절마다 새로운 떡이 나와서 사람들의 입맛을 유혹했다. 이 유혹에 빠지면 사치를 하게 되고, 결국 집안 형편이 나빠진다는 우려가 담긴 말이다.

떡을 사서 먹는 것보다 더한 '음식 사치'도 있었다. "민간에서 딸을 시집보내면 음식을 매우 풍성하고 사치스럽게 차려서 시가에 보낸다. 이 음식을 '장반(長盤)'이라고 부르는데, 일가와 손님들에게 과시한다. 시가의 제삿날에 반드시 큰 그릇에 떡을 괴고 큰 병에 술을 넣어 보내서 제상 아래에 차려놓는다. 이 음식을 '가공(加供)'이라고 부르는데, 갖추지 못하면 수치로 여긴다. 이 모두 경박한 습속이니 시가에서는 마땅히 엄금해야 한다. 그런데 어찌 그렇게 하라고 몹시 독촉하는가?"[40]라고 했다. '장반'과 '가공'은 집안의 체면을 중시했던 당시 서울 양반가의 풍조에서 비롯된 허례허식일까, 아니면 시집보낸 딸이 시가에서 잘 지내기를 바랐던 친정어머니의 마음에서 비롯된 정성일까? 이에 대한 답이 무엇이든 이덕무가 지적한 '음식 사치'라는 비판은 일리가 있다.

이덕무는 제사 음식을 장만할 때에도 사치와 체면치레가 횡행한다며 안타까워했다. 이덕무는 빚쟁이가 빚 독촉을 하면서 "빚을 내어 조상에게 제사를 지내고서 즉시 갚지 않으니, 어찌 그리도 불효한가?"[41]라고 욕을 한다고 전했다. 그러면서 "대개 사치스럽게 제사를 지냄으로써 가산을 파탄하는 자가 있는데, 이것이 어찌 조상의 뜻이겠는가?"[42]라고 한탄했다. 당시 일부 부인들은 제물을 풍성하게 마련하여 일가와 이웃에게 넉넉히 나누어줄 생각부터 하고서 집안 재정이 부족하면 빚까지 냈던 모양이다.

이와 같이 이덕무는 부인이 요리할 때는 청결해야 하며, 음식을 차릴 때는 검소해야 한다고 생각했다. 여기에 한 가지 더 보태서 부인이 식사하는 태도도 가다듬었다. 즉 "밥을 물에 말아 먹을 때 바닥에 남은 밥알은 숟가락으로 다 건져 먹고, 버리지 말라. 그리고 그릇을 들어 고개를 뒤로 젖히고 마시거나, 몸을 이리저리 돌려서 남김없이 먹으려고 하지 말라. 아름답지 못한 태도가 밉기 때문이다"[43]라고 했다. 이렇듯 이덕무는 음식을 장만할 때뿐만 아니라 식사를 할 때도 사대부가의 부인으로서 정숙함을 잃지 말아야 한다고 생각했다.

"자녀 교육에서 먼저 탐식을 금해야"

《사소절》의 세 번째 편은 자녀들이 지켜야 할 예절을 다룬 〈동규〉다. 〈동규〉는 〈사전〉과 〈부의〉에 비해 내용이 적은 편인데, '동지', '교습', '경장(敬長)', '사물', 이렇게 네 항목으로 구성되어 있다. 음식 관련 내용 역시 비중이 적다. 그렇다고 이덕무가 아이들이 지켜야 할 예절을 소홀히 다룬 것은 아니다. 대부분의 내용을 〈부의〉의 '교육'에 적었기 때문에 여기서 다시 다루지 않은 것 같다. 다만 이덕무는 〈동규〉에서 주로 사내아이가 지켜야 할 음식 예절을 이야기하는 데 집중했다.

〈동규〉에서 '야찬(夜饌, 밤참)'과 '악착(齷齪)'에 관한 언급은 당시나 지금이나 귀담아들어야 할 대목이다. 먼저 야찬이다. "밤참은 많이 먹지 말고 먹은 즉시 눕지 말라"고 했다. 그렇게 하면 소처럼 몸에 게으름이 붙어 좋지 않기 때문이다. '악착'은 세수하지 않고 아침밥을 먹는 행위를 가리킨다. '악착'이란 말은 본디 '더럽다'는 뜻이다.[44] 그러니 세수도 하지 않고 조반을 먹는 자는 '더럽고 비루한 소인배'라고 보았다.

딸에게 가르쳐야 하는 음식 예절은 〈부의〉에 적어두어서 〈동규〉에는 거의 나오지 않는다. 〈부의〉에서 딸의 교육과 관련해 주목할 만한 내용은 요리책을 만들라는 이덕무의 제안이다. 그는 옷 짓는 법뿐 아니라, 요리법도 책을 읽다가 알게 된 내용을 체계적으로 정리해 요리책으로 엮어 미혼의 딸에게 반드시 가르쳐 잘 익히게 하라고 했다.[45] 조선시대 여성인 장계향이 쓴 한글 요리책 《음식디미방》과 빙허각 이씨가 쓴 《규합총서》에는 딸과 며느리에게 전해준다는 말이 적혀 있다. 이처럼 이덕무가 살던 시대에는 여성의 교육 차원에서 요리책을 집필하여 딸과 며느리에게 전해야 한다는 인식이 널리 퍼져 있었다.

한편 이덕무는 어른은 물론이고 자녀의 탐식(貪食)을 가장 금해야 하는 일이라고 강조했다.

자녀 교육에서 먼저 탐식을 금해야 하는데, 특히 딸에게는 조금도 용서해주면 안 된다. 음식을 탐내게 되면 정해(丁奚, 어린아이가 누렇게 뜨고 여위면서 배가 부르는 증후)·감적(疳積, 소화가 잘 안 되고 얼굴이 푸르스름해지고 몸이 여위며, 열이 나고 배가 아픈 증후) 등 모든 병이 생길 뿐 아니

양반의 삶을 그린 〈평생도〉 중 혼인 후 자녀를 양육하는 모습을 담은 그림이다. 이덕무는 《사소절》의
〈동규〉에서 '탐식'을 금할 것을 비롯해 자녀들이 지켜야 할 예절을 세세히 일러두었다. 작자 미상, 〈평생
도〉 중 '서당'. 19세기 말~20세기 초 추정. 국립중앙박물관 소장.

라, 탐식으로 인해 사치할 마음이 생기고, 사치로 인해 도둑의 마음이 생기고, 도둑의 마음으로 인해 사나운 마음이 생긴다. 음식을 탐내는 부인과 딸이 집을 망치지 않는 것을 나는 보지 못했다.[46]

그러면서 "세상을 떠난 어머니는 우리 형제와 자매를 기를 때에 음식을 절약해서 먹게 하셨다. 그로 인해 우리 4남매는 자라서도 남보다 지나친 욕심이 거의 없었다"[47]는 말을 덧붙였다. 실제로 이덕무는 부모로부터 직접 보고 배운 자신의 경험을 《사소절》에 많이 반영했다. 비록 요즈음 사람들 입장에서 보면 마뜩지 않은 조목이 많지만, 집안 어른들이 행동으로 보여주었던 식사 예절을 글로 남겨서 가문의 생활지침으로 삼고자 했던 것이 이덕무의 뜻이었다.

이덕무가 〈사전〉의 '인륜' 편에 적어놓은 이야기도 이덕무 집안의 가풍을 엿볼 수 있는 한 장면이다. "나의 아버지 형제분들이 살아 계실 때 우애가 지극하셨다. 다섯 분 형제가 한방에 모여서 화기가 가득했다. 돌아가신 어머니는 시아주버니들을 공경히 섬겨 아침저녁 식사를 반드시 손수 장만하셨는데, 다섯 그릇의 밥과 다섯 그릇의 국을 꼭 큰 상에 나란히 차려서 드렸다. (다섯 분은) 빙 둘러앉아서 함께 잡수셨는데 화기애애했다."[48]

당시 사대부가의 가장은 혼자 사랑방에 앉아서 1인용 독상에서 식사하는 것을 당연하게 여겼다. 이덕무는 이런 식사 방식이 좋지 않다고 했다. 즉 "세상에는 더러 부친과 아들들이 같은 집에 살면서 식사를 따로 하는 자가 있는데 좋은 풍속이 아니다"[49]라는 것이다. 이덕무는 적어도 한집에 사는 남자들은 같은 상에 같은 음식을 차려놓고 식사를 해야 집안 분위기가 좋아진다고 보았다. '함께 식사'를 통한 가족의 화목이 중요하다는 이덕무의 인식은 당시 선비들이 당연시하던 가부장적인 '혼자 식사'에 대한 반론이었다.

정조는 이덕무가 1793년 음력 1월 25일에 갑자기 세상을 떠나자 몹시 아쉬워하며 이덕무가 남긴 글을 묶으라는 지시를 내렸다. 당시로서는 있을 수 없는 일이었지만, 아들 이광규는 이덕무 사후 3년 만인 1796년 에《아정유고(雅亭遺稿)》를 편찬하여 정조에게 올렸다. 그리고 10년 뒤 에 77권·31책의 거질(巨帙)《청장관전서》가 세상에 나왔다.《사소절》도 이 전서에 포함되었다.《사소절》은 1775년 이덕무의 '초고본'부터 1810 년 아들 이광규의 '정고본(定稿本)', 1853년 최성환의 '활자본', 1870년 조태희의 '언문본', 1916년 백두용의 '현토본(懸吐本)', 그리고 1926년 '정고본'의 '요약본'까지 판본이 60여 종이 넘는다.[50]

이덕무 사후 많은 사람이《사소절》을 읽었을 것이다. 하지만 이덕무가 강조한 사대부가의 선비·부인·자녀가 지켜야 하는 음식 예절은 후세에 게 큰 영향을 끼치지 못했다. 18세기 사대부가 지켜야 할 내용이 너무 세세하고 까다로웠기 때문일 것이다. 그런데 오늘날까지 전하는《사소 절》덕분에 이덕무의 세세한 잔소리를 읽으며 18세기 서울 사대부가의 사랑방과 안방에서 행해졌던 식사 풍경을 그려볼 수 있게 되었다.

5부

사대부 여성의 요리법:
서재에서 부엌으로 간 요리법

"잠깐 녹두가루 묻혀
만두같이 삶아 쓰나니라"

장계향의 어만두

"잠깐 녹두가루 묻혀 만두같이 삶아 쓰나니라"

고기를 아주 얇게 저며 소를 석이·표고·송이·생치·백자 한데 짓두
드려 지렁기름에 볶아 그 고기에 넣어 녹두가루 빚어 잠깐 녹두가루를
묻혀 만두같이 삶아 쓰나니라.[1]

이 글은 장계향이 쓴 한글 요리책《음식디미방》의 '어만두' 요리법이
다. 어만두는 생선의 살로 빚은 만두 요리로, 이름의 한글 '어' 자는 한자
'어(魚)'일 것이다. 지금도 사람들은 생선을 '고기'라고 부르는데, 요리법
에 나오는 '고기'도 생선을 말한다. 생선의 종류는 밝히지 않았지만, 그
살을 아주 얇게 저며서 만두의 피(皮)로 삼는다는 내용이다. 만두피는 보
통 밀가루를 반죽하여 만드는데, 생선 살로 피를 만든다니 참 생소하다.

만두소에 넣는 고기도 '생치(生雉)', 곧 꿩고기다. 조선시대 사람들은 야생에서 꿩을 잡아 식재료로 즐겨 사용했다. '백자(柏子)'는 잣이다. '지렁기름'은 참기름과 간장을 섞은 양념을 가리킨다. 그러니 어만두의 소는 꿩고기와 잣, 세 가지 버섯을 함께 다져서 기름간장에 볶아낸 것이다.

오늘날 중국인들은 소를 넣지 않고 쪄낸 음식을 '만터우(饅頭)'라고 부른다. 고대의 만터우에는 소가 들어 있었다. 북송 때인 12세기 이후 밀가루 반죽을 발효시키는 기술이 좋아지면서 소를 넣은 만터우와 소를 넣지 않은 만터우로 분화되었고, 13세기까지도 두 가지 모두 만터우라고 불렸다.[2] 오늘날 기준으로 하면, 소가 들어간 만두는 '바오쯔(包子)' 또는는 '자오쯔(餃子)'라고 부른다. 둘 다 발효시킨 밀가루 반죽으로 만든 피에 소를 넣고 찌거나 삶아서 익힌다. 모양이 둥글고 피가 두꺼우면 바오쯔, 피가 얇고 납작한 모양이면 자오쯔다.

이 음식들은 칭기즈칸의 몽골제국 때 중국 북방에서 지금의 한반도 (만두)와 일본열도(餃子, 교자), 티베트(མོག་མོག, 모모)·러시아(пельмéни, 펠메니)·우크라이나(vareniki, 바레니끼)·폴란드(pierogi, 피에로기)·이탈리아 (ravioli, 라비올리) 등지로 퍼져나갔다. 비록 이름과 모양에서 약간씩 차이가 있지만, 대부분 밀가루 반죽으로 만든 피를 사용한다. 그런데 어만두는 생선 살을 피로 사용하고 있으니 세계 각지의 만두 계통 음식 중에서도 유사한 사례를 찾을 수 없는 아주 독특한 음식이다.

조선시대 요리책 중에서 어만두 요리법이 처음 나온 책은 세조 때 어의 전순의가 편찬한 한문 요리책 《산가요록》이다. "싱싱한 생선을 포를 떠서 베보자기로 눌러 물기를 없애고 칼로 얇게 저민다. 소를 채워 넣고 녹두가루나 찹쌀가루를 묻힌 다음, 물에 삶는다. 다시 (꺼내서 겉에) 녹두가루를 묻혀 깨끗한 물을 끓여 삶는다."[3] 장계향이 생선 살로 만든 피가 뭉그러지지 않도록 녹두가루를 살짝 묻힌다고 했는데, 전순의는 녹두가루와 함께 찹쌀가루도 쓸 수 있다고 했다. 특히 어만두의 피가 뭉그러지지 않도록 한 번 삶은 다음에 다시 녹두가루를 묻혀서 삶으라고 적었다. 전순의의 방법대로 하면 녹두가루의 점성 때문에 생선 살로 만든 피가 쉽게 부서지지 않을 것이다.

전순의는 "여름에는 물을 갈아서 차게 해서 내고, 겨울에는 (어만두를) 삶은 물에 그대로 띄워서 낸다"면서 먹을 때는 간장과 식초를 혼합하여 만든 "초장을 쓴다"고 했다.[4] 이런 내용은 장계향의 '어만두법'에는 나오지 않는다. 그러나 전순의는 어만두의 소를 어떻게 만드는지 남기지 않아서 실제로 어만두를 만들 때는 장계향의 요리법이 따라 하기 쉽다.

그런데 전순의나 장계향이나 어만두의 피로 사용하는 생선이 무엇인지는 언급하지 않았다. 장계향보다 100여 년 뒤의 인물인 유중림은《증보산림경제》〈치선〉에서 치어(鯔魚), 즉 숭어로 어만두의 피를 만든다고 했다. "큰 숭어를 골라서 손바닥 크기로 얇게 포를" 뜨고, 소·돼지·꿩·닭 중에서 아무것이나 푹 삶아 잘게 저미고, 생강·후추·파·버섯·석이 등을 곱게 찧어 섞은 다음 기름간장에 볶아낸 후 밤알 크기로 둥글게 뭉쳐서 소를 만든다. 이 소를 생선포 위에 올리고 송편 모양으로 싸서 녹두가루로 옷을 입혀서 삶는다. 그러면서 "다른 생선 역시 쓸 수 있지만, 숭어만큼 맛있지는 않다"고 하여 숭어의 살이 어만두 피로 가장 좋다는 점을 강조했다.[5]

장계향도 어만두뿐 아니라 '수어만두'의 요리법을 같은 책에 적어두었다. 여기에서 '수어'는 숭어를 한자로 쓴 '수어(秀魚)'를 뜻한다. "신선한 숭어를 얇게 저미며 기척(소금간) 잠깐 하여 소를 기름지고 연한 고기를 익혀 잘게 두드려 두부·생강·후추를 섞어 기름지령(지령기름)에 많이

경북 영양군 두들마을의 재령 이씨 종부 조귀분이 재현한《음식디미방》의 어만두 ⓒ주영하

볶아 저민 고기 싸 단단 말아 허리 굽은 만두 형상으로 만들라. 토장가루[녹두가루]를 온몸에 두루 묻혀 새우젓국 담(淡)케[싱겁게] 타 많이 끓거든 대접에 대여섯 낱[개]씩 뜨고 파 조차하여[넣어] 잔상[잔칫상]에 놓으라." 이 요리법으로 보아 수어만두 역시 어만두의 일종이다.

어만두는 조선시대의 대표적인 고급 음식이었다. 장계향과 동시대 인물이라 할 수 있는 효종(孝宗, 1619~1659)이 봉림대군 시절 1629년(인조 7) 음력 6월 21일 스승 윤선도(尹善道, 1587~1671)에게 생일 선물로 음식을 보낸 기록이 남아 있는데, 그 음식 목록에 어만두가 있다.[6] 이뿐이 아니다. 1719년(숙종 45) 음력 9월 숙종이 기로소에 들어가게 된 것을 경축하며 열린 잔치에서 숙종에게 올린 찬안상(饌案床)의 음식 목록에도 어만두가 포함되었다.[7] 이로 미루어 보면 어만두는 왕실 음식이라고 해도 지나치지 않을 듯하다.

"한 그릇에 서너 낱씩 떠 술안주에 쓰라"

《음식디미방》에서는 만두 계통 음식을 몇 가지 더 소개하고 있다. 그중 '석류탕'이 있는데, 생김새가 석류를 닮아서 이런 이름이 붙었다. 엄밀하게 말하면 '석류 모양 만둣국'이다.

생치나 닭이나 기름진 고기를 썰어라(썰어서) 두드리고(다지고) 무나 미나리나 파와 함께 두부·표고·석이 한데 두드려(다져) 기름간장에 후춧가루 넣어 볶아 만두같이 하여 밀가루 정히(곱게) 노외여(쳐서) 물에 말아 지자되(반죽하여) 엷게 만두 빚듯 하여 그 고기 볶아 백자가루와 함께 넣어 집기(빚기)를 효근(작은) 석류 얼굴같이 둥그렇게 집고 맑은 장국을 안쳐 가장 끓거든 (국)자로 떠 한 그릇에 서너 낱씩 떠 술안주에 쓰라.

장계향이 세상을 떠난 1680년 즈음에 집필된 것으로 추정되는《요록(要錄)》에도 장계향의 석류탕과 비슷한 요리법이 나오는데, 모양은 석류처럼 만들되 만두소는 간단하게 기름진 고기를 간장·참기름·깨소금에 양념하여 사용하는 점이 눈에 띈다.[8] 이 밖에도 1800년경에 집필된《술 만드는 법》에도 석류탕 요리법이 나오는데, 기름진 꿩고기나 닭고기 다진 것에 무나 미나리 중 한 가지, 표고버섯과 석이버섯, 그리고 후춧가루·기름·간장으로 양념하여 소를 만들고, 만두피로 밀가루나 메밀가루를 쓴다고 했다.[9] 1856년경에 정일당 남씨(貞一堂 南氏)가 필사했다고 추정되는《정일당잡지(貞一堂雜識)》에도 석류탕이 나온다.[10] 만두소의 재료가《음식디미방》과 비슷하지만 밀가루 반죽을 홍두깨로 밀어서 만두피를 만드는 점과 장국이 아닌 꿩고기를 데친 물로 탕을 끓이는 점이 다르다.

《음식디미방》에 나오는 '상화'라는 음식도 만두 계통 음식이다. 고려 말과 조선시대 문헌에 나오는 '상화(雙花 또는 霜花)'는 두 종류가 있는데, 소를 넣지 않고 발효시켜 만드는 것과 소를 넣은 것이다. 《음식디미방》에서 상화는 세 번이나 쳐 거른 매우 고운 밀가루와 쌀 한 줌, 누룩 다섯 홉, 밀기울 한 되를 가지고 만든다. 먼저 쌀죽을 덩어리가 지지 않게 끓인 뒤 그릇에 담아 식힌다. 여기에 밀기울을 넣는다. 누룩 다섯 홉을 물에 담가 누런 물이 우러나면 물을 따라 버린 뒤 불린 누룩 한 숟가락을 밀기울 넣은 쌀죽과 섞는다. 서늘하지도 덥지도 않은 곳에 두었다가 다음 날 다시 밀기울로 죽을 쑤어 섞는다. 3일째 되는 날 새벽이면 쌀죽이 술이 된다.

이 술을 명주자루에 넣어 술지게미를 걸러낸 뒤, 거른 술에다 밀가루를 넣어 말랑말랑하게 반죽한다. 베 위에 밀가루를 뿌리고 그 위에 반죽한 것을 알맞은 크기로 떼어두면 시간이 지나면서 부풀어 오른다. 이렇게 발효시킨 반죽에 미리 마련한 소를 넣은 다음, 시루에 안쳐서 찐다. 소는 오이나 박을 화채 썰 듯이 썰어 무르게 삶고 석이나 표고나 참버섯을 가늘게 찢어 간장기름에 볶은 다음 잣과 후춧가루로 양념하여 만든다. 여름에 소를 빨리 만들려면 팥을 껍질을 벗기고 쪄서 으깬 다음 꿀과 반죽하여 쓸 수도 있다. 그런데 여기서 장계향은 팥이 쉽게 쉴 수 있기 때문에 조심해야 한다는 말을 덧붙여놓았다.

《음식디미방》에는 재료가 특별하거나 모양이 독특한 만두뿐 아니라 일반적인 만두를 만드는 법도 소개되어 있다. '만두법'이라고 이름이 붙었는데, 자세히 읽어보면 메밀만두 요리법이다. 조선시대 한글로 쓰인 요리법은 구어체로 기술되어 있어 문장이 끊어지지 않고 길게 이어지

232 　　　조선의 미식가들

는데,《음식디미방》의 요리법도 대부분 그렇다. 그런데 유독 '만두법'은 "○○니라"라고 문장을 끝맺고서 내용을 전환하는 방식으로 기술되어서 각 문장을 내용별로 구분해 파악할 수 있다.

첫 번째 문장은 메밀가루로 만드는 만두피 요리법이다. "메밀가루 장만하기를 마치 좋은 밀가루같이 가는 모시나 깁〔비단〕에 뇌어〔여러 번 쳐서〕 그 가루를 덜어 풀을 쑤되 의이죽〔율무죽〕같이 쑤어 그 풀을 눅게〔무르게〕 말아〔반죽하여〕 개곰낟〔개암열매〕만큼 떼어 빚어라."

두 번째 문장은 만두소 만들기와 상에 올릴 때의 양념 만들기에 관한 내용이다. "만두소 장만키는 무를 가장 무(르)게 삶아 낟〔덩어리〕 없이 쪼아 생치 무른 살을 다져 간장기름에 볶아 백자와 후추·천초가루를 양념하여 넣어 빚어 삶을 때 새용〔沙龍, 무쇠솥〕에 작작〔적당히〕 넣어 한 분이 잡술 만큼씩 삶아 초간장에 생강즙 하여 잡수시라." 즉 만두소는 무와 꿩고기를 다져서 간장기름에 볶아 만들고, 양념은 간장에 식초를 섞어 만든 초간장에 생강즙을 넣어 만들라는 것이다. 이렇게 하여 메밀만두가 완성되었다.

세 번째 문장부터는 경우의 수를 염두에 둔 요리법이다. 꿩고기를 구할 수 없으면 '황육', 즉 쇠고기를 쓰라고 했다. 특히 힘줄 없는 살을 간장기름에 익혀 다져서 넣어야 한다고 했다. 만약 쇠고기를 익히지 않고 다지면 한데 엉기어 만두소로 쓰기가 마땅치 않다는 것이다. 또 만두를 작게 만들 때는 고기 대신 무와 함께 표고·송이·석이를 잘게 다져 기름을 두르고 잣을 다져 넣은 다음 간장에 볶아 소로 써도 좋다고 했다. 양념장으로는 초간장에 생강즙을 넣은 것이 좋다고 하면서 만약 생강이 없으면 마늘도 괜찮은데, 마늘 냄새가 나서 생강만 못하다는 말도 덧붙였다.

이 만두 요리법에 "밀로도 가루를 정히〔곱게〕 상화가루(상화 만들 때처럼 매우 고운 밀가루)같이 찧어 메밀 만두소같이 장만하여 초간장·생강즙 하면 좋으니라"라는 대목이 나오는데, 여기에서 밀가루보다 메밀가루를 더 많이 쓰던 당시 곡물 사정을 짐작할 수 있다. 즉 장계향이 살던 시대는 물론이고 19세기까지도 한반도에서 밀을 구하기가 쉽지 않았다. 그래서 메밀가루로 만두피를 만들 수밖에 없었는데, 메밀가루로 풀을 쑤어 만두피를 만들기가 여간 어려운 일이 아니었다. 장계향은 "만두에 녹두가루를 넣으면 좋지 아니하니라"고 했는데, 아마도 메밀가루로 풀을 쒀서 무르게 반죽하기가 어려워서 여기에 녹두가루를 넣었을 것이다. 이처럼 만두피에 녹두가루를 넣을 경우 나중에 만두가 식으면서 딱딱해져 먹기가 힘들다. 그래서 장계향이 녹두가루를 넣으면 좋지 않다고 일러준 듯하다.

지금까지 살펴보았듯이, 《음식디미방》에 나오는 다섯 가지 만두 요리법은 피의 재료에 따라 어만두·메밀만두·밀만두로 나뉜다. 이 중에서 메밀만두를 가장 자주 만들었고, 한여름 겨울밀 수확기에는 밀만두를 만들어 먹었을 것이다. 밀만두 중에서 석류탕은 가장 모양이 좋고 맛도 있었다. 특히 술안주용으로 좋았던지 석류탕 요리법에는 "한 그릇에 서너 낱씩 떠 술안주에 쓰라"는 차림법까지 적혀 있다. 상화는 한여름에 입맛을 살려주는 만두였다. 어만두는 큰 생선을 구했을 때 만들 수 있었다. 만드는 방법이 조금 까다롭지만 석류탕을 뛰어넘는 고급 만두였다.

중국의 만두는 13세기 원나라 때부터 다양한 형태로 진화되었다.[11] 원나라 간섭기에 고려의 지배층에서도 중국의 여러 가지 만두를 맛본 사람이 생겨났다. 그러나 밀을 구하기가 어려워 중국식 만두를 그대로 재현하기가 쉽지 않았다. 그 과정에서 메밀만두를 개발했고, 이후에는 생선 살로 어만두까지 만들어냈다. 이런 사정이 《음식디미방》의 만두 계통 음식 다섯 가지 요리법에 오롯이 담겨 있다.

장계향과 《규곤시의방·음식디미방》

《음식디미방》은 1960년 1월 경북대학교 김사엽(金思燁, 1912~1992) 교수가 논문집에 간략한 해제와 함께 책의 본문을 찍은 사진을 게재하면서 알려졌다. 당시에는 '음식디미방'이 아니라 표지에 적힌 '규곤시의방(閨壺是議方)'이라는 이름으로 소개되었다.[12] 한자 제목 '규곤시의방'에서 '규곤(閨壺)'은 여성들이 거처하는 공간인 '안채'를 뜻하고, '시의방(是議方)'은 '알아야 할 방법'이라는 뜻이다. 즉 '규곤시의방'은 '안채에서 알아야 할 방법'이란 말이다. 그런데 책의 본문 첫 장에는 한글로 '음식디미방'이란 말이 나온다. 약간의 논란은 있지만, 한글 '음식디미방'의 뜻을 한자로 '음식지미방(飮食知味方)'으로 보아 '음식의 맛을 아는 방법'이라고 풀이한다. 권두에 밝혀놓은 이름의 뜻을 새긴다면 이 책의 제목은 '안채에서 알아야 할 방법—음식의 맛을 아는 방법'이란 뜻으로 《규곤시의방·음식디미방》이라 할 수 있다.

오늘날 《음식디미방》의 저자는 장계향이라고 알려져 있지만, 실제로 이 책의 어디에도 저자가 장계향이라는 단서는 없다. 김사엽 교수가 이 책을 처음 접했을 때, 경상북도 영양군 석보면 두들마을의 재령 이씨(載寧 李氏) 문중 사람들은 이휘일(李徽逸, 1619~1672, 장계향의 둘째 아들)의 종가에서 소장하고 있던 진본(珍本)으로, 그의 어머니 장씨(張氏)가 직접 집필한 것이라고 알려주었다. 김사엽 교수는 이 이야기를 자신의 논

경상북도 영양군 두들마을의 석계고택(石溪古宅). 장계향과 남편 석계 이시명이 살던 집으로, 장계향은 이곳에서 생을 마쳤다. 문화재청 제공.

문에 소개했고, 이후 학자들도 이 책의 저자를 '안동 장씨(安東 張氏) 부인'으로 보았다.[13]

조선시대 인물 중 양반이라 하더라도 여성들 대부분은 실명이 알려져 있지 않다. 신사임당의 '사임당'이나 허난설헌의 '난설헌'도 실명이 아니라 호(號)다. 이렇게 장계향도 처음에는 실명으로 알려지지 않았다. 장계향은 사후에 셋째 아들 이현일(李玄逸, 1627~1704)이 이조 판서를 역임하게 되면서 '정부인(貞夫人)'에 추증(追贈)되었다. 그래서《음식디미방》이 1960년에 소개된 이래, 오랫동안 저자는 이현일의 어머니 '정부인 안동 장씨'로 알려졌다. 그러다가 2002년에 안동대학교 배영동 교수가 학술연구로 장계향의 남편인 이시명(李時明, 1590~1674)의 불천위(不

遷位) 위패를 조사하다가 정부인 안동 장씨의 실제 이름이 '장계향'이라는 것을 확인하게 되었다.[14]

장계향은 1598년 음력 11월 24일 안동부(安東府) 금계리(金溪里) 춘파(春坡, 지금의 경상북도 안동시 서후면)에서 태어났다. 부친은 역학에 조예가 깊었던 장흥효(張興孝, 1564~1633)이고, 모친은 안동 권씨(安東 權氏)다. 외동딸이었던 장계향은 어렸을 때부터 아버지로부터 한학을 배워 한시는 물론이고 서예와 그림에도 능했다. 지금까지 전하는《전가보첩(傳家寶帖)》과《학발첩(鶴髮帖)》등의 서첩(書帖)을 보면 장계향의 한시와 서예 수준을 짐작할 수 있다.

남편 이시명은 영해부(寧海府) 남면(南面) 인량리(仁良里, 지금의 경상북도 영덕군 창수면 인량리) 출신으로 이함(李涵, 1554~1632)의 셋째 아들이다. 이시명은 예안현 오천 출신 광산 김씨를 첫 번째 부인으로 맞았다. 그런데 김씨 부인이 1남 1녀를 낳고 세상을 뜨는 바람에 이시명은 25세의 나이에 홀아비가 되었다. 이시명은 거리가 멀지만 안동의 장흥효를 스승으로 삼아 자주 찾아갔다. 평소 이시명을 눈여겨본 장흥효가 1616년, 19세의 외동딸 장계향을 그의 계실(繼室)로 출가시켰다. 장계향은 광산 김씨 소생의 1남 1녀와 자신이 낳은 6남 2녀를 훌륭하게 키웠다. 특히 셋째 아들 이현일은 이황의 학맥을 이어 숙종 초 남인 최후의 거대 산림(山林)으로 평가받는 인물이다.

82세를 일기로 세상을 뜬 장계향이 말년에 쓴 것으로 알려진《음식디미방》은 면병류·어육류·주국방문의 세 부분으로 구성되어 있다. 면병류에는 국수·만두·떡·과자 요리법 18가지, 어육류에는 생선·고기·채소 요리법과 저장법, 그리고 '맛질방문'의 국수·과자 요리법 등 74가지, 주국방문에는 누룩 만드는 법 2가지와 술 제조법 49가지, 그리고 초 담그는 법 3가지가 적혀 있다. 숙종 때 홍만선이 《산림경제》의 〈치선〉을 집필하면서 유서(類書)의 목차를 정해 내용을 구성했으나, 장계향이 그보다 앞선 인물이니 《음식디미방》이야말로 유서 형식으로 목차가 구성된 조선시대 최초의 요리책이라 할 수 있다.

"맛질방문"

《음식디미방》의 요리법을 읽다 보면 어육류 부분에서 '맛질방문'이란 글자가 부기된 석류탕 요리법을 만나게 된다. 그다음 수어만두, 수증계(암탉찜), 질긴 고기 삶는 법(쇠고기나 늙은 닭을 삶을 때 산앵두나무나 뽕나무 잎 또는 껍질 벗긴 살구씨 등을 넣는다)에 '맛질방문'이 제목 아래에 적혀 있다. 그리고 다시 어육류의 요리법이 나오다가 청어염해법(청어젓갈 담그는 법)에서부터 '맛질방문'이란 글자가 붙은 요리법 13가지가 이어서 나온다. 어육류만이 아니라, 별착면법(고운 밀가루와 녹두가루를 섞어 반죽하여 안반에서 얇게 밀어서 썰어 면을 만들어 삶아서 차가운 깻국이나 오미자국에 넣은 국수)이나 약과법·인절미 굽는 법 등 국수·과자·떡 요리법이 망라되어 있다.

《음식디미방》에 '맛질방문'이란 부제가 붙은 요리법은 모두 17가지다. 이 책이 처음 세상에 알려졌을 때부터 학자들 사이에서는 '맛질방문'의 '맛질'을 지명으로 여겨 '맛질이란 마을의 요리법'이라 풀이했다. 경상도 말로 '길(道)'을 '질'로 읽기 때문에 '맛질'은 한자로 '미도(味道)'일 수 있다는 주장도 나왔다. 또 다른 주장은 '맛질'이 한자 '미곡(味谷)'일 수도 있다는 것이다. 실제로 경상북도 예천군 용문면과 봉화군 법전면에 맛

'맛질방문'이 부제로 적힌 《음식디미방》 본
문. 경북대학교 도서관 소장.

질이란 동네가 있고, 한자로 '미곡'이라고도 쓴다. 더욱이 이 두 동네는
안동 권씨의 세거지가 있던 곳이다. 장계향의 친정어머니가 안동 권씨
라는 점을 근거로 2010년까지도 예천군 용문면의 안동 권씨 세거지가
있는 맛질을 '맛질방문'의 발원지로 여겨왔다. 그러나 2011년 그곳의 안
동 권씨가 장계향의 친정어머니와 족보상 아무런 관련이 없다는 사실이
밝혀지면서 봉화군 법전면의 맛질이 주목을 받았다.[15] 그러나 아직까지
도 정설은 없다.

'맛질방문'이 부기된 음식과 요리법을 장계향식으로 종류별로 분류하
면 면병류에는 석류탕·수어만두·별착면·차면(메밀가루에 밀가루를 섞어

만든 면을 오미자국에 만 국수)·세면(면발이 가는 녹두국수)·약과(밀가루·꿀·
참기름·술을 함께 반죽하여 조청을 넣고 혼합하여 기름에 지져낸 과자)·중박계
(밀가루를 꿀 또는 조청과 참기름으로 반죽하여 긴 네모꼴로 잘라 기름에 지져낸
과자)·빙사과(빈사과, 고운 찹쌀가루를 청주·꿀을 타서 절편 모양으로 만들어 찐
다음 홍두깨로 눌러 기름에 지져낸 과자)·강정법(찹쌀가루와 멥쌀가루를 섞고
청주를 부어 반죽하여 쪄낸 다음, 기름에 튀겨낸 과자)과 인절미 굽는 법, 난면
(계란을 넣은 밀가루 반죽을 칼국수처럼 썰거나 국수틀에 눌러서 삶은 뒤 꿩고기
삶은 국에 말아낸 국수)이 들어갈 것이다.

그리고 수증계, 질긴 고기 삶는 법, 청어염해, 닭 굽는 법, 양 볶는 법,
계란탕이 어육류에 속할 것이다. 이 중 청어는 바다에서 나는 생선이라
내륙 지방에서 쉽게 구할 수 있는 식재료가 아니다. 장계향이 살았던 곳
중에서 동해안의 청어 산지와 가까운 곳을 찾는다면 맛질이 어디인지를
추정할 수 있지 않을까?

장계향은 1680년 83세로 세상을 뜨기 전까지 여러 차례 거처를 옮겨
살았다. 태어나서부터 혼인 전까지는 지금의 경상북도 안동시 서후면
춘파에서 살았다. 이시명과 혼인한 1616년부터는 영덕군 창수면 인량
리의 재령 이씨 종택에서 살았다. 인량리 종택에서 동해안까지는 지금
거리로 7킬로미터 남짓이다. 장계향은 영양군 석보면 원리동으로 잠시
분가한 적도 있지만, 거의 20여 년을 이곳에서 살았다. 더욱이 장계향은
셋째 며느리임에도 불구하고 이시명의 두 형이 일찍 세상을 떠나는 바
람에 종부 노릇을 했다.

1636년(인조 14) 음력 12월 병자호란이 일어나자 남편 이시명은 자신
의 고장에도 전쟁이 들이닥칠 것을 염려하여 모친 진성 이씨(眞城 李氏)
와 식구들을 데리고 영해부 한밭골(지금의 경상북도 영덕군 창수면 인천리)

로 이사했다. 하지만 이곳에서 몇 해 겨울을 난 뒤 1640년에 다시 거처를 옮겼다. 일가가 새로 자리 잡은 곳은 이미 1631년에 분가하여 살았던 영해부의 석보(石保, 지금의 경상북도 영양군 석보면 원리)로, 오늘날 이시명 후손들의 종택이 있는 두들마을이다.

이후에도 장계향은 남편을 따라 몇 차례 더 이사를 했다. 1652년 영양현(英陽縣)의 수비(首比, 지금의 경상북도 영양군 수비면), 1672년 안동부의 도솔원(兜率院, 지금의 경상북도 안동시 서후면 명리)으로 이사를 했다가 1674년에 안동부 대명동(지금의 안동시 풍산읍 수곡리)으로 옮겼다. 이해에 남편 이시명이 세상을 떠났다. 남편이 가는 곳이면 어디든지 따랐던 장계향은 남편 상을 끝낸 뒤 셋째 아들 이현일이 살고 있던 석보 두들마을로 거처를 옮겼다.

《음식디미방》에는 청어염해법이 이렇게 적혀 있다. "청어를 물에 씻으면 버리나니 가져온 재자연(그대로) 쓰서 버리고 100마리에 소금 두 되씩 넣되 날물기는 절금하고(물기가 들어가지 않도록 절대 주의하고) 독을 조강(燥强, 땅바닥에 축축한 기운이 없어 보송보송함)한 데 묻으면 제철이 오도록 쓰나니라." 청어염해법의 '염해'는 소금에 절여서 젓갈을 만드는 '염해(鹽醢)'를 뜻한다.

그런데 이 요리법에서 놀라운 점은 청어 100마리당 소금을 두 되씩 넣는다고 하니 청어를 100마리 이상 구해서 젓갈을 담갔다는 사실이다. 이 정도의 청어는 산지와 가까운 곳에 살아야 구할 수 있었을 것이다. 장계향이 혼인한 뒤 20년 이상 살았던 인량리의 재령 이씨 종택에서 동해안까지 가는 데 성인 남성의 걸음으로 두 시간도 안 걸린다. 그만큼 거리가 가깝다. 적어도 청어염해법만 본다면 '맛질'은 인량리 재령 이씨 종택 동네일 가능성도 있다.[16]

"부디 상하지 말게 간수하야"

《음식디미방》에는 술 제조법이 50여 가지나 소개되어 있다. 이것을 두고 최근 학자들은 조선시대 양반가의 중요한 일인 '봉제사·접빈객'에 반드시 술이 필요했기 때문이라고 판단한다. 남성이 저자인 《산가요록》 과 《수운잡방》에도 술 제조법이 많이 나오는데, 책의 앞부분에 배치되어 있다. 그러나 《음식디미방》에는 '주국방문', 즉 '술과 누룩 만드는 법'이 제일 마지막에 나온다. 이와 같은 배치는 《산림경제》·《증보산림경제》 같은 유서류 요리책에서도 마찬가지다.

'주국방문'이란 분류 아래 처음 나오는 내용은 제목이 따로 없지만 '누룩 빚는 법'에 해당한다. 곡물 밥을 지어 술을 만들기 위해서는 반드시 누룩이 있어야 한다. 과일이나 맥주보리는 자체에 당이 함유되어 있어 알코올 생성을 위한 당화가 스스로 일어날 수 있다. 이에 비해 곡물로 지은 밥에는 당화를 촉진하는 성분이 없기 때문에 당화효소인 누룩을 넣어야 술을 빚을 수 있다. 《음식디미방》에서는 "누룩을 유월 디디면〔빚으면〕 좋고 칠월 초순도 좋으니라"고 했다. 장계향과 비슷한 시대를 살았던 김령의 《수운잡방》에서도 누룩 만들기 좋은 때로 음력 6월 첫 번째 인일(寅日)을 꼽았다.[17] 이후에 나온 요리책에서도 한여름이나 복날에 누룩을 빚으라고 했다. 누룩의 주재료인 밀과 보리를 한여름에 수확하기 때문이다.

《음식디미방》에서는 "기울 닷 되에 물 한 되씩 섞어 가장 많이 디디되〔잘 반죽하여 덩어리를 만들되〕 비 오거든 물을 데워 디디라"고 적혀 있다. 여기에서 기울은 밀기울을 가리킨다. 《음식디미방》보다 앞선 시기에 나온 요리책에서는 밀기울과 녹두가루를 함께 반죽하여 누룩을 만든다고 했다.[18] 그러나 《음식디미방》을 비롯해 이보다 더 뒤에 집필된 《증보산림경제》에서는 '속법(俗法)'이라고 하면서 밀기울만으로 누룩 만드는 방법을 적어놓았다.[19] 그러니 《음식디미방》의 누룩 만드는 법은 조선 전기에 비해 보다 개량된 방법일 것이다.

누룩을 빚었다고 끝나는 것이 아니다. 누룩을 잘 띄워야 곡물을 당화할 수 있는 술누룩이 된다. 《음식디미방》에서는 "더운 때거든 말방(마루방)에 두 두레(덩어리)씩 포개어놓고 자주 서로 뒤집어서 놓으며 썩은 가시(구더기) 보거든 한 두레씩 바람벽에 세우라"고 했다. 또 "날이 서늘커든 배병(짚방석)을 깔고 서너 두레씩 가혀놓고(포개어놓고) 위에 배병으로 덮어두고 자주 뒤집어 썩지 아니케 고로(골고루) 띄우라"고 했다.

누룩을 띄우는 방법은 요리책마다 약간씩 다르다. 《증보산림경제》에서는 대청의 바람기 없는 건조한 곳에 제비쑥을 깔고 그 위에 누룩을 올려놓고 다시 쑥으로 덮고, 또 그 위에 빈 대나무 그릇을 덮어두라고 했다. 각각의 비법이 있었던 것이다. 이러한 과정을 《음식디미방》에서는 '띄운다'는 한글로 적어놓았다. 곧 누런 곰팡이가 누룩에 붙는 과정을 '띄운다'고 표현한 것이다. 이어서 "띄운 후에 하루 볕 뙤여(쬐여) 들여 가혀두면 다시 많이 뜨거든 밤낮 이슬 맞히기를 여러 날 하되 비 올까 싶거든 들여라"라고 했다.

그리고 마지막에 "봉상시는 유월에 두 두레씩 한데 매여 달아 띄우다가 또 두 두레씩 달아 말리나니라"라고 적혀 있다. 여기에서 '봉상시(奉常寺)'는 조선시대 국가의 제사 및 시호를 의논하여 정하는 일을 관장했던 부서다. 《음식디미방》의 요리법 대부분은 오로지 음식 만드는 방법만을 서술했다. 요리법 중에 봉상시 같은 용어가 나오는 경우는 이것이 유일하다. 더욱이 서울에서 장계향이 살던 곳까지는 거리만 해도 300킬

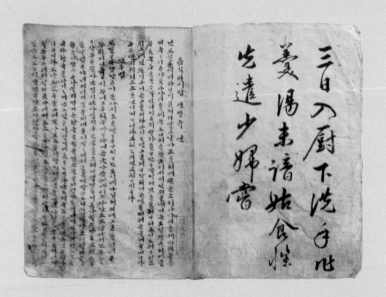

《음식디미방》원본. 2014년 10월 대구 경북대학교에서 열린 '경북 종가 조리서' 심포지엄 때 전시되었다. 관리가 잘되어서 책장 모서리 부분조차 마모나 구김이 심하지 않은 편이다. ⓒ주영하

로미터가 넘는데, 그렇게 먼 왕실 봉상시에서 누룩 띄우는 방법을 적어 놓았으니 그녀의 요리법 정보력에 놀랄 따름이다.

《음식디미방》에 나오는 50여 가지 술 제조법을 모두 장계향이 혼자서 익히거나 고안한 방법이라고 할 수는 없다. 김유의《수운잡방》을 소개하면서 진맥소주와《음식디미방》의 밀소주 제조법이 재료의 분량과 배합 비율, 제조 과정이 똑같다고 이미 설명한 바 있다. 이시명의 첫 번째 부인인 광산 김씨의 친정은 김유의 마을인 예안현 오천이다. 이미 김유의《수운잡방》을 설명하면서 밝힌 사실이지만, 혼인을 통해 김유 집안의 진맥소주 제조법이 재령 이씨 집안에 알려졌을 가능성이 충분히

있다.

많은 사람이 전근대 사회에서 가족의 요리법이 '친정어머니로부터 딸에게 이어졌다'고 생각한다. 그러나 시어머니로부터 며느리에게 요리법이 이어지기도 하고, 심지어 같은 당파나 혼인으로 맺어진 집안 사이에서 요리법이 공유되는 경우도 있었다. 비록 많은 사례는 아니지만, 봉상시의 누룩 띄우는 방법이나, '맛질방문'이란 별도의 표시가 붙은 요리법을 통해 장계향은 《음식디미방》의 모든 요리법이 본인만의 비법이 아님을 알려준다.

《음식디미방》의 제일 마지막 쪽에는 이런 글귀가 적혀 있다.

이 책을 이리 눈 어두운데 간신히 썼으니 이 뜻을 알아 이대로 시행하고 딸자식들은 각각 베껴 가되 이 책을 가져갈 생각일랑 생심〔내지〕 말며 부디 상치〔상하지〕 말게 간수하여 수이〔쉽게〕 떠러〔떨어저〕 버리다〔버리게〕 (하지) 말라.

지금 전하는 《음식디미방》 원본은 찢어지거나 떨어져나간 흔적이 없을 뿐 아니라 책장이 닳은 자국도 심하지 않다. 아마도 후손들이 관리를 잘해온 모양이다. 그 덕분에 17세기 경상도 북부 지역에서 살았던 영민한 한 부인의 요리 지식이 온전하게 지금까지 전하고 있다. 그것도 한글로 말이다.

"즙이 많이 묻어 엉겨서
맛이 자별하니라"

빙
허
각
이
씨
의

강
정

"즙이 많이 묻어 엉겨서 맛이 자별하니라"

푸른 콩가루를 가는체에 내리고 즙은 꿀을 많이 넣어 매우 졸여 강즙(薑汁)·계피 넣어 하나씩 묻히지 말고 여럿을 즙에 담가 서로 엉기게 묻혀 가루에 묻었다가 떼면 즙이 많이 묻어 엉겨서 맛이 자별하니라.[1]

이 글은 빙허각 이씨가 쓴 《규합총서》의 1부에 해당하는 〈주사의(酒食議)〉[2]에 나온다. 이 요리법의 시작 글에 "강정은 견병이라(고치 같다)"고 했으니, 강정을 두고 한 말이다. 강정은 찹쌀가루를 반죽하여 썰어서 말렸다가 기름에 튀긴 과자다. 완성된 모양이 누에고치와 닮았다 해서 한자로 고치 '견(繭)' 자를 붙여 '견병(繭餅)'이라고도 불렀다. 한글로 쓰였지만, 요사이 사람들이 읽기가 쉽지 않다. 빙허각 이씨의 글맛을 알기 위해 원문 그대로를 한번 읽어보자.

    좋은 찹쌀을 정히〔깨끗이〕쓿어〔도정하여〕멥쌀 가리고〔가려〕담갔다가 어지〔얼지〕아니케〔않게〕찧어 가는체에 여러 번 뇌어〔내려〕좋은 술에 백청〔꿀〕을 약간 단맛 있을 만치 타 반죽을 북금이〔부꾸미〕만치 하여 익게〔익도록〕찌되 가끔 저어 속까지 익혀 내어 꿀 서너 술〔숟가락〕더 넣어 꼬아리〔꽈리〕일도록 극진히 개어……3

빙허각 이씨가 살던 시절에는 설날을 앞두고 강정을 만들었다. 여기에서 "어지 아니케"라는 말은 추운 날씨에 물에 담가놓은 쌀이 얼지 않도록 하라는 말이다. 찹쌀을 곱게 가루 내어 꿀을 넣고 반죽하여 잘 익도록 충분히 찐 다음, 다시 꿀을 조금 넣고 꽈리가 일도록 갠다는 것이다. 이렇게 갠 재료를 다시 "떡 치듯 홍두깨를 감아 쳐"4 넓적하게 만들라고 했다. 여기까지가 강정 반대기 만들기의 1단계다.

2단계는 넓적하게 만든 반대기를 적당한 크기로 썰어서 뜨거운 온돌방에 두고 하룻밤 말린 다음 술에 담갔다가 꺼내서 다시 말리는 과정이다. 빙허각 이씨는 이렇게 적었다. "분가루 두껍게 놓고 (반대기를) 펴 정히 썰어 방을 끓이고〔절절 끓을 정도로 불을 때고〕종이에 강정 만든 것을 (넓은) 면(을) 바로 줄지어 널고 손으로 모양을 바로 하여 자주 자주 뒤적여 속속들이 마르거든 마르는 족족 그릇에 담아 일야내(一夜內, 하룻밤 사이) 다 말리"5라고 했다.

이렇게 말린 반대기를 "뼈가 없"도록 술에 축이라고 했다.6 여기에서 '뼈'는 반대기 안쪽의 반죽 일부가 말라 뭉쳐서 마치 고기 안에 뼈가 들어 있는 것처럼 딱딱하게 잡히는 것을 말한다. 무슨 술인지 밝히지 않았

일본 도쿄대학교 오구라문고(小倉文庫)에 소장된 필사본 《규합총서》 권지2(券之二)에 실린 '강정' 항목. 본문에서는 "강정 만드는 법은"(선으로 표시한 부분) 이후의 내용을 인용했다. 고려대학교 해외한국학자료센터 제공.

지만 아마도 맑은 술인 청주일 것이다. 술에 젖은 반대기를 "그릇에 놓고 보(자기)를 덮어 니욱이(한참) 두었다가 헤쳐보면 덩이졌거든 가만히 상하지 않게 뜯어 모양을 바로 하여 헤쳐 잠깐 널었다가"[7]라고 했다. 강정을 술에 축이는 이유는 반대기가 잘 부풀어 오르도록 발효시키기 위해서다.

3단계는 기름에 튀기는 과정이다. "몸이 반만 마르거든 기름을 두 그릇에 담고 꽤 끓여 중탕하여 채워두고 서로 번갈아 올려놓아 강정을 알맞게 넣고 만화(慢火, 뭉근한 불)로 산저(散箸, 젓가락을 슬슬) 저어 오래 저으면 막 일고자 하거든 불을 세게 하고 자주 기름을 떠 위에 얹으면 극진히 일으니"[8]라고 했다.

빙허각 이씨는 강정 반대기를 튀길 때 사용하는 기름의 종류를 따로 밝히지 않았다. 빙허각 이씨와 비슷한 시기를 살았던 이규경은 백과사전식 책《오주연문장전산고(五洲衍文長箋散稿)》에서 '법유(法油)'라고도 불리는 들기름[荏油]이 병이(餠餌)·어육·약과를 지질 때 많이 쓰인다고 했다.[9] 하지만 왕실에서는 참기름을 사용했다. 정조가 1795년 음력 윤2월에 어머니 혜경궁 홍씨를 모시고 화성에 다녀온 기록인《원행을묘정리의궤》에서는 '진유(眞油)', 즉 참기름이 강정을 튀길 때 사용되었다.[10] 아마도 빙허각 이씨는 사정에 따라 참기름과 들기름을 두루 사용할 수 있다고 여겨서 그냥 '기름'이라고만 적어둔 듯하다.

반대기를 튀길 기름을 준비하는 방법도 특별하다. 빙허각 이씨는 기름을 두 그릇에 담아 끓인 뒤 중탕하라고 했다. 기름이 빨리 식지 않도록 하기 위해 끓인 기름을 팔팔 끓는 물에 띄워 중탕하라고 한 듯하다. 또 "중탕하여 채워두고 서로 번갈아 올려놓아"라고 했다. 곧 중탕해놓은 기름 중 하나를 먼저 약한 불에 놓고 반대기를 튀기다가 부풀어 오르면 불을 세게 하여 완전히 튀긴 뒤 뜨겁게 가열된 기름은 다시 중탕하고, 또 다른 기름 그릇을 불에 올려 약한 불에서 센 불로 튀기는 방식으로 번갈아 반대기를 튀기라는 이야기로 보인다. 이것을 조린 꿀과 생강즙, 계핏가루를 섞어 만든 즙에 담갔다가 푸른 콩가루에 묻힌 다음 떼어내면 강정이 완성된다. 빙허각 이씨는 그 맛을 자별(自別), 즉 특별하다고 했다.

"보기 소담하고 맛이 절가하니라"

조선시대 왕실이나 여염집에서는 잔칫상과 차례상·제사상에 강정을 올렸다. 특히 왕실의 진연(進宴)·진찬(進饌)에는 온갖 강정이 차려졌다. 조선시대 진연·진찬 의궤에서는 강정의 한자를 우리말 발음에 따라 '强精'이라 적었다. 《원행을묘정리의궤》 부편(附編)1의 〈찬품〉에는 오색강정(五色强精)이 나온다. 즉 강정에 잣가루〔實柏子〕·말린 밥가루〔乾飯〕·송홧가루〔松花〕·참깨가루〔黑荏子〕·흰엿가루〔白糖〕 등 다섯 가지 재료를 묻혀서 만든 것이다.[11] 여기서 오색은 다섯 가지 색깔을 뜻하기도 하지만, 종류가 다섯 가지라는 말이기도 하다.

빙허각 이씨 역시 "청태(青太, 푸른 콩)·신감초(辛甘草, 승검초)·계피말(桂皮末, 계핏가루)·백자말(柏子末, 잣가루)·송화·흑임(黑荏, 검은깨) 등을 묻히고 홍색은 찰벼 튀긴 것을 작말(作末, 가루로 만듦)하여 지초(芝草) 기름에 섞어 쓰라"[12]고 했다. 이렇게 하면 푸른색의 청태강정, 초록색의 승검초강정, 밤색의 계피강정, 옅은 금색의 잣강정, 노란색의 송화강정, 검은색의 깨강정, 붉은색의 밥풀강정 등 육색강정(六色强精)이 된다.

《규합총서》 〈주사의〉에는 강정과 비슷한 방법으로 만드는 과자류로 매화산자·모밀산자·빙사과 등의 요리법도 나온다. 산자는 찹쌀가루를 반죽하여 납작하게 만들어 말린 것을 기름에 튀기고 꿀을 바른 후 그 앞 뒤에 튀긴 밥풀이나 깨를 붙여 만드는 과자다. 빙허각 이씨는 "바탕을 강정과 같이 하되"[13]라며 매화산자 요리법을 소개했다. 매화산자의 특징은 '매화밥'이라 할 수 있는데, 매화밥은 찰벼를 잘 말려서 밤이슬을 며칠 맞힌 후 술에 축인 다음 솥에 넣고 센 불에서 볶으면서 튀겨낸 것이다. 튀겨낸 모양이 매화를 닮아서 '매화밥'이라고 불렀다. 이 매화밥을

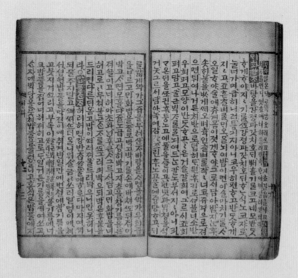

일본 도쿄대학교 오구라문고(小倉文庫)에 소장된 목판본 《규합총서》에 실린 '매화산자' 요리법. 고려대학교 해외한국학자료센터 제공.

반대기에 줄지어 바르면 매화산자가 완성된다.

모밀산자 역시 처음 시작은 강정처럼 만든다고 했다. 주재료는 목말(木末, 메밀가루)과 진말(眞末, 밀가루) 반반 섞은 것이니 지금 말로 하면 메밀산자다. 빙허각 이씨는 "강반(누룽지) 지진 것과 흑임(검은깨) 실하야(물에 불려서 껍질을 벗겨) 볶으면 푸르고 그저 볶은 것은 검고 참깨 그저 희게 볶고 노랗게 볶아 다섯 가지를 즙청에 엿 섞어 졸여 강정 묻히듯 까불러 묻히면"14 오색의 메밀산자가 완성된다. 빙허각 이씨는 "보기 소담하고 맛이 절가하니라"15고 했다. 여기서 '절가(絕佳)'는 더없이 훌륭하고 좋다는 말이다. 빙사과도 마찬가지다. "강정법과 같이 하되 썰기를 수단(쌀가루로 빚어 은행 열매처럼 만든 경단)보단 잘게 썰어 단단히 말려 일

조선의 미식가들

어 꿀을 묻혀 굳힌 후 네모지게 베어 쓴"[16]라고 했다. 여기에다 백색, 홍색, 황색으로 색을 내어 삼색 빙사과를 만든다.[17]

조선시대 사람들은 강정·산자·빙사과 등을 통틀어 기름에 튀겨낸 과자라는 뜻으로 '유과(油果)'라고 불렀다. 유과는 보기도 좋고 맛도 좋다. 그뿐이랴. 만들 때 고소한 기름 냄새가 온 집안에 진동해 흡사 잔칫날 같다. 그런데 성리학자들 사이에서 유과를 두고 논란이 있었다.

숙종 때인 1679년 음력 12월 20일 송시열(宋時烈, 1607~1689)은 집안에 기름 냄새를 풍기며 유과를 만들어 제사에 써야 하느냐는 이선(李選, 1632~1692)의 질문에 이렇게 답했다. "《예기(禮記)》에 '기름에 튀긴 음식물을 쓰지 않는다' 했는데, 유과는 튀겨서 만든 것이므로 쓰지 않는 것이 옳을 듯하네. 삼대(三代, 중국의 하·은·주 시대) 때에는 제사에 냄새를 숭상했는데, 유과에서 나는 향기로운 냄새는 여러 음식에 비하여 뛰어나니 폐지하는 것이 혹 옳지 않은 게 아닐까? 윤황(尹煌, 1571~1639)은 쓰지 말라고 유언을 했고, 신재(愼齋) 주세붕(周世鵬, 1495~1554) 선생은 일찍이 '유과는 가난하여 마련하기가 쉽지 않으므로 단지 한 층만 놓는다'고 말했으니, 이 몇 가지 말에서 선택하여 따르는 것이 옳을 것이네"[18]라고 했다.

덧붙여 송시열은 "우리 집은 매우 가난하여 늘 폐하고 싶어도 폐하는 것이 서운한 까닭에 선례에 의하여 그대로 쓰면서 역시 높게 고인다네"[19]라고 고백했다. 조선의 '주자(朱子)'라 칭송받으며 '송자(宋子)'라고 불렸던 송시열 역시 제사에 유과를 쓸지, 만약 쓴다면 접시에 한 층만 놓는 평배(平排)를 할지, 아니면 높이 고이는 고배(高排)를 할지를 두고 고민이 많았던 모양이다. 이선의 질문에 결국 송시열도 제사 때 유과를 올릴 뿐 아니라 고배를 한다고 고백하고 말았다.

반면 송시열과 같은 노론 계열이었던 김원행(金元行, 1702~1772)은 유과를 제사에 올리는 문제에 매우 강경했다. 아들에게 관혼상제 때 유의해야 할 점을 알려주면서 "지금의 유과는 불가(佛家)의 음식이다. 제사에 쓰지 않는 것이 옳다"[20]고 강조할 정도였다. 이에 비해 성호학파의 중진 안정복(安鼎福, 1712~1791)은 "유과는 고려시대 이래로 풍속의 물품이 되었으니, 쓰거나 안 쓰거나 관계가 없다"[21]고 했다. 당시 학파 중에서 온건주의를 견지했던 안정복다운 말이다. 한편 빙허각 이씨가 갖가지 유과 요리법을 연구하며 정리한 것을 보면 빙허각 이씨의 친정이나 시가가 유과를 금지하는 강경파는 아니었던 모양이다.

빙허각 이씨와 《규합총서》〈주사의〉

빙허각 이씨는 1759년(영조 35) 서울에서 부친 이창수(李昌壽, 1710~1777)와 문화 유씨(文化 柳氏) 사이에서 막내딸로 태어났다. 이창수의 집안은 세종의 열일곱째 아들인 영해군(寧海君)의 후손으로, 대대로 높은 벼슬을 지낸 명망 있는 소론 가문이었다. 1740년 알성문과에 장원급제한 이창수는 같은 해 사간원의 정6품 정언(正言)이 될 정도로 촉망받던 인물이었다. 이창수는 당시 소론 명문가였던 서명빈(徐命彬, 1692~1763)의 딸과 혼인했으나 자식 없이 일찍 죽자 유씨 부인과 재혼했다.

빙허각 이씨의 외숙부는 역산(曆算, 책력과 산술)과 율려(律呂, 음악)에 박식했던 유한규(柳漢奎, 1718~1783)이고, 외숙모는 임신부 교육서인 《태교신기(胎敎新記)》(1801)를 지은 사주당 이씨(師朱堂 李氏, 1739~1821)다.

유한규와 사주당 이씨 사이에서 태어난 외사촌 동생 유희(柳僖, 1773~
1837)는 어휘사전《물명고(物名攷)》의 저자다. 지금은 전하지 않지만 빙
허각 이씨의《빙허각전서(憑虛閣全書)》목록에〈태교신기발(胎教新記
跋)〉이 있는 것으로 보아 외숙모 사주당 이씨와도 각별한 관계로 짐작
된다.[22]

빙허각 이씨의 시가 역시 '실사구시'를 추구했던 학자 집안이었다. 빙
허각 이씨는 15세 때 서유본(徐有本, 1762~1822)과 혼인했다. 서유본의
조부 서명응(徐命膺, 1716~1787)은 천문학·지리학·농학·음악학·연단술
(煉丹術)·기술학 등을 다룬 거작《보만재총서(保晚齋叢書)》와《고사신
서(攷事新書)》를 남겼고, 부친 서호수는《동국문헌비고(東國文獻備考)》
를 비롯하여 왕실 편찬 사업에 참여했으며,《해동농서》를 집필했다. 빙
허각 이씨의 시동생은《임원경제지》의 저자 서유구다. 이러한 시가의
분위기는 빙허각 이씨가《규합총서》를 집필하는 데 큰 영향을 미쳤을
것이다.

지금까지 전하는《규합총서》는 판본이 여러 가지고, 판본마다 책의 구
성이 약간씩 다르다.[23] 빙허각 이씨는 책의 서문에서 "유취(類聚) 다섯
편을 만드니"[24]라고 밝혔다. 다섯 편의 구성에 대해서도 자세히 적어놓
았는데, 첫째 편은〈주사의〉로 "무릇 장 담그며 술 빚는 법과 밥·떡·과
줄(과자류), 온갖 밥반찬이 갖추지 않은 것이 없다"[25]고 했다. 둘째 편은
〈봉임칙(奉任則)〉으로 "심의(深衣)·조복(朝服)을 손으로 마르고 짓는 척
수(尺數, 치수) 겨냥 및 물들이기, 길쌈하기, 수놓기, 누에 치는 법하며 그
릇 때우고 등잔 켜는 모든 잡방을 덧붙였다"[26]고 적었다. 셋째 편은〈산
가락(山家樂)〉으로 "무릇 밭일을 다스리고 꽃과 대(竹)를 심는 일에부터
그 아래로 말이나 소를 치며 닭 기르는 데 이르기까지 시골 살림살이의

대강을 갖추었다"²⁷고 했다. 넷째 편은 〈청낭결(靑囊訣)〉로 "태교, 아기 기르는 요령과 삼 가르기(탯줄과 태반 가르기)와 구급(救急)하는 방문이며 아울러 태살(胎殺, 태아에게 해로운 살)의 소재와 약물 금기를 덧붙였다"²⁸고 밝혔다. 다섯째 편은 〈술수략(術數略)〉으로 "집을 진압하고 있는 곳을 정히 하는 법과 음양구기(陰陽拘忌, 음양에 따라 좋지 않게 여기어 피하거나 꺼림)의 술(術, 술수)을 달아 부적과 귀신 쫓는 일체의 속방(俗方)에 미쳤으니, 이로써 환(患)을 막고 무당·박수 따위에게 빠짐을 멀리할 것이다"²⁹라고 적었다.

남편 서유본은 《규합총서》에는 "시골 살림살이에 요긴하지 않은 것이 없고, 특히 초목·새·짐승의 성미가 상세하게 적혀 있다"³⁰고 했다. 《규합총서》라는 책이름도 서유본이 지어주었다.³¹ '규합(閨閣)'이란 안주인이 거처하는 안방을 말한다. 앞에서 보았듯이 《규합총서》는 조선 후기 양반 집안의 살림살이에 필요한 지식을 망라했으니 내용에 딱 맞는 제목이라 하겠다. 《규합총서》를 구성하는 다섯 부분 중 〈산가락〉과 〈청낭결〉에도 음식과 관련된 내용이 나오지만, 오로지 음식과 관련된 이야기와 요리법만 모아놓은 부분은 첫째 편 〈주사의〉다. 최근 일부 학자들은 〈주사의〉의 내용이 한글로 쓰였으니 빙허각 이씨가 부엌에서 손수 만들어본 후에 적은 요리법이라 생각하기도 한다. 그러나 빙허각 이씨 본인도 《규합총서》 서문에서 "모든 글을 보고 그 가장 요긴한 말을 가려 적고 혹 따로 자기의 소견을 덧붙"³²였다고 썼듯이, 〈주사의〉는 앞선 문헌과 자신의 경험이 바탕이 된 요리법 모음이다.

〈주사의〉는 크게 음식 일반·술·장·초(醋)·밥·죽·차·반찬·고기·채소·병과(餠果)·기름 등으로 구성되어 있다. 빙허각 이씨는 경우에 따라 해당 음식의 일반론을 쓰고 그다음에 요리법을 적었다. 가령 '술' 항목

조선의 미식가들

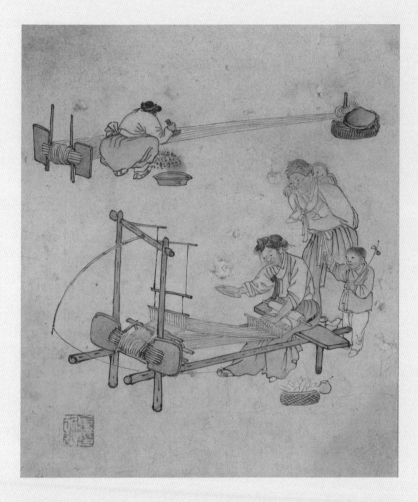

《규합총서》에는 장 담그기, 술빚기, 반찬 만들기뿐 아니라 옷 만드는 법, 길쌈, 수놓기, 누에치기 등 가정 살림에 관한 온갖 잡방이 실려 있어 요긴하지 않은 것이 없다. 김홍도, 〈길쌈〉, 《단원풍속도첩》. 국립중앙박물관 소장.

에서는 여러 나라와 고금(古今)의 술 이름, 술잔 이름, 술 마시는 이야기, 약주 17가지, 술 빚기 좋은 날, 술 못 빚는 날, 꽃향내를 술에 들이는 법, 도화주·연엽주(蓮葉酒, 연잎술)·두견주 등 15가지 약주 빚는 법, 술을 빚거나 빚고 나서의 관리법, 소주 고는 법, 술의 독, 술 마시고 먹어서는 안 될 것, 술 깨고 취하는 법, 술 끊는 방문(方文), 술잔 만드는 법 등이 적혀 있다.

'장' 항목에서는 장 담그기에 좋은 날과 꺼리는 날을 적고, 그다음에 어육장(魚肉醬, 쇠고기와 생선을 메주와 함께 버무려 담근 간장)·청태장(靑太醬, 푸른 콩으로 담근 간장)·청장·고추장·청육장(청국장)·즙지히(즙지이, 메줏가루·보릿가루·물가지·외·동과·풋고추·꿀 등으로 담근 간장)·즙장(汁醬, 여름에 담가 한 달 이내에 바로 먹는 장류) 등의 제조법을 정리했다. 또 밥 3가지, 죽 8가지, 차 6가지, 김치 10가지를 비롯해 민물과 바다의 물고기 요리법, 쇠고기·돼지고기·개고기·사슴고기·꿩고기·닭고기·조류 등을 이용한 각종 고기 요리, 화채·전유어·계란, 여러 가지 채소 요리법을 적었다. 또 떡 20가지, 국수 3가지, 과자 27가지, 각종 과일과 채소 보관법, 조청·광주엿·연안식해법 등의 요리법이 실려 있다.

빙허각 이씨는 "무릇 각각 조항을 널리 적기에 힘써 밝고 자세하고 분명케 하고자 하였으므로 한번 책을 열면 가히 알아보아 행하게 하고 그 인용한 책이름을 각각 작은 글씨로 모든 조항 아래에 나타내고 혹시 자기 소견이 있으면 신증(新增, 새로 찾아냄)이라 썼다."[33] 이것은 남편 서유본의 조부와 부친, 형제가 추구했던 고증학적 학문 태도와 닮았다. 빙허각 이씨는 《규합총서》를 '기사(己巳) 가을'[34]에 썼다고 했다.[35] 여기에서 기사년은 빙허각 이씨가 생존해 있을 때로 치면 1809년(순조 9) 나이 51세 때다.

"시험치 못하다"

《규합총서》〈주사의〉의 '장' 항목에는 이런 글이 나온다. "이 세 방문은 《산림경제》에서 초(抄, 필요한 것만 뽑아 기록함)하였으되 시험치 못"[36] 했다고 했다. 여기에서 '세 방문'은 어육장·청태장, 급히 청장 만드는 법이다. 빙허각 이씨는 이 세 가지 요리법을 《산림경제》에서 옮겨 적었다고 했다. 그러나 홍만선이 지은 《산림경제》에는 이 세 가지 요리법이 나오지 않는다. 빙허각 이씨가 살던 당시 사람들은 유중림의 《증보산림경제》를 두고 《산림경제》라고 부르기도 했으니, 정확히는 《증보산림경제》를 두고 한 말이다. 《증보산림경제》〈치선〉에는 이 세 가지 요리법이 나온다.

그렇다고 한문으로 쓰인 《증보산림경제》〈치선〉의 내용을 그대로 한글로 옮기지만은 않았다. 가령 《증보산림경제》〈치선〉에서는 '어육장 담그는 법(沉魚肉醬法)'을 "좋은 항아리를 먼저 땅에 묻고, 살이 통통한 쇠고기 10여 근을 따로 비계와 껍질을 없앤다. 노루고기나 양고기, 토끼고기도 모두 괜찮다. 털과 내장 및 위(胃)를 뺀 꿩 10마리, 그리고 닭 10마리도 꿩처럼 다듬는다. 거위, 오리, 기러기도 모두 쓸 수 있다. 소의 위(바로 소의 양이다)와 소의 심장은 칼로 자를 필요 없다. 그리고 숭어·도미·광어·민어·조기·준치(眞魚) 따위는 모두 창자·비늘·머리를 없애고 대충 햇볕에 말려 물기를 없앤다"[37]고 했다.

이에 비해, 《규합총서》〈주사의〉에서는 "크고 좋은 독을 땅을 깊이 파고 묻고, 우둔(牛臀, 살이 통통한 쇠고기) 기름과 힘줄 없이 하고 볕에 말리어 물기 없이 하고 열 근, 생치·닭 열 마리 정히 튀하여(털을 뽑아) 내장 없애고, 숭어나 도미나 정히 씻어 비늘과 머리 없이 하고 볕에 말리

어 물기 없이 하여 열 마리, 생복·홍합, 대소 새우, 생선류는 아무것이라
도 가치 아닌 것이 없고"[38]라고 했다. 곧 빙허각 이씨는 《증보산림경제》
〈치선〉을 읽고서 자신의 입장에서 내용을 정리했던 것이다. 청태장 요
리법 역시 어육장과 비슷한 방식으로 《증보산림경제》〈치선〉을 참조하
여 한글로 적었다.

《증보산림경제》〈치선〉의 '급조청장법(急造淸醬法)'에는 두 가지의 요
리법이 적혀 있다.[39] 빙허각 이씨는 이 내용을 한글로 옮긴 후 "석화(굴)
를 장에 넣으면 맛이 좋고 전굴젓국 해표(여러 해)된 것을 달이면 호품
(好品, 좋은) 청장이 된다"고 하면서 "역시 시험치 못하다"라고 적었다.[40]
얼마나 솔직한 표현인가? 빙허각 이씨는 다른 문헌에서 요리법을 옮겨
적는 데만 급급하지 않고, 여유가 되면 시험해보려고 했던 것이다.

이처럼 '시험치 못한' 것도 있지만 참고한 문헌에 나온 대로 실행해보
고서 과정을 기록한 내용도 있다. 온갖 병을 낫게 한다는 술잔인 '유황
배(硫黃盃)' 만드는 법이 그렇다.[41] 먼저 사기그릇 안을 호두로 문지른
다음 겨자색의 석유황(石硫黃)을 넣고 뭉근한 불로 녹이면 물이 된다.
여기에 백반(白礬)을 넣고 녹인다. 다른 그릇에 무명을 덮고 이 녹인 물
을 부어 찌꺼기를 거른다. 색을 푸르게 하려면 포도를 넣고, 붉게 하려
면 주사(朱砂)를 넣는다. 만약 주사를 넣는다면 끓여서 녹인다. 유황과
주사가 녹은 뜨거운 물을 사기 술잔에 부어 안쪽에 골고루 묻게 한다.
식으면 삐져나온 것을 칼로 정리하고 술잔을 종이에 싸서 땅속에 하룻
밤 묻어둔다. 다시 꺼내서 속새나무(상수리나무) 줄기로 안쪽을 빛이 나
도록 닦아 물에 씻는다. 매일 이른 아침에 술을 데워서 이 유황배에 담
아 두 잔씩 마시면 "풍담(風痰, 풍증을 일으키는 담)에 신기하고 백병(百病)
을 기제(치료)하나니라"[42]고 적었다.

빙허각 이씨는 유황배 만드는 방법과 그 잔에 술을 담아 마시면 약효가 있다는 내용이 '본초총서(本草總書)'에 나온다고 했다. 아마도 《본초강목(本草綱目)》을 비롯한 여러 의서에 유황배에 관한 내용이 실려 있어 이렇게 밝혀놓은 듯하다. 빙허각 이씨는 "우연히 희롱〔장난삼아〕으로 만들어보니 과연 그대로되 병에 유익한지는 알지 못"[43]한다고 했다.

그러나 재현 과정이 순탄치 않았던 모양이다. "본방(本方)에 포도를 넣으면 푸르다 하였으나 포도즙을 시험하니 되지 않으니 그 연고를 알지 못"[44]한다고도 적었다. 이외에도 문헌에 나온 대로 되지 않는 점이 많았다. 특히 "더운 것을 부으면 터지니 본방에 열주(熱酒, 뜨거운 술)를 부으라 한 것이 극미해(極未解, 매우 이해 안 됨)하도다"[45]라고 했다. 이 유황배 만드는 법은 유중림이 쓴 《증보산림경제》〈치선〉에도 나온다. 그런데 빙허각 이씨는 한글로 옮겨 적는 데 그치지 않고 직접 시험까지 해본 것이다.

"향취와 맛이 다른 술에 뛰어날 뿐 아니라 원기를 보익하고 공효가 기이하니라"

빙허각 이씨의 남편 서유본은 1783년 22세 때 생원시에 합격한 후 과거 공부에 정진했으나 문과에 급제하지 못했다.[46] 1798년 37세 때 성균관 태학생에게 치른 시험에서 우수한 성적으로 큰 상을 받았지만, 이듬해인 1799년 부친 서호수가 세상을 떠나자 집에서 삼년상을 치르면서 공부를 중단할 수밖에 없었다. 서유본의 실력을 알아보고 장차 등용하겠다던 정조마저도 1800년에 갑자기 사망했고, 서유본 또한 이후의 과거시험에서 계속 낙방했다. 그러다가 1805년 44세의 나이에 종9품의 동몽교관으로 첫 벼슬길에 올랐다. 그러나 1806년 숙부 서형수(徐瀅修, 1749~1824)가 당파 싸움에 연루되어 유배 길에 오르면서 서유본 역시 더 이상 관직에 나갈 수 없었다. 결국 서유본은 사직 후 독서와 저술에 몰두하며, 주로 아내 빙허각 이씨와 경서를 논하고 시를 주고받으며 세월을 보냈다.[47]

이 무렵에 서유본은 "아내가 해마다 누에 치고 길쌈하며 온갖 꽃을 따다가 술을 빚어서 나에게 준다"[48]는 시를 지었다. 이 시에서 온갖 꽃을 따서 빚은 술은 바로 '백화주'다.《규합총서》〈주사의〉에도 이 술 제조법이 나온다. 빙허각 이씨는 백화주 제조법의 마지막에 '자제신증(自製 新增)'[49]이란 글귀를 붙였다. 이로 미루어 빙허각 이씨가 문헌을 참고하여 직접 만들어보고 보완한 것으로 여겨진다. 그래서인지는 몰라도 《규합총서》〈주사의〉에 나오는 어떤 술보다 백화주 제조법은 상세하고 길다.

먼저 백화주에 들어가는 꽃에 대한 설명이다. "겨울에 매화·동백으로부터 이듬해 가을 국화까지 100가지 꽃을 모으되 송이째 꽃술 없애지 말고 그늘에서 말리기 하여 각각 봉지를 지었다가[봉지에 넣었다가] 중양 때 국화가 흐드러지게 필 때에 이르러 술을 빚되 다른 꽃은 비록 향이 많다가도 마르면 향취가 가시나 국화는 마른 후 더욱 향기로우니 으뜸으로 하고 도(桃, 복사꽃)·행(杏, 살구꽃)·매(梅, 매화)·연(蓮, 연꽃) 등과 초화(草花)에는 구기(枸杞, 구기꽃)·제채화(薺菜花, 냉이꽃) 같은 성미가 유익한 것은 돈수 넉넉히 하고 다른 꽃은 각 한 돈씩 하되 왜철쭉·옥잠화·싸리꽃은 지독하니 넣지 말"[50]라고 했다. 말이 '백화(百花)'이지 꼭 100가지 꽃을 말려서 담그는 것은 아닌 듯하다.

다음은 밑술 빚는 법이다. "술 하는 법은 찹쌀 두 되 가루로 만들어 구 멍떡 삶아, 되거든 삶은 물을 쳐서〔뿌려〕 치켜들어〔늘어뜨려〕 떨어질 만치 개어, 이슬 맞힌 좋은 누룩가루 한 되 바로 섞어 날물 들이지 말고 항아 리에 넣어 쐐기 받쳐 덮지 않되 바람 없는 곳에 위는 덮지 말고 두면, 위 아래 먼저 노랗게 괴면 멥쌀 네 되 여러 번 씻어 담갔다가 가루 만들어 범벅 개어 얼음같이 차거든 먼저 한 밑에 섞고 누룩가루 한 되 넉넉히 더 섞어 날물 치지 말고 개어 정한 항아리에 짚 냄새 쏘여 넣고 위를 여 러 겹 봉하여 처음처럼 두었다가 다 괴거든 찹쌀 한 말 반, 멥쌀 다섯 되 깨끗하게 씻어 인절미처럼 물 주어 찌되 메밥에는 물을 더 주어 흠뻑 불 게 하여"51 만든다고 적었다.

이제 꽃을 넣고 백화주를 완성하면 된다. 앞에서 만든 밑술이 "얼음같 이 식거든 밑을 섞되, 너무 되거든 끓여 채운 물을 쌀 된 되로 두 되만 더 섞고 알맞은 독에 밥 한 켜 넣고 백화를 다 각각 등분하여 달아 한데 섞고 국화는 말리지 말고 한 되 남짓 꽃잎만 따 한 켜씩 백화와 밥을 떡 안치듯 하되 국화는 위에 뿌리고 진말 세 홉 밥에 섞고 누룩 한 줌만 위 에 뿌려 눌러 고르게 하고 위를 김 나지 않게 봉하여 익히면 국화는 개 미와 한가지로 뜨고"52라고 했다. 술밥 덩어리가 개미처럼 떠다닌다고 동동주를 '부의주(浮蟻酒)'라고 부르듯이 완성된 백화주 또한 국화가 개 미처럼 떠다닌다는 설명이다.

술은 물맛이다. 그래서 빙허각 이씨는 "크고 묵은 구기자 뿌리나 송절 (松節, 소나무 마디)이나 진하게 달여 채운 물을 술 빚을 적에 다른 물 말 고 이 물로 하면 더욱 유익하니"53라며 특별히 좋은 물을 쓰라고 강조했 다. "(물을) 각별히 가리어 강심수(江心水, 강 한복판을 흐르는 물)나 석천(石 泉, 바위틈에서 나오는 샘물)을 쓰되 송순(松筍, 소나무 새순)을 말렸다가 끓

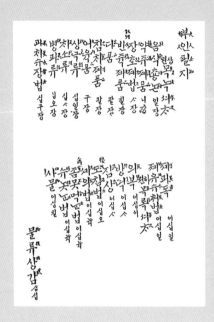

《규합총서》〈주사의〉의 목판본을 바탕으로 교사 이숙이 재집필한 《부인필지(婦人必知)》의 목차. 저자 제공.

어 데쳐 밑에 넣고 유자피(柚子皮, 유자껍질)를 썰어 위에 넣고 후추를 굵게 작말하여 주머니에 넣어 가운데 넣으면 더 좋으니라"[54]고 했다.

빙허각 이씨는 "향취와 맛이 다른 술에 뛰어날 뿐 아니라 원기를 보익하는 공효(功效, 효능)가 기이"[55]한 '백화주'를 가을에 빚어 남편에게 마시도록 했다. 그런데 1822년(순조 22) 서유본이 갑자기 앓아누웠다. 빙허각 이씨는 음식을 끊은 채 남편 대신 아프게 해달라고 사당 앞에서 빌고 자신의 손가락을 잘라 피를 먹이기도 했다.[56] 그러나 서유본은 끝내 일어나지 못하고 그해 음력 7월에 세상을 떠났다. 그러자 빙허각 이씨는 '절명사(絶命詞)'를 짓고는 이후 모든 음식을 마다하고 자리에 누워[57] 결국 19개월 만인 1824년 음력 2월에 66세의 나이로 세상을 떠났다.

빙허각 이씨는《규합총서》서문의 마지막에 이렇게 적어놓았다.

이 편(編)이 비록 많으나 그 귀취(歸趣, 귀결되는 취지)를 구한 즉, 이것
들이 다 양생(養生)하는 선무(先務, 첫 일)요, 다가[집안을 다스리는]하는
요법이라 진실로 일용(日用, 날마다 씀)에 궐(闕, 빠지다)치 못할 것이요,
부녀의 마땅히 강구(講究)할 바라. 드디어 이를 써 서(序)를 하여 분내
(分內, 집안)의 여부배(女婦輩, 딸과 며느리 들)에게 주노라.[58]

한문으로 된 앞선 문헌에서 도움이 될 내용을 뽑고 여기에 자신의 경
험에서 나온 방법을 한글로 적은 이유는 바로 딸과 며느리 들에게 알려
주기 위해서였다.

서유구는 형수 빙허각 이씨의 묘비명에서 "《규합총서》는 형수가 살아
있을 때 이미 세상에 알려져 인척이 자주 베껴 갔다"[59]고 했다. 이 때문
에 오늘날 전하는《규합총서》는 여러 가지 판본이 있다. 판본마다 내용
구성이 다르지만, 〈주사의〉가 포함된 것은 목판본 2종과 필사본 6종이
다.[60] 그중 목판본 한 종이 1908년 명신여학교(明新女學校, 지금의 숙명여
고 전신) 교사 이숙(李淑)에 의해 인용·보완되어《부인필지(婦人必知)》(상
권)라는 이름으로 '우문관(右文館)' 출판사에서 연활자본으로 출판되었
다.[61] 그리고 1917년 방신영(方信榮, 1890~1977)이《조선요리제법(朝鮮料
理製法)》을 펴내면서《부인필지》에 나온 요리법을 제법 많이 수록했다.
이처럼《규합총서》〈주사의〉의 요리법은 빙허각 이씨의 바람을 뛰어넘
어 20세기 초반 식민지 조선의 수많은 '딸과 며느리'에게 널리 읽혔다.

"갓채는 물을 짤짤 끓여 부으면 맛이 좋으니"

여강 이씨 부인의 갓

"갓 밑동 가오니"

갓 밑동 가오니 가늘게 썰라고 하여야 맛이 나으니 잘게 썰라고 하라고 하시옵. 갓채는 물을 짤짤 끓여 부으면 맛이 좋으니 그리 시키옵.[1]

이 글은 1847년 음력 11월 18일에 여강 이씨(이하 '이씨 부인')가 남편에게 보낸 한글 편지에 나오는 대목이다. 이씨 부인은 학봉(鶴峯) 김성일(金誠一, 1538~1593)의 10대 종손 김진화(金鎭華, 1793~1850)의 부인으로, 15세 때 김진화와 혼인해 줄곧 지금의 경북 안동시 서후면 금계리에 살았다. 당시 김진화는 전라도 무장현(茂長縣, 지금의 전북 고창군 무장면)의 현감으로 있었다.

이씨 부인은 하인을 시켜 안동에서 무장현으로 남편이 필요로 하는 물건을 보내면서 한글로 편지를 썼다. 종이가 귀했던 시절이라 닥종이 한 장에 앞뒤로 빽빽하게 사연을 적었다. 조금이라도 더 쓰려고 '하시옵 소서'를 '하시옵'으로 줄여 썼지만, 그래도 공간이 모자랐던 모양이다. 이씨 부인은 편지지를 돌려세워 여백을 빽빽하게 채워 넣었다.

앞에서 소개한 편지글을 풀이하면 이렇다. "갓의 밑동을 보냅니다. 요리할 때 가늘게 썰라고 하십시오. 그래야 맛이 좋으니 꼭 잘게 썰라 고 하십시오. 함께 보낸 갓은 물을 팔팔 끓여서 부으라고 하십시오. 그 러면 맛이 좋으니 꼭 그렇게 하라고 시키십시오." 당시 안동에서 무장은 800리 길로, 자동차로 가도 네 시간 가까이 걸리는 먼 거리인데, 이 길 을 나서는 하인에게 이씨 부인은 왜 하필 갓을, 그것도 두 종류나 보냈 을까?

19세기 초반에 편찬된 어휘사전 《물명고》에도 '갓'과 관련된 항목이 있는데, 두 종류의 갓이 소개되었다. 하나는 한자로 '개채(芥菜)'라 적고 한글로는 '갓'이라고 표기했고, 다른 하나는 한자로 '숭개(菘芥)'라 적고 한글로 '밋갓'이라 적었다.[2] 이로 미루어 조선 후기에 식용하던 갓의 종 류로 일반 갓과 밑갓 두 종류가 있었음을 짐작할 수 있다.

이 중 '개채'는 이씨 부인이 남편에게 보낸 갓 중에서 '갓채'라고 표현 한 갓의 한자어다. 빙허각 이씨가 쓴 《규합총서》의 이본(異本)인 '친화 실장판본'에는 "개채는 속명으로 갓이라" 한다고 적혀 있다.[3] 요사이 김 장에 부재료로 넣거나 따로 김치를 담가 먹는 갓이 바로 개채다.

'숭개'는 이씨 부인이 남편에게 보낸 '갓의 밑동', 즉 밑갓이다. 밑갓의 한자어 '숭개'의 '숭(菘)'은 본래 배추를 뜻한다. 줄기와 잎을 식용하는 갓의 뿌리는 가늘고 긴 데 비해, 밑갓은 배추의 둥근 뿌리와 닮아서 '숭' 자가 붙은 듯하다.[4]

중국의 가이차이터우(芥菜頭). 뿌리 부분이 마치 조류의 알이 여러 개 뭉친 모양으로, 창처럼 끝이 뾰족한 것도 있다. 양배추에서 파생된 북유럽 원산의 콜라비(kohlrabi)와 달리 갓의 변종이다. 이씨 부인이 남편에게 보낸 밑갓의 모양새가 이러지 않았을까? ©Shutterstock.com

그런데 김진화가 현감으로 있던 무장현 일대에서는 갓이나 밑갓을 구할 수 없었을까? 구하기 어려우면 굳이 먹지 않아도 될 일인데, 왜 이씨 부인은 800리나 되는 먼 길을 나서는 하인의 지게에 굳이 갓과 밑갓을 실어 보냈을까?

이에 대한 답은 조선 후기 만물박사 이규경의 《오주연문장전산고》에 소개된 '개근산(芥根蒜)'이란 요리법에서 찾을 수 있다. '개근(芥根)'은 밑갓을 부르는 또 다른 한자 이름이다. 이규경은 밑갓의 요리법을 이렇게 적었다. "마치 순무처럼 생긴 갓 밑동을 골라서, 겨울에서 봄까지 움에 보관한다. 갓 밑동을 국수 가락처럼 채 쳐서 파채·생강채·석이버섯 채와 다진 마늘을 섞어 항아리에 쟁여 넣고, 초장(식초를 섞은 간장)을 부어 신맛과 짠맛을 알맞게 맞추고, 항아리 입구를 겹으로 봉하여 공기가 새어나가지 않도록 한다. 하룻밤 지나면 먹을 수 있다."[5]

이규경의 '개근산'과 비슷한 요리법은 《시의전서·음식방문》에도 나온다. 이 책은 안동과 가까운 상주 지역 반가의 부인이 19세기 말에 집필한 것으로 여겨지는 한글 요리책이다. 이 책에서는 제목을 한자로 '동개채(童芥菜, 어린 갓)'라 적고 한글로는 '갓채'라 썼다. 그런데 요리법은 밑갓을 주재료로 한 것이다. 즉 "밑갓 껍질 정히 벗겨 머리털처럼 정히 채 쳐 꿀·초 넣고 소금 함담 맞춰 주물러 항아리에 넣어두고 쓰라. 그릇에 담고 위에 잣 열매 통으로 얹어 쓰고 혹 석이나 고추채도 얹느니라. 항아리를 한데(바깥) 차게 두라." 이 밑갓 음식은 다른 말로 하면 '밑갓절임'이다.

이규경은 개근산 요리가 "오래 두어도 괜찮다"[6]면서 "맛이 매우 개운하고 진하여 위를 진정할 수 있다"[7]는 말을 덧붙였다. 이 말에서 이씨 부인이 남편에게 밑갓을 보낸 이유를 짐작할 수 있다. 이씨 부인은 이 편지의 서두에서 남편에게 "복통 어떠하십니까? 복통이 아마 수토(嗽吐, 기침이 나면서 토하는 병증)로 그러신 듯 답답하고 애처롭고 애처로우며 두렵사오나 면하실 도리 없으니 답답합니다"라고 토로했다. 타향에서 복통으로 고생하는 55세의 남편을 위해서 부인이 밑갓과 요리법을 보낸 것이다.

"아니 데치면 맛이 없고 데치면 맛이 나니"

이씨 부인은 밑갓의 요리법에 이어서 "갓채는 물을 짤짤 끓여 부으면 맛이 좋으니 그리 시키옵"이라고 갓채 요리법을 알려주었다. 갓채 요리법은 이씨 부인보다 150여 년 앞서 살았던 장계향이 쓴 한글 요리책 《음식디미방》에도 나온다. 다만 재배용 갓이 아니라 '산갓', 즉 야생 갓으로 만드는 '산갓침채'다.

장계향의 산갓 요리법을 오늘날 말로 풀면 다음과 같다. "산갓을 다듬어 찬물에 씻고 다시 더운물에 헹구어 작은 단지에 넣고 뜨거운 물을 붓는다. 구들이 아주 뜨거우면 옷으로 단지를 싸서 익히고, 그렇지 않으면 솥에 단지를 넣어 중탕으로 익힌다. 너무 뜨거워서 산갓이 지나치게 익어도 좋지 않고, 덜 뜨거워 산갓이 익지 않는 것도 좋지 않다. 산갓을 찬물에만 씻고 더운물에 안 헹구면 쓴맛이 난다."[8] 장계향은 산갓침채를 이렇게 뜨겁게 익히는 것은 산갓의 쓴맛을 제거하기 위해서라고 설명했다.

이와 비슷한 요리법은 유중림이 쓴 《증보산림경제》의 '산개저법(山芥菹法)'에도 나온다. 좋은 산갓을 골라서 씻은 다음 항아리에 넣고 곧바로 뜨거운 물을 서너 차례 붓는다. 물의 온도는 산갓이 물러지지 않을 정도면 된다고 했다. 이렇게 데친 산갓을 미리 담가둔 나박김치에 넣고 좋은 간장을 부어 익히면 매운맛이 조금 줄어서 깔끔하고 시원한 맛이 난다고 했다.[9]

갓은 씨앗인 겨자의 맛만 봐도 알 수 있듯이 다른 채소에 없는 독특한 매운맛이 있다. 이런 탓에 요리할 때는 먼저 살짝 데쳤다. 이씨 부인은 무장현의 현청(縣廳)에서 현감의 음식을 장만해주는 기생들이 혹시나 이씨 부인이 1847년 음력 11월 18일에 쓴 한글 편지 앞면(위)과 뒷면(아래). 종이가 귀한 탓에 위쪽 여백에까지 빽빽하게 사연을 적었다. 의성김씨학봉종가운장각 소장.

이 방법을 모를까 염려하여 "그리 시키옵"이란 말을 남편에게 남겼다.[10]

이씨 부인은 밑갓과 갓채 요리법 외에도 문어 데치는 방법도 함께 편지에 적어 보냈다.

잡사오실 때 깨끗이 씻어 물을 끓이고 잠깐 들이쳐 제 몸이 조금 오글 듯하거든 건져 빼져 초지령에 잡사오시옵. 아니 데치면 맛이 없고 데치면 맛이 나오니 많이 삶지 말고 잠깐 데쳐 자시옵.

이씨 부인은 문어를 살짝 데쳐야 맛이 좋다고 강조했다. '지령'은 청장의 옛말로 '초지령'은 식초를 넣은 간장이다. 요사이 말로 하면 문어숙회를 초간장에 찍어 먹으라는 말이다.

이씨 부인은 하인 편에 문어 네 마리와 방어 한 마리를 보냈다. 조금이지만 생광어를 조림으로 만들어서 보내기까지 했다. 아무리 음력 11월 중순이라 해도 걸어서 7~8일 이상 걸리는 무장현까지 생선조림뿐 아니라 날생선을 보내는 일은 무모하기 짝이 없다. 이씨 부인 스스로도 그렇게 느꼈는지, "상하지 아니할지 염려되옵"이란 말을 덧붙였다.

지금의 무장읍성 북쪽에는 선운사가 있고, 그 서쪽 바다에 동호항이 있다. 무장읍성에서 동호항까지 거리는 14킬로미터 남짓이다. 이처럼 김진화가 근무했던 무장읍성은 황해와 무척이나 가깝다. 그런데 왜 안동에서 문어·방어·광어 같은 생선을 보냈을까?

조선시대에는 문어가 함경도·강원도·경상도의 동해안에서 많이 잡혔다. 허균은 문어가 주로 동해에서 난다고 했다.[11] 방어 역시 동해에서 많이 난다고 했다.[12] 그러니 백두대간만 넘으면 동해에 닿는 안동에서 문어와 방어를 구하기가 훨씬 수월했을 것이다. 문어 역시 밑갓처럼 토하고 설사하며 복통에 시달리는 김진화의 병증에 좋은 음식이다. 빙허각 이씨는《규합총서》에서 문어의 "알은 머리·배·보혈(補血)에 귀한 약이므로 토하고 설사하는 데 유익하다"[13]고 했다. 먼 길에 상할 것을 염려하면서도 문어를 보낸 이유 역시 남편의 복통 때문이 아니었을까?

여강 이씨 부인과 한글 편지

이씨 부인이 남편에게 보낸 한글 편지는 현재까지 파악된 것만 71통에 이른다.[14] 이 중에서 시기가 가장 빠른 것은 1829년 음력 10월 3일자 편지다. 편지는 "올리는 글월: 걸어서 천리 길을 어찌하실꼬?"로 시작하며 먼저 남편의 서울 입성(入城)과 노독(路毒)을 묻는다. 그리고 안동의 세 집, 즉 자신의 집과 시동생 김진중(金鎭中, 1796~1812)과 김진형(金鎭衡, 1801~1865)의 집안은 무고하다는 소식을 알린다. 이 편지는 1828년 음력 12월에 창릉(昌陵) 참봉(參奉)[15]의 벼슬자리에 있던 김진화가 고향을 한 번 다녀간 이후에 보낸 것으로 보인다.

김진화는 의성 김씨(義城 金氏) 학봉 김성일의 10대 종손이다. 김성일은 퇴계 이황의 수제자로 이후 퇴계의 영남학파를 이어갔다. 비록 김진화 당대의 중앙 정치계는 노론 일색이었지만, 남인 집안 출신인 김진화는 조상을 잘 둔 덕택에 과거를 보지 않고 음직(蔭職)으로 1828년 12월, 36세의 나이에 창릉 참봉의 벼슬을 얻을 수 있었다.

이씨 부인의 친정은 경주 양동마을이다. 이씨 부인의 친정아버지는 회재(晦齋) 이언적(李彦迪, 1491~1553)의 후손인 이원상(李元祥, 1762~1813)이다. 이씨 부인은 15세에 한 살 아래인 김진화와 혼인하여 지금의 안동

서후면 금계리 '학봉종택'에서 종부의 삶을 시작했다.

그러나 당시 종가의 살림살이는 그다지 넉넉지 않았다. 이씨 부인이 직접 밭농사를 짓는 등 애를 썼지만 어떤 때는 제수를 장만할 돈이 없어 제사를 제대로 모시지 못한 적도 있었다. 이씨 부인은 남편이 경기도와 서울, 그리고 전국 각지를 다니는 동안 슬하의 딸 넷을 시집보내고, 아들 둘을 키웠다. 비록 아들 둘은 아버지가 벼슬살이하는 현청에 가서 살기도 했지만, 그들에 대한 보살핌은 오롯이 이씨 부인의 몫이었다.

김진화는 1830년 음력 12월에 선공감(繕工監)의 종8품 봉사(奉事)가 되면서 본격적인 서울 생활을 시작했고, 1833년 음력 6월 아산 현감(종6품 외관직)으로 나가기 전까지 줄곧 서울에서 벼슬살이를 했다. 그러나 김진화는 종부인 이씨 부인을 서울로 부를 수 없었다. 그는 어쩔 수 없이 여자 노비를 측실로 들였고, 이후 그녀와의 사이에서 서자 '봉준'이가 태어났다.

이씨 부인의 편지에는 이 측실의 이야기가 몇 차례 등장한다. 심지어 측실이 이씨 부인에게 편지를 보내기도 했다. 이씨 부인은 그녀를 '서울집', '봉준이 어멈' 또는 '봉모'라고 적었다. 이 측실은 김진화가 아산 현감, 진산 현감, 청송 도호부사, 원주 목판관, 무장 현감으로 자리를 옮길 때마다 따라다녔다. 측실은 1847년 7월경에 무장현에서 세상을 떠났다.

측실 사망 이후 김진화는 임지에서 홀로 지냈다. 이씨 부인은 건강도 좋지 않은 남편이 수발들 사람도 없이 식사나 제대로 하는지 걱정이 태산이었다. 1847년 음력 9월 8일자 편지에서 이씨 부인은 "이제는 훌쩍 다 보내었으니 불쌍하기야 형언할 수 없으나 어찌합니까? 마음을 굳게 하여 잊으실 도리를 하시"라고 썼다. 같은 해 음력 10월 30일에 쓴 편지에서도 "추위가 되면 하루 평소와 같은 날이 없으신데 관청 음식 오직 그것만 드리고 더운 물 한 그릇 받들 이가 없이 어찌어찌 견디실꼬. 일마다 불쌍하고 아쉬우니 어찌할지 절통하고 절통합니다"라고 안타까움을 표했다.

그렇다고 종부로서 한 집안의 살림을 도맡았던 이씨 부인이 남편의 임지로 갈 수는 없었다. 기회만 있으면 남편에게 편지를 쓰는 수밖에 없었다. 측실이 사망한 후인 1847년 음력 8월부터 다음 해 음력 11월까지 이씨 부인이 무장현의 남편에게 보낸 편지는 30통에 이른다. 한 달에 두 통을 보낸 셈이다. 심지어 1848년 5월에는 세 통을 보내기도 했다. 이씨 부인은 이렇게 하인 편에 반찬과 함께 편지를 보내면서 요리법도 편지에 담아 보냈다.

"섯박지니 차돌 좋아 먹사오니 공생하옵"

김진화가 현감으로 있던 무장현은 지금이야 고창군의 작은 면에 지나지 않지만, 당시만 해도 2급 읍치로, 인근의 고창현이 4급, 흥덕현이 3급인 데 비하면 큰 현이었다. 특히 무장현 읍성의 환곡 저장고인 사창(司倉)은 인근에서 가장 컸다. 본디 무장현 읍성이 조선 초기에 왜구의 침입에 대비하여 축조된 군사적 요충지였기에 무장현의 사창은 군대의 보급창고 기능도 했다. 이러한 사정으로 무장현은 곡류를 비롯한 각종 물자의 유통이 활발했을 것이다. 이씨 부인 또한 편지를 보낼 때마다 남편에게 부족한 것을 보내달라는 부탁을 빠트리지 않았다. 한번은 김치 항아리를 보내면서 돌려보낼 때 쇠고기를 간장에 넣어 발효시킨 육장(肉

醢)을 담아 보내라고 요청하기도 했다.

1848년 음력 1월에 쓴 편지에서는 남편이 보내준 '섯박지니' 이야기가 나온다. 특히 차돌(큰 아들 흥락의 아명)이가 잘 먹는다면서 "공생하옵"이라고 적었다. 여기에서 '공생'은 '마음이 놓이는 모양'을 가리키는 말이다. 아마도 김진화는 무장 현청의 식사에서 먹어본 섯박지니가 맛있었던 듯, 가족들을 생각해 안동으로 돌아가는 하인 편에 보냈나 보다. 그렇다면 섯박지니는 무슨 음식일까?

1800년대 초반에 빙허각 이씨가 쓴 《규합총서》에서는 오늘날 '섞박지'라고 하는 김치의 요리법을 정리해놓았는데, 한글로 '셧박지'라고 적혀 있다. 이로 미루어 이씨 부인이 쓴 '섯박지니'도 섞박지로 보인다. 빙허각 이씨의 섞박지 요리법은 무와 배추가 주재료이고, 조기·준치·밴댕이로 만든 젓국이 부재료다.[16] 이에 비해 상주에서 발견된《시의전서·음식방문》에 소개된 섞박지에는 생선으로 준치·소라·조기젓·밴댕이·날전복·낙지 등이 들어갔다.

조기와 준치는 황해에서 잡히는 생선이다. 서울과 경기도 파주 장단에 살았던 빙허각 이씨의 섞박지에 들어간 밴댕이젓이 무장현에서 만든 섞박지에 들어갔다고 보기는 어렵다. 그러나 조기는 무장현 앞바다가 주요 산지였기 때문에 조기젓국이 섞박지의 맛을 결정했을 것이다. 준치 역시 무장현 앞바다에서 잘 잡혔다. 경상도 안동에서 구하기 어려운 생선의 젓갈로 담근 섞박지를 큰아들 차돌이가 좋아하니 이씨 부인은 자못 기뻤던 모양이다.

1848년 음력 5월 29일자 편지에서 이씨 부인은 종이가 없어 편지도 쓰기 어려우니 백지권을 보내달라고 부탁했다. 남편이 현감이니 종이 구하기가 어렵지 않았을 것이다. 그러면서 청진유·고등어·청어·명태·

더덕이 잘 왔다는 말도 덧붙였다. 청진유는 참기름으로 보인다. 고등어와 청어는 무장현 앞바다에서 나지만, 명태는 주로 함경도의 동해에서 나는 생선이다. 그런데 김진화는 명태를 구해서 안동으로 보냈다. 앞에서도 말했듯이 무장현은 인근에서 가장 큰 사창을 보유하고 있어서 다양한 먹을거리를 구할 수 있었을 것이다. 다만 날씨가 한여름으로 치닫고 있는 음력 5월 말에 보내준 것인데도 상했다는 말을 하지 않았으니 말린 생선이었을 가능성이 크다.

"즙장을 그리 생각하시는 일 답답"

사실 800리나 되는 먼 곳에서 보내온 부인의 음식이 김진화에게 늘 만족스럽지는 않았다. 1848년 음력 9월의 어느 날 편지에서 이씨 부인은 그해 여름에 보낸 즙장을 두고 남편이 맛이 이상하다고 편지를 보낸 것에 매우 서운했던지 그 심정을 낱낱이 적었다. "즙장을 그리 생각하시는 일 답답, 지난번 간 즙장 맛이 좋지 못하오니 갑갑. 즙장을 묻고 이내 비 와 거름이 식어 그리되오니 답답하옵." 여기에서 즙장은 여름에 담가서 한 달 이내에 바로 먹을 수 있는 즉석 장류를 말한다. 즙장은 한자로 '汁醬'이라고 쓴다. 조선 후기에 나온 대부분의 요리책에 즙장 만드는 법이 있을 정도로 그 당시 유행했던 여름 장류다. 이씨 부인은 편지에서 즙장이라고 적었지만, 《시의전서·음식방문》에는 한글로 '집장'이라 적혀 있다. 이 책의 '집장법'은 다음과 같다.

7월에 메주 쑤되 콩 한 말에 밀기울 다섯 되 넣고, 콩 대여섯 되 쑤

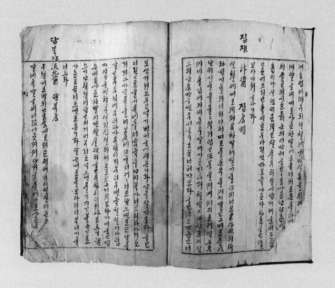

《시의전서·음식방문》의 '집장법'. ⓒ주영하.

려면 밀기울 서너 되 넣어라. 메주 무른 후에 찧지 말고 그 메주 물 삶은 데 밀기울을 훌훌 섞어 덮어라. 또 불을 때고 찧기 좋게 익은 후 찧어 솔잎에 재워둔 후 말려 가루 만들라. 찰밥 지어 장에 담는데 간장만 하면 무미(無味)하니 소금을 넣어 맛보아야 한다. 짜도 맛없고 너무 싱거워도 두고 먹기 변미(變味)하기 쉬우니라. 간을 알맞게 맞추어야 하고, 어린 고추를 기름에 둘러 숨이 죽을 만큼 볶아 넣고 오이와 가지도 절여다가 짠물 우려 보자기에 싸 눌러 켜켜이 넣고 담으면 좋고, (항아리에) 날물이 들어가지 않게 하여 두엄에 묻었다가, 두엄이 매우 더우면 6~7일 정도, 덥지 아니하면 8~9일이나 10일 되어도 좋고, 그것은 보아가며 하고, 밥은 메줏가루 한 말이면 찹쌀 다섯 되 하고, 두엄이 더워야 좋으니 담그기는 8월에 담고 되게 버무려서 익으면 묽어지고, 붉은 고춧가루 조금 넣으면 좋으니라.

편지 내용으로 보아 이씨 부인 역시 1848년 여름에 즙장을 만들어 그 항아리를 두엄, 즉 거름 속에 묻어두었던 모양이다. 그런데 바로 비가 내려 거름의 열기가 식어버렸다. 아마도 풀을 베어 비에 젖은 거름 위를 덮었을지도 모른다. 그러나 식어버린 거름의 열기는 쉽게 되살아나지 않았다. 그럼에도 남편의 입맛을 위해 즙장 한 단지를 보냈다. 그러나 남편으로부터 돌아온 소감은 맛이 예전 같지 않다는 것이었다. 많이 섭섭했던지, 이씨 부인은 남은 메줏가루를 싸서 하인의 지게에 실었다. 무장현의 기생에게 시켜서 한번 만들어보라는 듯이. "즙장 메주 조금 남은 것 보내오니 시켜 잡사오실가 보내옵"이라고 썼다.

이씨 부인의 편지를 읽고 있으면 그 당시야말로 '택배'가 성행했던 시절이 아니었나 싶다. 다만 택배 회사가 아닌 하인에 의한 택배였다는 점이 다르다. 김진화와 이씨 부인이 주고받은 편지는 하인들의 지게에 실린 온갖 물건과 함께 이동했다. 이씨 부인은 남편에게 답장을 하면서 무엇을 받았고 무엇을 보냈는지 빼놓지 않고 편지에 적었다.

조선시대에는 이렇게 부부뿐 아니라 친척들, 심지어 같은 파당의 사람들끼리도 서로 음식이나 식재료, 물건 들을 수시로 주고받았다. 뇌물 성격이 강한 '칭념'을 할 때도 '물목(物目, 물건 목록)'을 '진상기(進上記)' 또는 '상납기(上納記)'라는 이름의 문서로 작성하여 한 부는 본인이 보관하고, 다른 한 부는 선물을 싼 보자기에 넣어서 상대방에게 보냈다. 서로 물건을 확인하는 데도 필요했지만, 혹시나 모를 '배달 사고'에 대비하려는 목적도 있었다. 이씨 부인이 남긴 편지도 일종의 '물목' 성격

을 가지고 있는 셈이다.[17]

이씨 부인은 측실이 사망한 이후에 무장현의 남편에게 간장·된장·고추장·두부장·즙장 같은 장류는 물론이고, 김장김치까지도 '하인 택배'를 통해 보냈다. 잔병치레가 잦았던 김진화를 위해 한약은 물론이고 몸에 좋은 음식을 요리법과 함께 보냈다. 그런데 남편 김진화가 이씨 부인에게 보낸 편지는 겨우 두 통만 전한다. 그 연유를 알 수 없지만, 두 사람이 주고받은 편지가 고스란히 남아 있었다면, 19세기 중반 지방 양반가의 살림살이와 식생활을 살펴보는 데 큰 도움이 되었을 것이다.

남편 김진화는 1848년 음력 12월 56세의 나이로 무장 현감에서 지금의 화순군인 능주의 목사로 갔다. 그런데 1850년 음력 6월 인근 보성군에서 일어난 살인사건을 제대로 처리하지 못했다는 이유로 서울의 의금부로 불려가 조사를 받았다.

이씨 부인은 1850년 음력 6월 13일 "애처롭삽. 이것이 무슨 재액이올꼬. 이쪽의 고을로 말미암아 당하여도 통분할 텐데 무단히 느닷없는 재액에 이 더운 길에 장마는 그러하고 병은 많은 양반이 무슨 체통이올꼬. 일마다 절통하고 분하옵"이라고 애절한 편지를 남편에게 보냈다. 그러나 남편 김진화는 답장도 보내지 못하고 7월 초 의금부 조사를 받던 중 세상을 떠나고 말았다. 졸지에 세상을 떠난 아버지의 유품 중에 있던 편지를 어머니 눈에 띄지 않는 곳에 잘 보관해두었을 자식들. 그들 덕분에 오늘날 우리는 이씨 부인의 절절하고 내밀한 한글 편지 속에 담긴 음식과 요리법을 읽을 수 있게 된 건 아닌지.

조선시대 요리책 읽는 법

이 책에서 다룬 조선시대 미식가 15인 중에 다섯 명은 직접 요리책을 썼다. 전순의의 《산가요록》, 김유가 대표 저자인 《수운잡방》, 장계향의 《음식디미방》, 이시필의 《소문사설》〈식치방〉, 빙허각 이씨의 《규합총서》〈주사의〉가 그렇다. 이외에도 자주 언급된 요리책은 홍만선의 《산림경제》〈치선〉, 유중림의 《증보산림경제》〈치선〉, 서유구의 《임원경제지》〈정조지(鼎俎志)〉와 작자 미상의 《주식방문》, 《주식시의》, 《시의전서·음식방문》 등이다. 이 요리책들을 오늘날의 요리책과 같은 반열에 두고 평가할 수 있을까? 무엇보다 시대가 다르니 쓰임새나 가치를 제대로 읽어내기가 쉽지 않다. 조선시대 요리책을 읽을 때 염두에 두어야 할 점이 몇 가지 있다.[1]

첫째, 요리책의 형태가 목판으로 찍었는지 아니면 붓으로 썼는지를 구별해야 한다. 즉 인쇄본이면 같은 책이 여러 권 있었을 것이다. 그러나 처음의 책이 인쇄본이든 필사본이든 상관없이 그것을 베껴 쓴 필사본도 있을 수 있다. 앞에서 언급했던 요리책은 모두 필사본이다. 대부분의 요리책은 인쇄본으로 제작된 적이 없었을 것이다.

필사본이라고 해도 저자가 직접 쓴 것이 아닐 수 있다. 장계향은《음식디미방》의 제일 마지막에 딸들에게 가져가지 말고 베껴 가라는 글을 적어두었다. 그래서 현재 전하는《음식디미방》이 장계향 본인이 쓴 것인지 후대 사람이 쓴 것인지 명확하지 않다.《규합총서》역시 서유구의 말에 따르면 여러 사람이 베껴 갔다고 한다.《규합총서》〈주사의〉의 내용이 약간씩 다르다는 사실은 베껴 간 사람이 한둘이 아니라는 점을 말해준다.

이 책에서 언급한 한글 필사본 요리책《주식방문》은 오늘날 두 곳에서 소장하고 있는데, 내용이 약간 다르다. 가령 국립중앙도서관 소장본에 나오는 백화주 제조법은 한국학중앙연구원 장서각 소장본에는 나오지 않는다.《주식방문》원본이 있었을 것이고, 필사하는 과정에서 필사자에 따라 항목을 달리 정리했을 수도 있고, 아니면 같은 책을 옮겨 적은 후에 각각의 집안에서 음식 항목을 추가로 넣었을 수도 있다.

베껴 쓴 요리책이 있다는 사실은 원본 요리책을 누군가가 읽었다는 증거다. 한국학중앙연구원 장서각에서 소장하고 있는《주식방문》은 책장의 왼쪽 아랫부분이 많이 닳았다. 그만큼 사람들이 자주 읽었다는 증거다. 또 장서각 소장의《주식방문》은 역법서의 이면지를 이용해 필사를 하고 책으로 묶은 것이다. 당시 종이가 귀했기 때문이기도 하지만 요리책의 실용적인 면을 고려해 이면지 같은 종이를 사용했을 수도 있다. 요리책은 귀중하게 보관해야 할 경서나 문집이 아니라 여러 사람의 손을 탈 수밖에 없는 책이다.

둘째, 요리책에 쓰인 문자가 무엇인지를 구별해야 한다. 이 책에서 소개한 요리책 가운데 한글로만 쓰인 요리책은《음식디미방》,《규합총서》

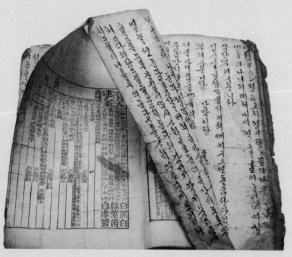

《주식방문》 표지(왼쪽)와 본문(오른쪽). 역법서의 이면지를 이용해 필사를 하고 책으로 묶었다. 또 사람들이 자주 읽었기 때문에 책장의 왼쪽 아랫부분이 닳아 있다. 한국학중앙연구원 장서각 소장.

〈주사의〉, 《주식방문》, 《주식시의》다. 한문으로 쓰인 요리책은 《산가요록》, 《수운잡방》, 《소문사설》 〈식치방〉이다. 이 밖에 《시의전서·음식방문》은 요리법은 주로 한글로 쓰고, 음식 이름에는 한자를 함께 써놓았다. 그리고 《산림경제》 〈치선〉, 《증보산림경제》 〈치선〉, 《임원경제지》 〈정조지〉는 모두 한문으로 썼지만 식재료와 음식 이름을 간혹 한글로 써놓기도 했다.

한글은 세종 때 창제된 이후 초기에는 사대부 계층으로부터 배격을 받았지만 16세기 이후에는 양반가에서도 기본 문자로 널리 쓰였다. 천자문을 배우면서도 뜻을 알기 위해서는 한글 공부가 필요했다. 사대부가의 여성들은 편지를 쓰거나 기록을 할 때 한자보다는 한글을 즐겨 썼

조선의 미식가들

다. 요리책을 쓸 때도 중국 책에서 식재료와 음식의 이름을 가져오더라도 조선에 그러한 것이 있을 경우에는 '속명(俗名)'이라는 말을 덧붙여 한글로 적었다. 하지만 오랫동안 한자를 써온 탓에 순 한글로 쓰인 요리책에도 한자를 알지 못하면 뜻을 알 수 없는 내용이 많이 나온다.

셋째, 요리책의 저자가 남성인지 여성인지를 구별해야 한다. 최근 학자들 중에서 남성이 쓴 요리책의 요리법이 여성의 것에 비해 상세하지 않다고 평가하는 경우가 있다. 남성이 쓴 요리책은 대부분 한자로 되어 있기 때문에 한글보다 세세하지 못하다는 평가를 받을 수 있다. 그러나 김유의 엿 요리법은 비록 한자로 쓰였지만 매우 구체적이다. 한글이 아닌 한자로 요리법을 자세하게 적는 데 어려움이 따랐을 것이다. 이러한 사정을 고려하지 않고 요리법을 잘 모르는 남성이 썼기 때문에 내용이 세세하지 않다는 주장은 설득력이 없다.

그런데 조선 전기에 집필된 《산가요록》과 《수운잡방》은 저자가 남성으로, 무엇보다 술 만드는 법이 앞부분에 나온다는 점이 특이하다. 조선 후기에 집필된 《산림경제》〈치선〉, 《증보산림경제》〈치선〉, 《임원경제지》〈정조지〉 등은 '유서'의 체제를 갖추고 있는 반면, 조선 전기에 쓰인 《산가요록》과 《수운잡방》은 특정한 편제 없이 저자의 취향에 따라 항목이나 내용이 선별되었을 수 있다. 그런데 19세기 초에 쓰인 《규합총서》〈주사의〉도 술 만드는 법이 앞부분에 배치되었다. 이를 두고 당시 사대부가의 부인들이 '봉제사'와 '접빈객'을 위해 술 만드는 법을 가장 중요하게 여겼기 때문이라고 주장하는 경우도 있다. 이처럼 요리책의 저자에 대한 이해는 더 많은 연구가 필요하다.

넷째, 요리책에 나오는 요리법이 저자의 경험에서 비롯되었는지 아니면 다른 문헌에서 가져왔는지를 구별해야 한다. 홍만선의 《산림경제》

와 서유구의 《임원경제지》〈정조지〉에는 항목마다 인용한 문헌의 이름을 적어놓았다. 앞에서도 밝혔듯이 빙허각 이씨는 《규합총서》〈주사의〉에 어육장·청태장과 급히 청장 만드는 법을 《증보산림경제》에서 필요한 것만 뽑아 기록했다는 글을 적어놓았다. 또 빙허각 이씨는 다른 문헌들을 읽고 한글로 번역하여 옮길 필요가 있는 요리법을 적고 혹시 본인의 생각이 있으면 '自製新增(새로 찾아냄)'이라고 적어두기까지 했다. 다만 이렇게 적어놓은 원본이 현재 전하지 않아서 《규합총서》〈주사의〉의 내용을 제대로 살피려면 일일이 다른 문헌과 대조하는 작업이 이루어져야 한다.

조선시대 성리학자들 중에는 옛 문물을 숭상하여 표준으로 삼고자 하는 태도로 앞선 문헌을 그대로 옮기며 글을 쓴 사람이 많다. 그렇다고 조선시대 사람들이 오늘날 관점으로 '표절' 행위를 했다고 볼 수 없다. 곧 옛날의 문물·사상·제도 등을 중하게 여기는 태도로 앞선 문헌을 참조해 옮겨 적어야 한다고 믿었던 것이다. 조선시대 요리책 역시 이러한 글쓰기 경향이 반영되어 있다.[2]

조선시대 요리책의 요리법이 실제로 부엌에서 행한 것인지 서재에서 다른 문헌을 옮겨 적은 것인지를 구분하는 방법은 일기나 편지를 쓴 저자의 경험이 깃든 음식 이야기를 살피는 연구를 통해 확인할 수 있다. 이 책에서 조극선의 《인재일록》, 김창업의 《연행일기》, 《승정원일기》, 여강 이씨 부인의 한글 편지 등에 나오는 음식 이야기를 살핀 이유가 여기에 있다. 요리책과 일기·편지, 심지어 한시와 세시기 등에 나오는 음식 이름과 요리법을 대조하면 조선시대의 식생활 모습의 실체를 재구성하는 데 큰 도움이 된다.

'프롤로그'에서도 밝혔듯이, 이 책은 '조선시대 음식의 역사'로 가기 위한 징검다리다. 조선시대라는 역사를 가로지르는 징검다리를 놓았으니 이제 본격적인 '조선시대 음식의 역사'로 한 발 한 발 찬찬히 짚어 가볼 참이다. 나는 이미《한국인은 왜 이렇게 먹을까?: 식사 방식으로 본 한국 음식문화사》에서 조선시대부터 오늘날까지 이어지고 있는 한국인의 식사 방식을 살폈다. 또《식탁 위의 한국사: 메뉴로 본 20세기 한국 음식문화사》에서 오늘날 한국인이 즐겨 먹는 음식의 역사를 조선시대부터 현재까지 다루었다.

　'음식의 역사'는 꼭 먼 과거부터 현재에 이르는 식으로 시간 순서에 따라 서술해야 하는 것은 아니다. 역사학이란 모름지기 현재의 문제를 해결하기 위해 과거를 거울로 삼는 학문이다. 나는 앞의 두 책에서 '현재'라는 시점에 서서 음식의 역사를 살폈다. 그 작업을 통해 한국 음식의 역사에 깃든 근대적 변용과 그 과정에 개입된 여러 가지 사회문화적 요소를 확인할 수 있었다. 그리고 이 책을 통해 나는 '음식의 역사'를 학문적으로 다룰 수 있는 독창적인 이론과 방법론을 갖추기 시작했다. 이제 '조선시대 음식의 역사'를 쓸 차례다. 독자 여러분의 관심과 응원을 기대한다.

부록

책을 펴내며

1 김유(金綏), 《수운잡방(需雲雜方)》, 〈탁청공유묵(濯淸公遺墨)〉, '육면(肉麵)', "膏肉半熟, 如糆細切, 輪塗眞眞末, 纳湯豉, 更數沸進之."

2 장 앙텔므 브리야사바랭 지음, 홍서연 옮김, 《브리야 사바랭의 미식 예찬》, 르네상스, 2004, 16쪽.

프롤로그: 옛글로 맛보는 조선시대 음식문화사

1 장 앙텔므 브리야사바랭 지음, 홍서연 옮김, 《브리야 사바랭의 미식 예찬》, 르네상스, 2004, 196쪽.

2 장 앙텔므 브리야사바랭 지음, 홍서연 옮김, 같은 책, 208쪽.

3 Teulon, Fabrice, "Gastronomy, Gourmandise and Political Economy in Brillat-Savarin's Physiology of Taste", *The European Studies Journal Vol. XV, No.1*, 1998, p.52.

4 《중용(中庸)》, "人莫不飮食也, 鮮能知味也."

5 '지미자(知味者)'에 대한 기록은 고대 중국의 한나라 때 편찬된 《회남홍렬해(淮南鴻烈解)》 19권 《수무훈(脩務訓)》에도 나온다. "초나라의 어떤 사람이 원숭이를 잡아 고깃국을 끓여 이웃 사람을 초대했다. 그 사람은 개장국인 줄 알고 맛있게 먹었다. 다 먹고 나서 원숭이 고기라고 했더니 땅에 웅크리고 앉아 모두 토해냈다. 그는 결코 지미자라고 할 수 없다."(《淮南鴻烈解》 第十九, 《脩務訓》, "楚人有烹猴而召其隣人, 以爲狗羹也而甘之. 後聞其猴也. 據地而吐之盡寫其食. 此未始知味者也.")

6   허균(許筠), 《성소부부고(惺所覆瓿藁)》 제25권, 〈도문대작인(屠門大嚼引)〉, "食色性
    也, 而食尤軀命之關."; 정길수 편역, 《나는 나의 법을 따르겠다-허균 선집》, 돌베개,
    2012, 181쪽.

7   허균, 같은 글, "先賢以飲食爲賤者, 指其饕而徇利也, 何嘗廢食而不談乎."; 정길수 편
    역, 같은 책, 181쪽.

8   Pilcher, Jeffrey M., "Cultural Histories of Food", *The Oxford Handbook of Food
    History*, Oxford, New York: Oxford University Press, 2012, p.47.

9   Norton, Mercy, "Tasting Empire: Chocolate and the European Internalization of
    Mesoamerican Aesthetics", *The American Historical Review*, Vol.111, No.3, 2006,
    p.691.

10 서긍(徐兢), 《선화봉사고려도경(宣和奉使高麗圖經)》 제23권, 〈잡속·도재(雜俗·屠
    宰)〉, "縛手足, 投烈火中, 候其命絶毛落, 以水灌之. 若復活, 則以杖擊死. 然後剖腹, 腸胃
    盡斷, 糞穢流注. 雖作羹臛, 而臭惡不絶. 其拙, 有如此者."

11 이규보(李奎報), 《동국이상국집(東國李相國集)》.

12 이종묵, 《한시 마중: 생활의 시학, 계절의 미학》, 태학사, 2012.

13 Weatherford, Jack, *Genghis Khan and the Making of the Modern World*, New York:
    Crown, 2004, p.220.

14 도민재, 〈회재(晦齋) 《봉선집의(奉先雜儀)》의 예학사적(禮學史的) 의의-16세기
    제례서(祭禮書)와의 비교를 중심으로〉, 《동양고전연구(東洋古典研究)》 제72집,
    2018, 198쪽.

15 조극선(趙克善), 《인재일록(忍齋日錄)》 1623년 1월 1일, "入省 退行正參, …… 交爲
    歲賀, …… 各墓所行祭."

16 이언적(李彦迪), 《봉선잡의(奉先雜儀)》 권상(卷上), 〈속절칙헌이시식(俗節則獻以時
    食)〉, "按, 世俗正朝寒食端午秋夕, 皆詣墓拜掃, 今不可偏廢, 是日, 晨詣祠堂薦食, 仍詣
    墓前奠拜."; 이언적 지음, 김순미 옮김, 《조선시대 최초의 제사 지침서: 풀어쓴 《봉
    선잡의》, 민속원, 2016, 79쪽.

17 김정호, 《조선의 탐식가들》, 따비, 2012, 195~202쪽.

18 허균, 같은 글, "以戒夫世之達者窮侈於口, 暴殄不節, 而榮貴之不可常也, 如是已."; 정
    길수 편역, 같은 책, 182~183쪽.

19 김혈조, 〈연행 과정의 식생활〉, 《한국실학연구(韓國實學研究)》 20, 한국실학학회,
    2010, 125~126쪽.

20 이기지(李器之), 《일암연행일기(一庵燕行日記)》, 1720년 9월 27일조; 조융희·신익

철·부유섭 옮김,《역주 일암연기》, 한국학중앙연구원출판부, 2016, 249~250쪽.

21 이기지, 같은 글; 조융희·신익철·부유섭 옮김, 같은 책, 250쪽.

22 앨프리드 W. 크로스비 지음, 김기윤 옮김,《콜럼버스가 바꾼 세계》, 지식의숲, 2006.

23 《수운잡방》은 김유의《수운잡방》〈탁청공유묵〉과 김유의 손자 김령의《수운잡방》〈계암선조유묵〉을 묶은 책이다. 나는 김유를 이 책의 대표 저자로 보고 '15인의 미식가'라고 했다.

24 이옥(李鈺),《백운필(白雲筆)》, '筆之辛 談菜', "余性嗜山菜, 遇則必飽而後已."; "余性嗜辛辣, 故於芥薑之屬, 食或過人."

25 조선시대에만 초점을 맞춘 음식사 책은 드물다. 주로 한국의 음식 역사나 음식 관련 특정 주제를 다룬 책이 대부분이다. 윤서석,《한국식품사연구(韓國食品史研究)》, 신광출판사, 1974; 이성우,《고려 이전의 한국식생활사 연구》, 향문사, 1978; 이성우,《조선시대 조리서의 분석적 연구》, 한국정신문화연구원, 1982; 강인희·이경복,《한국식생활풍속》, 삼영사, 1984; 김상보,《한국의 음식생활문화사》, 광문각, 1999; 국사편찬위원회 편,《쌀은 우리에게 무엇이었나》, 두산동아, 2009; 김정호,《조선의 탐식가들》, 따비, 2012; 주영하,《밥상을 차리다: 한반도 음식 문화사》, 보림, 2013; 김동진,《조선의 생태환경사》, 푸른역사, 2017.

1부 선비의 음식 체험: 한시로, 일기로, 세시기로

"훈기가 뱃속까지 퍼지니" 이색의 소주

1 이색(李穡)의 시에서 '청주의 늙으신 종사'라는 표현은 '좋은 술'을 의미하는 '청주종사(青州從事)'에서 유래했다. '청주종사'라는 말은 남북조시대 남송(南宋)의 유의경(劉義慶, 403~444)이 편찬한《세설신어(世說新語)》에 나온다. '청주(青州)'는 중국의 청주라는 지역명이고, '종사(從事)'는 본디 관직명이지만 '순조로이 따른다[從事]'라는 글자 뜻을 살려 '뱃속으로 순조롭게 내려가는 술'이라는 뜻으로 썼다. 따라서 '청주종사'는 좋은 술을 비유적으로 표현한 말이다.

2 이색,《목은시고(牧隱詩稿)》제33권,〈서린조판사이아랄길래(西隣趙判事以阿剌吉來). 명천길(名天吉)〉, "酒中英氣不依形, 秋露溥溥入夜零. 可笑青州老從事, 猶誇上應

在天星. 淵明若見應深服, 正則相逢肯獨醒. 強吸半杯熏到骨, 豹皮茵上倚金屛." 이 글에서《목은시고》의 원문 인용과 번역은 한국고전번역원의 고전번역DB를 참조했다.

3   Needham, Joseph, Ho Ping-yu, and Lu Gwei-djen, "Spagyrical Discovery and Invention: Apparatus, Theories and Gifts", *Science and Civilization in China, vol. 5: Chemistry and Chemical Technology, part 4*, Cambridge: Cambridge University, 1980. 테킬라 역시 나무나 옹기로 만든 증류기를 사용하여 만든다. 17세기에 중국의 닝보(寧波)에서 필리핀의 마닐라를 거쳐 멕시코로 가서 무역을 했던 중국 상인들이 증류기를 소개했다고 알려져 있다. 군인이면서 문화인류학자였던 미국인 존 그레고리 버크(John Gregory Bourke, 1846~1896)가 테킬라의 증류법에 대한 최초의 민속지를 발표(Bourke, John Gregory, "Primitive Distillation among the Tarascoes", *American Anthropologist 6.1*, 1893)했고, 이후에 아시아 관련설을 주장한 논문도 나왔다(Bruman, Henry J., "The Asiatic Origin of the Huichol Still", *Geographical Review 34.3*, 1944; VALENZUELA-ZAPATA, BUELL, SOLANO-PEREZ, PARK, "Huichol' Stills: A Century of Anthropology: Technology Transfer and Innovation", *Crossroads—Studies on the History of Exchange Relations in the East Asian World 8*, 2013).

4   중국 고문헌의 증류주 명칭은 '아랄길'(阿剌吉, (원)《음선정요(飮膳正要)》), '화주'(火酒, (명)《본초강목(本草綱目)》), '주로'(酒露, (청)《전해우형지(滇海虞衡誌)》), '고량주'(高粱酒, (청)《수원식단(隨園食單)》) 등 여러 가지다. 지금의 '백주'는 20세기 이후에 생겨난 명칭이다. 1993년 이후 중국 증류주의 역사를 당나라 이전으로 보는 주장도 등장했다(李华瑞, 〈中国烧酒起始探微〉, 《历史研究》 1993年 第5期).

5   댄 주래프스키 지음, 김병화 옮김, 《음식의 언어》, 어크로스, 2015, 111~113쪽. 아랍인과 중국 남방 상인의 교류에 관해서는 역사학자 조흥국의 글(조흥국, 〈조선왕조 초기 한국과 인도네시아의 마자파힛 왕국 간 접촉〉, 서강대학교 동아연구소, 《동아연구》 55권, 2008, 48~61쪽)을 참고하기 바란다.

6   (元)《居家必用事類全集》已集(明刻本), "(南畨燒酒法) 畨名阿里乞."

7   이익주, 《이색의 삶과 생각》, 일조각, 2013, 174쪽.

8   이익주, 같은 책, 23쪽.

9   서울대학교 규장각한국학연구원 소장, 청구번호 奎 4276-v.1-24, 奎 4976-v.1-24, 奎 5771.

10 이익주, 같은 책, 30쪽. 이익주는 《목은시고》에 실린 시를 시간순으로 정리하여 일기처럼 사료로 이용했다.

11 　이 시의 제목 〈서과(西瓜)를 먹다. 승제(承制)가 얻어온 것이다〉에 나오는 '승제'는
　　당시 승제로 재직 중이던 큰아들 이종덕(李種德)을 가리킨다. '승제'는 다른 말로
　　'승선(承宣)' 또는 '용후(龍喉)'라고 불렸던 왕명 전달을 맡은 정3품 관직이다. 괄
　　호 안 표현은 시의 이해를 돕기 위해 임의로 덧붙였다.

12 　이색, 《목은시고》 제17권, 〈상서과(嘗西瓜). 승제소득(承制所得)〉, "季夏今將盡, 西
　　瓜已可嘗. 龍喉游近旬, 鶴髮在高堂. 瓣白氷爲質, 皮靑玉有光. 甘泉流入肺, 身世自淸凉."

13 　조선 후기의 서호수(徐浩修, 1736~1799)는 자신이 편찬한 《해동농서(海東農書)》
　　에서 '서과'를 한글로 '수박'이라고 적고, "민간에서는 수박이라고 부른다"(서호수,
　　《해동농서》 권2, 〈西瓜 수박〉, "西瓜種出西域故名, 俗謂之手瓟.")고 했다. 조선시대
　　문헌에서 수박의 또 다른 한자어는 '수과(水瓜)'다. 즉 '물이 많은 박'이라는 뜻으
　　로 조선에서는 서과를 수박이나 수과로 불렀다. 오늘날 수박을 가리키는 일본어
　　'스이카(すいか)' 역시 '서과'에서 온 말이다. 따라서 수박은 오로지 한반도에서만
　　쓰였던 서과의 또 다른 이름인 셈이다.

14 　서광계(徐光啟), 《농정전서(農政全書)》 권27, "西瓜, 種出西域, 故之名."

15 　허균, 《성소부부고》 제26권, 〈도문대작〉, '西瓜', "前朝洪茶丘始種于開城."

16 　권근(權近), 《양촌선생문집(陽村先生文集)》 제10권, 〈서과(西苽)〉, "體圓終不露觚稜.
　　蔓延地上寧容蟻, 剝在盤中亦絶蠅."

17 　이직(李稷), 《형재시집(亨齋詩集)》 제2권, 〈매헌시부(梅軒詩附): 병중득서과봉정이
　　상국이사혜약(病中得西苽奉呈李相國以謝惠藥)〉, "幸得西苽大."

18 　이직, 같은 책, 〈매헌송서고이시답지(梅軒送西苽以詩答之)〉, "西苽大如甕, 問遺惠殊
　　常."

19 　이색, 《목은시고》 제35권, 〈함창음(咸昌吟)·기사(紀事)〉, "問安伊使尤難得, 淳朴遺
　　風可歎嘉."

20 　이색, 《목은시고》 제20권, 〈두죽(豆粥)〉, "冬至鄕風豆粥濃, 盈盈翠鉢色浮空, 調來崖蜜
　　流喉吻, 洗盡陰邪潤腹中."

21 　종름(宗懍), 《형초세시기(荊楚歲時記)》, "冬至日 …… 作赤豆粥以禳疫."

22 　종름, 같은 책, "按共工氏不才之子, 以冬至死爲疫鬼畏赤小豆, 故冬至日作赤豆粥以禳之."

23 　이색, 《목은시고》 제33권, 〈대사구두부래향(大舍求豆腐來餉)〉, "菜羹無味久, 豆腐截
　　肪新. 便見宜疏齒, 眞堪養老身. 魚尊思越客, 羊酪想胡人. 我土斯爲美, 皇天善育民."

24 　'장한의 고사'는 고려시대와 조선시대 문인들의 한시에 자주 인용되었다. 심지어
　　장계향(張桂香)의 《음식디미방》에도 '순탕(순챗국)'의 요리법이 나온다(주영하,
　　〈한 사대부 집안이 보여준 다채로운 식재료의 인류학: '음식디미방'과 조선 중기

경상도 북부 지역 사대부가의 식재료 수급〉,《선비의 멋 규방의 맛: 고문서로 읽는 조선의 음식문화》, 글항아리, 2012, 267~271쪽).

25　두부의 유래에 대해 가장 널리 알려진 주장은 한나라 회남왕(淮南王) 유안(劉安, BC 179?~BC 122)이 발명했다는 것이다. 그런데 1970년대부터 유안의 두부 발명설을 반박하고, 10세기 이후 유목민족의 치즈 제조법에 영향을 받아 두부가 발명되었다는 주장이 일본 학계를 중심으로 대두되었다(篠田統,《中国食物史》, 柴田書店, 1974, 110쪽). 그 주장의 문헌적 근거는 북송의 도곡(陶谷, 903~970)이 965년에 쓴《청이록(淸異錄)》이다. 이 책은 현재까지 알려진 가장 오래된 '두부' 관련 문헌이다[石毛直道 編,《論集 東アジアの食事文化》, 平凡社, 1985; 주영하,《차폰 잔 폰 짬뽕: 동아시아 음식 문화의 역사와 현재》, 사계절, 2009, 49~53쪽; 최덕경, 〈대두(大豆)의 기원과 장(醬)·시(豉) 및 두부(豆腐)의 보급에 대한 재검토-중국 고대 문헌과 그 출토 자료를 중심으로〉,《역사민속학》제30호, 2009].

26　이색,《목은시고》제27권, 〈효음(曉吟) 일수(一首)〉, "豆腐油煎切作羹, 更將蔥白助芳馨. 爛炊粳米流脂滑, 淨洗盤盂照眼明."

27　최근 세계 역사학계에서는 원나라의 정체성에 대해 논쟁 중이다. 친중국 학자들은 원나라를 중국의 한 왕조로 보지만, 서양의 역사학자들은 원나라를 몽골제국의 여러 나라 중 '중국지부'로 보고 있다.

"돼지고기를 찍어 먹으니 참으로 맛있었다" 김창업의 감동젓

1　김창업(金昌業),《노가재연행일기(老稼齋燕行日記)》제2권, 1712년 12월 14일, 계해(癸亥), "夕, …… 聞張譯于小凌河買甘多汁一瓶味絶佳, 卽令取至. 其淸如油, 蘸猪肉食之, 最美." 이 글에서《노가재연행일기》의 원문 인용과 번역은 한국고전번역원의 고전번역DB를 참조했다.

2　김창업, 같은 책, 1712년 12월 12일, 신유(辛酉), "有賣紫蝦醢者, 卽我國所謂甘冬也. 醢中所沈瓜絶大."

3　《세종실록》, 〈지리지〉, '남양(南陽)', "魚梁二(主産民魚, 蘇魚. 又産首魚沙魚眞魚加大魚石首魚大蝦中蝦紫蝦黃蛤生蛤土花石花落地.)'; '해주(海州)', "土貢, 獐鹿水魚魚膠紫蝦醢……."

4　김창업,《노가재연행일기》제1권, 〈산천풍속총록(山川風俗總錄)〉, "大小凌河甘冬醢味, 佳而賤."

5 이만영(李晩永), 《재물보(才物譜)》 제4책 '인충보(鱗蟲譜)', '새오〔鰕〕'; ○鹵鰕 권장
이 ○紫蝦(俗). 미국 버클리대학교 동아시아도서관 소장본.

6 영창서관(永昌書館) 편집부 찬, 《조선무쌍신식요리제법(朝鮮無雙新式料理製法)》,
영창서관, 1924, 215쪽.

7 영창서관 편집부 찬, 같은 책, 214쪽.

8 영창서관 편집부 찬, 같은 책, 214쪽.

9 《세종실록》 32권, 세종 8년(1426) 6월 16일 두 번째 기사, "童子瓜交沈紫蝦醢二缸
于迎接都監, 白彦欲進獻也."

10 김창엽, 《노가재연행일기》 제8권, 1713년 2월 29일, "至大淩河, 路上賣甘同者, 比去
時更多. 中國未嘗聞有此物, 而獨此處多而賤如此, 其法必出於我國被虜人所傳也."

11 유중림(柳重臨), 《증보산림경제(增補山林經濟)》 제9권, 〈치선(治膳) 하(下)〉, '자하
(紫蝦)', "只可沈醢. 其法先用生鰒小螺靑苽蘿葍根(四破可也), 多加塩貯之. 待紫蝦時,
取前四味以退去塩(略留鹹氣). 紫蝦亦依常法加塩, 與四味作層隔下瓮中. 訖以油紙堅封
瓮口, 埋地中. 用盆盖定, 又以猛灰緣瓮口邊埋之. 以防虫蟻亦防雨湿. 經久食之尤佳.";
농촌진흥청, 《증보산림경제 II》, 농촌진흥청, 2003, 247~248쪽.

12 이 책은 본래 개인이 소장하고 있었는데, 학자들이 해제를 쓰고 일부 번역하여 세
상에 알려졌다. 당초 책의 표지가 없어 제목도 없었는데, 연구자들이 책에 술·식
초·침저(沈菹, 소금에 절인 채소)와 관련된 내용이 많은 점에 주목해 책 제목을
《주초침저방(酒醋沈菹方)》이라고 지었다(백두현, 《《주초침저방》의 내용 구성과 필
사 연대 연구〉, 《영남학(嶺南學)》 제62호, 2017; 박채린·권용민, 《《주초침저방》에
수록된 조선 전기(前期) 김치 제법 연구-현전 최초 젓갈김치 기록 내용과 가치를
중심으로〉, 《한국식생활문화학회지》 32(5), 2017].

13 《주초침저방》, '감동저(甘動菹)', "어린 외를 따서, 소금물에 하룻밤 재웠다가, 꺼
내서 (물 빼기를 하여) 반쯤 말렸다가, 자하젓으로 버무려 담근다. 어린 외를 끓는
물에 데쳤다가 (물 빼기를 하여) 반쯤 말렸다가 (자하젓으로) 버무려 담가도 좋다
(童子苽摘取, 沈塩水經一宿, 拯出半乾, 紫蝦醢交沈. 兒苽曝湯, 半乾交沈, 亦可)."

14 《세종실록》 31권, 세종 8년(1426) 2월 15일 네 번째 기사.

15 《노가재연행일기》가 책으로 묶이자 당시 많은 지식인이 빌려서 베껴 옮겼고, 18
세기 중반에 한글 번역본까지 나왔다. 20세기 초반에 일부가 영어로도 번역되었
다. 영어 번역본은 캐나다 출신 선교사 제임스 게일(James S. Gale, 1863~1937)이
번역하여 〈Translation of diary of Korean Gentleman's trip from Seoul to Peking
1712-1713 A.D.〉라는 제목으로 《코리아매거진(The Korea Magazine)》의 1918년

7월호부터 1919년 4월호까지 매달 게재되었다(백주희, 〈J. S. Gale의 노가재연행
일기영역본(老稼齋燕行日記英譯本) 일고(一考)〉, 《한국어문학국제학술포럼》 제27
집, 2014).

16 김창업, 《노가재연행일기》 제1권, 〈왕래총록(往來總錄)〉, "自京至義州一千七十里,
自義州至北京一千九百四十九里, 合三千十九里("합하면 3,019리다"는 잘못되었다.
합하면 3,039리다). 在北京出入及在道爲遊覽迂行者, 又六百五十三里."

17 김창업, 《노가재연행일기》 제1권, 1712년 11월 3일, "以短劍胡盧革囊掛鞍. 胡盧盛
酒, 囊貯筆硯療飢之物也."

18 김창업, 《노가재연행일기》 제9권, 1713년 3월 12일, "一胡云, 去年九月生小兒患急
驚風, 目直牙堅, 嚼淸心元灌之, 便甦, 仍得痊可. 抱其兒來示, 稱其神效云."

19 김창업, 《노가재연행일기》 제4권, 1713년 1월 3일, "是日, 出竹筒中炒醬啖之. 來時
譯輩言炒醬味易濕, 不可食. 而余用大竹筒一節, 中截爲二, 各裝入炒醬後, 皆閉口還合如
故, 用紙塗外面, 令風不入. 及出, 味不少變."

20 작자 미상, 《주식시의(酒食是儀)》, '장 복는 법', "맛 됴흔 고초장을 고기 두다려 거
른 거시 장과 고기 슷치 갓게 ᄒᆞ고 고기을 누구 바다의 몬져 편 후 장흘 우흐로 노
흐되 젼장만 복그면 맛시 과희 ᄶᆞ 이 물을 타 붓고 꿀은 식셩ᄃᆡ로 치고 쳥빅과 싱
강을 두다려 작게 너코 기름은 만히 복는 그릇 가의 고이게 쳐 숫불의 만화로 복
그되 ᄌᆞ로 져어 눗지 안이케 ᄒᆞ야 만흐로 쓸허 스스로 ᄌᆞ즐만 ᄒᆞ거든 고은 실씌을
져거 너허 셧거 복가 쓰라."

21 김창업, 같은 책, 1713년 1월 7일, "是日, 爲酒酵置所居炕. 此來時膽取百花酒方, 故依
此釀之. 而人皆謂不可成, 以水味惡故也. 瓮制亦異, 下殺上闊, 厚寸許, 其大可容數十斗.
而酒酵只一斗, 求相稱之器, 終不得入來."

22 김창업, 같은 글, "此來時膽取百花酒方."

23 현재 알려진 《주식방문》은 두 가지 종류다. 하나는 2003년 한국학중앙연구원 장
서각에서 김창업 후손 집의 고문헌을 조사하면서 수집해 현재 수장고에 보관하고
있는 《쥬식방문》(한국학중앙연구원장서각고문서연구실, 《안동 김씨·의령 남씨·
진주 유씨·여주 이씨(安東 金氏·宜寧 南氏·晉州 柳氏·驪州 李氏) 전적(典籍)》, 한
국학중앙연구원, 2005, 48쪽)이며, 다른 하나는 국립중앙도서관에 소장된 '안동김
씨 노가재공댁'과 '유와공 종가 유품'이라는 묵서가 적힌 것이다. 후자는 '정미년
이월달에 베김'이란 글이 있는데, 학자들은 글씨체로 미루어 1907년에 필사한 책
으로 추정한다. 한국학중앙연구원 장서각 소장본은 국립중앙도서관 소장본에 비
해 내용이 거의 두 배에 달한다. 국립중앙도서관 소장본의 전체 내용 중 약 85퍼

센트 정도는 장서각 소장본과 동일하다〔차경희, 〈노가재공댁《Jusikbangmun(주식
방문)》과 이본(異異)의 내용 비교 분석〉,《한국식생활문화학회지》31(4), 2016〕.

24 장서각 소장본에는 '백화춘 술방문'이 나오지 않는다. 국립중앙도서관 소장본,《쥬
    식방문》, '백화춘 술방문', "빅미 흔 말 미호 씨셔 흐로밤 담가다가 이튼날 작말흐
    야 노코 끄린 물 세 병을 풀러 덩이 읍시 쥬물너 익게 쑤어 치우고 가로누룩 흔 되
    진말 한 되 조흔 슐 한 보의 너허 두어다가 삼 일 만의 빅미 두 말 졍히 씨셔 미호
    쎠 치우고 밋슐의 버무려 너흐되 가로누룩 닷 홉 너코 물 여섯 병을 너허고 밉게
    흐랴면 한 병을 둘 늣난니라 익은 후의난 날물은 붓지 말나."

25 김창업,《노가재연행일기》제5권, 1713년 2월 8일, "所釀酒, 以甕厚, 至三十二日猶
    不熟. 數日前, 入薊州酒二盞. 是日始有酷意, 卽加麴餠."

26 김창업,《노가재연행일기》제6권, 1713년 2월 14일, "是日, 夕出酒嘗之, 極佳. 以張
    遠翼嗜酒, 送不漉酒一鉢. 李惟亮朴再蕃, 亦各送器皆送之."

27 김창업, 같은 책, 1713년 2월 15일, "出甕酒分送行中, 下逮驛卒, 無不稱美."

28 김창업, 같은 책, 1713년 2월 16일, "在北京發行時, 以所釀酒和糟, 貯賜壺掛鞍. 到此
    喫之, 其味好. 亦進伯氏."

29 김창업,《노가재연행일기》제2권, 1712년 12월 12일, "聞市麵美, 使廚房買來. 細而
    紉此處麵, 皆小麥粉, 而其味殊勝於蕎麥."

30 김창업,《노가재연행일기》제3권, 1712년 12월 21일, "主人出茶果一卓, 柑橘橙丁閩
    薑榛子西瓜仁山查正果猪肉鷄卵凡十餘碟, 極其精美. 又出酒一壺, 其淸如水, 而色微碧.
    香烈味淡, 余連飮四盃, 亦不甚醉. 然杯亦小, 一盃僅當我國半杯也."

31 김창업,《노가재연행일기》제4권, 1713년 1월 1일, "三使臣列坐於西庭, 余就坐伯氏
    後. …… 使譯官進淸茶於三使臣. 繼送駝酪茶一大壺. 使臣不肯進."

32 김창업, 같은 글, "余曾知其味佳, 連啜 二鍾."

"관서의 국수가 가장 훌륭하다" 홍석모의 냉면

1   홍석모(洪錫謨),《동국세시기(東國歲時記)》, 11월 월내(月內), "用蕎麥麵沈菁葅菘
    葅和猪肉, 名曰冷麵. 又和雜菜梨栗牛猪切肉油醬於麵, 名曰骨(滑)董麵." 이 글에서 출
    처를 따로 밝히지 않은 직접 인용문은 국립민속박물관 편,《조선대세시기Ⅲ: 경
    도잡지·열양세시기·동국세시기》, 국립민속박물관, 2007; 홍석모 지음, 장유승 역
    해,《동국세시기 동아시아 문화의 보편성으로 조선의 풍속을 다시 보다》, 아카넷,

2016의 원문과 번역문을 참조했다.

2 작자 미상, 《주식시의》, '닝면', "동치머리 국슈을 말면 그 국의 말고 그 우의 무슈 유을 가지 졈이여 언고 져늙 달걀 붓쳐 치고 호초가로 실을 언져 쓰면 명왈면이라."

3 작자 미상, 《규곤요람(閨壼要覽)》(고려대학교 소장본), '닝면법', "승건 무김치국의 다굿 화청 히셔 국슈을 말고 져육을 즐 살마 썰어노코 비와 밤과 복셩을 얄게 졈 어 너코 온잣 쓰리는이라."

4 서유구(徐有榘), 《임원경제지(林園經濟志)》, 〈정조지(鼎俎志)〉, '菘菹法', "菘纔經 初霜即收, 依常法作淡菹, 貯瓮封蓋埋地中, 勿令泄氣, 至春發之, 則其色如新, 味亦淸 爽.《增補山林經濟》"

5 작자 미상, 《시의전서·음식방문(是議全書·飮食方文)》, '부븸국슈', "황육 다져 지셔 복고 슉쥬 미나리 살마 묵 무쳐 양념 갓초 너허 국슈을 부븨여 그릇식 담고 우희 난 고기 복근 것과 고쵸가로 씌소곰 쑤려 쓰되 승에 중국 노으라."

6 작자 미상, 《주식방문》, '국슈부비음', "져육과 양지머리와 고기랄 가나리 쓸허 양 염ᄒ여 잠간 복고 미ᄂ리도 너허 한가지 뭇치고 국슈와 갓치 부비고 셕이와 계란 붓친 것과 표고로 고명ᄒ면 조흐니라."

7 홍경모(洪敬謨), 《관암전서(冠巖全書)》 책1, 〈의초(擬招) 병서(并序) 무오(戊午)〉, "骨董(仇池筆記曰羅浮穎老取飮食雜烹之, 名曰骨董羹. 東俗以麫和五味梨榴雞豬等屬, 爲骨董麫, 名於西州)."

8 홍석모, 같은 글, "關西之麵最良."

9 유득공(柳得恭), 《영재집(泠齋集)》 권1, 〈서경잡절(西京雜絶) 15수(十五首)〉, "小兒 持拂正驅蠅, 冷麫蒸豚價始騰, 四月初旬燈市罷, 輕明鷗卵食單增."

10 이면백(李勉伯), 《대연유고(岱淵遺藁)》 권1, 〈기성잡시(箕城雜詩)〉, "冷麫氷人紅露 熱." 이면백은 평안도 태천현(泰川縣, 지금의 평안북도 태천군)의 현감으로 있던 아들 이시원(李是遠, 1790~1866)을 만나러 갔다가 평양에 들른 듯하다. 그때의 소감을 읊조린 〈기성잡시〉에 "냉면은 사람을 얼게 하고, 홍로주는 뜨겁게 하네"라 는 시구가 나온다.

11 정약용(丁若鏞), 《다산시문집(茶山詩文集)》 제3권, 〈戱贈瑞興都護林君性運(時與逢 安守同至, 州考省試回)〉, "西關十月雪盈尺, 複帳軟氍留欸客, 笠樣溫銚鹿臠紅, 拉條冷 麫菘菹碧."

12 이응희(李應禧), 《옥담시집(玉潭詩集)》, 〈만물편(萬物篇)·곡물류(穀物類)〉, '목맥 (木麥)', "七月初耕種, 能專殿後權, 玉花含露發, 玄實冒霜堅, 作麵春宜白, 烹饅擣可千, 衣皮何所用, 藏蓄備荒年."

13 《철종실록》7권, 철종 6년(1855) 3월 5일 네 번째 기사.

14 홍석모,《유연고(游燕藁)》상(上),〈부벽루(浮碧樓)〉,"得月樓在浮碧樓傍永明寺, 王考
重修記文, 余年十二書揭."

15 이교영(李教英),〈동국세시기 서(序)〉,"是不但爲描寫一國之俗尙, 並與中華之舊而觸
類長之, 儼然爲一統文字."

16 이교영, 같은 글,"富哉言乎. 其足徵於來後也必矣."

17 홍석모,《동국세시기》, 3월 월내,"南山下善釀酒, 北部多佳餠, 都俗, 稱南酒北餠."

18 홍석모, 같은 책, 10월 월내,"都俗, 以蔓菁菘蒜椒塩, 沈葅于陶甕. 夏醬冬葅, 卽人家一
年之大計也."

19 홍석모, 같은 책, 3월 한식,"都俗上墓澆奠用. 正朝寒食端午秋夕四名節, 以酒果脯醢餠
麵臛炙之羞祭之, 曰節祀. 有從先稱家之異, 而寒食秋夕最盛. 四郊士女綿絡不絶."

20 홍석모, 같은 책, 9월 중양절,"都俗登南北山飮食, 以爲樂盖襲登高之古俗也. 靑楓溪後
凋堂南北漢道峯水落山有賞楓之勝."

21 고동환,〈조선 후기 서울의 인구 추세와 도시 문제 발생〉,《역사와 현실》제28권,
1998, 190~193쪽.

22 홍석모, 같은 책, 2월 삭일(朔日),"賣餠家, 用赤豆黑豆靑豆爲餡, 或和蜜包之, 或以蒸
棗, 熟芹爲餡, 自是月以爲時食."

23 홍석모, 같은 책, 4월 월내,"賣餠家用糯米粉, 打成一片, 累累起酵如鈴形, 以酒蒸溲豆
餡和蜜, 入於鈴內, 粘棗肉於鈴上名蒸餠."

24 홍석모, 같은 책, 5월 단오,"端午俗名戌衣日. 戌衣者東語車也. 是日採艾葉, 爛搗入粳
米粉, 發綠色, 打而作餻. 象車輪形食之, 故謂之戌衣日. 賣餠家以時食賣之."

25 홍석모, 같은 책, 8월 월내,"賣餠家造早稻松餠菁根南苽甑餠. 又蒸糯米粉, 打爲餻, 以
熟黑豆黃豆芝麻粉粘之, 名曰引餠, 以賣之. …… 蒸糯米粉, 成圓餠如卵, 用熟栗肉和蜜
附之, 名曰栗團子. …… 又有土蓮團子, 如栗團子之法, 皆秋節時食也."

26 홍석모, 같은 책, 10월 월내,"用糯米粉酒拌, 切片有大小, 曬乾煮油, 起酵如繭形中虛,
以炒白麻子黑麻子黃豆靑豆粉, 用飴粘之, 名曰乾飣. …… 自是月爲時食, 市上多賣之.
又有五色乾飣, 又以海松子粘附松子屑塗粘, 曰松子乾飣. 炒糯稻起作花樣飴粘, 曰梅花
乾飣. 有紅白兩色, 至于正朝春節人家祭品, 參用果列, 亦以歲饌供客, 而爲不可廢之需."

27 홍석모, 같은 책, 3월 월내,"賣餠家造粳米白小餠如鈴形, 入豆餡捻頭, 粘五色於鈴上,
連五枚如聯珠, 或造靑白半圓餠, 小者連五枚, 大者連二三枚. 摠名曰馓餠. 又造五色圓
餠, 松皮靑蒿圓餠, 名曰環餠. 大者稱馬蹄餠. 又以糯米和棗肉, 造甑餠."

28 작자 미상,《시의전서·음식방문》, '순병',"각식으로 ᄒ나식 쪄셔 등으로 휘여 두

곳 마쵸 붓치면 일홈이 슌병이니라."

29 이교영, 같은 글, "近自京都, 遠曁窮陬, 苟有尋常一事之稱於當節者, 雖涉鄙俚, 無遺悉
    錄."

2부 선비의 음식 탐구: 식욕은 하늘에서 부여한 천성

"맛이 매우 좋아서 두텁떡이나 곶감찰떡마저도 크게 미치지 못하는구나" 허균의 석이병

1 허균, 《성소부부고》 제26권, 설부(說部) 5, 〈도문대작〉, "石茸餠. 余游楓岳, 宿表訓
   寺. 主僧設蒲供有餠一器. 乃細舂瞿麥, 以篩篩之百帀, 然後調蜜水幷雜石茸, 蒸之於鑪
   甑." 이 글에서 《성소부부고》의 원문 인용과 번역은 한국고전번역원의 고전번역
   DB를 참조했다.

2 허균, 《성소부부고》 제21권, 문부(文部) 18·척독하(尺牘下), 〈여허형자하(與許兄子
   賀) 계묘(癸卯)〉, "當路阨弟黜之."

3 허균, 《성소부부고》 제9권, 문부 6·서(書), 〈여석주서(與石洲書)〉, "夕休於表訓寺.
   主僧曇裕設蒲供以待."

4 유중림, 《증보산림경제》 제8권, 〈치선〉, '풍악석이병(楓嶽石耳餠)', "此卽石竹花子非
   也. 似是耳麥之誤也."; 농촌진흥청, 《증보산림경제 II》, 농촌진흥청, 2003, 161쪽.

5 권두인(權斗寅), 《하당선생문집(荷塘先生文集)》 제3권, 〈잡저(雜著)〉, '석이설(石茸
   說)', "菜之美者也. 茸之生必在深山窮峽懸崖絶壁無靑綠着足. …… 則墜落萬仞深壑, 身
   骨糜碎, 往往而死者, 相踵也. …… 則凡賦役之毒于民, 不直此也."

6 김시습(金時習), 《매월당시집(梅月堂詩集)》 제6권, 〈균심(菌蕈)〉, '석이(石耳)',
   "……悅口芻豢那擅美, 喫餘不覺肝膽凉."

7 허균, 《성소부부고》 제26권, 설부 5, 〈도문대작〉, "其味甚佳, 雖瓊糕糯柿餠, 遠不逮
   焉."

8 허균, 같은 글, "都下時食. …… 秋有瓊糕, …… 柿栗糯餠."

9 허균, 《성소부부고》 제25권, 〈도문대작인〉, "糠粃不給, 釘案者唯腐鰻腥鱗馬齒莧野
   芹. 而日兼食, 終夕枵腹."; 정길수 편역, 《나는 나의 법을 따르겠다-허균선집》, 돌베
   개, 2012, 182쪽.

10 허균, 같은 글, "遂列類而錄之, 時看之, 以當一臠焉."; 정길수 편역, 같은 책, 182쪽.

11 허균, 《성소부부고》 제26권, 설부 5, 〈도문대작〉, "栗, 尙州有小栗, 皮自脫, 俗曰皮的 栗也. 其次密陽大栗, 味最甘. 而智異山, 亦有大栗如拳云."

12 허균, 같은 글, "金橘, 産濟州, 味酸. 甘橘, 産濟州, 比金橘而稍大, 味甘. 靑橘, 産濟州, 皮靑而味甘. 柚柑, 産濟州, 比柑而小, 味極甘."

13 허균, 같은 글, "熊掌, 山郡皆有之, 烹飪不適, 則失其眞. 味唯淮陽最善之, 義州熙川又次 之."

14 허균, 같은 글, "凡地産猪麞雉鷄等物, 邑邑有之者, 不必煩載."

15 허균, 같은 글, "靑魚, 有四種. 北道産者大而內白, 慶尙道産者皮黑內紅, 湖南則稍小, 而 海州所捉二月方至, 味極好. 在昔極賤, 前朝末, 米一升只給四十尾, 牧老作詩悼之, 謂世 亂國荒, 百物凋耗, 故靑魚亦希也. 明廟以上, 亦斗五十, 而今則絶無可怪也." 고려 말, 조 선 초에 살았던 이색은 청어의 가격에 대해 쌀 한 말에 20여 마리라고 했다(이색, 《목은시고》 제14권 '부청어(賦靑魚)', "斗米靑魚二十餘").

16 김문기, 〈소빙기의 성찬(盛饌): 근세 동아시아의 청어 어업〉, 《역사와 경계》 96호, 2015.

17 허균, 같은 글, "蕨薇葵藿薤芹菘朮松蕈眞菌, 處處皆佳, 故不別書云."

18 허균, 같은 글, "酒, 開城府太常酒最好. 而煮酒尤佳, 其次朔州亦好." 개성에서 잘 빚는 다는 '태상주'가 어떤 술인지는 아직 확인이 안 된다. '자주'는 청주나 소주에 여러 가지 약재와 꿀을 넣고 달여서 만든 술이다.

19 《선조수정실록(宣祖修正實錄)》 선조 8년(1575) 7월 1일 열 번째 기사.

20 이성임, 〈조선 중기 양반관료의 '청념(淸念)'에 대하여〉, 《조선시대사학보》 29, 2004, 48~52쪽.

21 허균, 《성소부부고》 제25권, 〈도문대작인〉, "余家雖寒素, 而先大夫存時, 四方異味禮 餽者多, 故幼日備食珍羞."; 정길수 편역, 같은 책, 181쪽.

22 허균, 같은 글, "及長, 贅豪家, 又窮陸海之味."; 정길수 편역, 같은 책, 181쪽.

23 허균, 같은 글, "殊方奇錯, 因得歷嘗."; 정길수 편역, 같은 책, 181쪽.

24 허균, 《성소부부고》 제26권, 설부 5, 〈도문대작〉, "餘項魚. 山郡皆有之. 而江陵最大且 好."

25 허균, 같은 글, "江陵府鏡浦通海波, 故味最佳, 無土氣."

26 허균, 같은 글, "天賜梨, 成化年間, 江陵居進士金瑛家忽生一梨, 及結實大如碗."

27 석이병과 마찬가지로 허균의 방풍죽 요리법도 《산림경제》에 그대로 옮겨졌다(홍 만선, 《산림경제》, 〈치선〉, '방풍죽(防風粥)', "乘露曉摘防風初芽, 令不見日. 精春稻米 煮爲粥, 半熟投之候其沸. 移盛于冷瓷碗, 半溫而食之. 甘香滿口, 三日不衰. 許集."). 인

용 출처도 《허집》으로 석이병과 똑같다. 다만 허균이 강릉을 언급한 내용과 '상품 제호(上品醍醐)'라는 말만 뺐다. 금강산 표훈사의 석이병과 마찬가지로 방풍죽은 《증보산림경제》, 《고사신서》, 《해동농서》, 《임원경제지》에도 인용되어 있다.

28 허균, 같은 글, "余後在遼山, 試作之."

29 허균, 같은 글, "不及江弼遠甚."

30 허균, 같은 글, "大饅頭, 義州人能造如中國人, 而他皆不好."; "鵝, 義州人善炰之, 恰似天朝之味."; "黃花菜, 卽萱草也. 義州人學於上國 善爲之, 味極好."

31 허균, 《성소부부고》 제7권, 〈산월헌기(山月軒記)〉, "不佞少日以轉運判官, 督漕於湖南, 海上往來者慣矣. 深喜扶寧之蓬山, 欲結廬於其麓以棲遲焉."

32 허균, 《성소부부고》 제18권, 문부십오(文部十五), 〈기행(紀行) 상(上)〉, '조관기행(漕官紀行)', "倡桂生. ...... 貌雖不揚, 有才情可與語, 終日觸詠相倡和."

33 허균, 《성소부부고》 제2권, 시부(詩部) 2, 〈병한잡술(病閑雜述)〉, '애계낭(哀桂娘)', "桂生扶安娼也. 工詩解文, 又善謳彈. ...... 余愛其才, 交莫逆."

34 허균, 《성소부부고》 제26권, 설부 5, 〈도문대작〉, "鹿尾, 扶安人陰乾者最好."; "烏賊魚, 西海或有之, 而産興德扶安者最佳."; "桃蝦, 産于扶安沃溝等邑. 色如桃花, 而味絶好."

35 허균, 같은 글, "僧桃, 全州一境皆僧桃, 大而味甘."; "甘榴, 産靈巖咸平者最佳."; "蘿葍, 産于羅州者極好, 味如梨而多津."; "甘苔, 産湖南而咸平務安羅州所生極佳, 味甘如飴."; "竹筍醢, 湖南蘆嶺以下善沈之, 味絶佳."; "蕈, 産湖南者最好."; "茶, 雀舌産于順天者最佳, 邊山次之."

36 허균, 《성소부부고》 제25권, 〈도문대작인〉, "因得歷嘗, 而釋褐後南北官轍, 益以飫其口. 故我國所産, 無不嗜其炙而嚼其英焉."; 정길수 편역, 같은 책, 181쪽.

"어해 중에서 으뜸이다" 김려의 감성돔식해

1   김려(金鑢), 《담정유고(潭庭遺藁)》 제8권, 《우해이어보(牛海異魚譜)》, 감송(鰔鯸), "刮鱗揃鬐, 去頭截尾. 瀉下腸腜瀞洗, 剖兩片, 凡鰔鯸二百片. 炊秔米白鑿一升, 候冷入塩二勺, 法麴麥芽細研各一勺拌均. 用小缸內, 先舖飯, 次舖魚片, 層層塡滿. 以竹葉厚盖堅封, 放淨處. 待極熟出食甘美, 爲魚醢第一." 이 글에서 《담정유고》의 번역문은 김려 지음, 박준원 옮김, 《우해이어보: 한국 최초의 어보》, 다운샘, 2004; 최헌섭·박태성, 《최초의 물고기 이야기: 신우해이어보》, 경상대학교출판부, 2017을 참조했다.

2   당시 지명에 근거하여 '진해'라고 적어야 하지만 지금의 진해와 혼동할 수 있기

때문에 이하의 글에서는 '우해'라고 한다.

3 https://blog.naver.com/telopere/120162761351(2019년 6월 3일 검색)

4 김려, 같은 글, "似金鯽而小."

5 김려, 같은 글, "秋後土人捕鮒鮅."

6 김려, 같은 글, "余牛山雜曲曰, 青楓葉赤露華濃, 高纛巖頭水正春, 斜日照波魚善食, 彩竿飛上稧鮒鮅."

7 전순의(全循義), 《산가요록(山家要錄)》, '어해(魚醢)', "凢魚大則作片, 多着塩, 熱時, 則經宿出之, 洗去塩. 板上間草排置, 又以板盖之, 上鎮大石去水. 白米作飯, 令熟滑, 待冷和塩, 醎淡適中. 瓮內先布飯, 置魚相間, 以手堅壓. 令瓮内未滿一斗許. 以乹櫟葉或竹皮, 上布十餘件, 以厚油紙布之, 上以拳石鎮之. 其上, 塩水沸湯, 待冷滿注, 置陰處. 用時, 勿使水入醢. 先去水, 盡出後, 出用. 若欲速用, 則飯米二升, 真末一合, 和用為可. 終始勿干生水氣."

8 가자미식해를 대상으로 한 실험에서 생선 살을 15퍼센트 정도의 염도에 절였을 때 유리아미노산이 가장 많이 검출되어 맛이 좋았다는 보고가 있다(정해숙·이수학·우강융, 〈함경도 지방의 전통 가자미식해의 소금 첨가 수준에 따른 숙성 중 맛 성분의 변화에 관한 연구〉, 《한국식품과학회지》 제24권 제1호, 1992, 3쪽).

9 전순의 찬, 한복려 엮음, 《다시 보고 배우는 산가요록》, 궁중음식연구원, 2007, 162~163쪽 참조.

10 전순의 찬, 한복려 엮음, 같은 책, 163쪽 참조.

11 김려, 《담정유고》 제8권, 《우해이어보》, 보라어(甫鱺魚), "每歲, 巨濟府人, 捕甫鱺爲鮓, 船運數百甕, 來海口販賣, 易生麻而去."

12 김려, 같은 글, "鎭海獻人, 往往網得, 然不甚多. …… 盖巨濟多產此魚."

13 농촌진흥청 편, 《전통지식 모음집: 생활문화 편》, 농촌진흥청, 1997, 426쪽.

14 김려, 같은 글, "鮓味微醎而甘如米餳."

15 김려, 《담정유고》 제8권, 《우해이어보》, 회회(鮰鮰), "鮰鮰形似蚘蟲色白. 兩端皆行無頭. 眼如蚯蟥細長."

16 2011년 6월 경상남도 수산자원연구소에서는 '회회'를 붕장어의 새끼라고 발표했다(https://blog.naver.com/telopere/120163086173). 충청남도 서해안에서 많이 나는 '실치'가 '회회'라는 주장도 있다.

17 김려, 같은 글, "島人以爲鮓葅甘美."

18 김려, 《담정유고》 제8권, 《우해이어보》, 삼치(鰺鮭), "爲鮓甚美."

19 김려, 《담정유고》 제8권, 《우해이어보》, 매갈(鮇鰨), "味澹甘, 最宜爲鮓."

20 김려, 같은 글, "每歲, 固城漁村女子, 乘小船, 載鮇鰨鮓來, 賣城市間."

21 김려, 같은 글, "余牛山雜曲曰, 固城漁婦慣撑船, 椺柁開頭燕子翩, 梅渴酸葅三十甑, 親當呼價二千錢."

22 강명관, 〈담정 김려 연구(1): 생애와 문체 문제를 중심으로〉, 《사대 논문집》 제9집, 1984, 331쪽.

23 김려, 《담정유고》 제12권, 《보유집(補遺集)》, 〈답이익지서(答李益之書)〉, "洎于王考, 甫及髫齔. 又遭外氏辛壬之變, 禍延三族, 靡有孑遺. …… 流落鄉土."

24 김기수(金綺秀), 〈담정유고발(藫庭遺藁跋)〉, "十五游杏庭, 長年老宿, 皆折輩行友之, 名聲藉藉衿紳間."

25 《숭정삼임자식년사마방목(崇禎三壬子式年司馬榜目)》, 〈생원시(生員試)〉, "2등(二等) 25인(二十五人)."

26 강경훈, 〈중암(重菴) 강이천(姜彝天) 문학 연구: 18세기 근기(近畿) 남인(南人), 소북문단(小北文壇) 전개와 관련하여〉, 동국대학교 대학원 박사학위청구논문, 2001, 42~44쪽.

27 《정조실록》 정조 21년(1797) 11월 11일 세 번째 기사.

28 《정조실록》 정조 21년(1797) 11월 12일 두 번째 기사.

29 《순조실록》 순조 1년(1801) 4월 20일 네 번째 기사.

30 김려, 《담정유고》 제6권, 《사유악부(思牖樂府) 하(下)》, 〈문여하소사(問汝何所思)〉, "(주석) 鎭海僦居主人塩戶李日大, 家前有小塘, 每夏蓮花盛開(진해의 셋집 주인은 소금 굽는 사람 이일대로, 그 집 앞에 작은 연못이 있는데, 해마다 여름이면 연꽃이 만발했다)."

31 김려, 《담정유고》 제8권 《우해이어보》, 서문(序文), "僦居主人家, 有小漁艇. 童子年纔十一二, 頗識幾字. 每朝荷短笭箵, 持一釣竿, 令童子奉烟茶爐具, 掉艇而出."

32 김려, 같은 글, "夫魚之詭奇靈恠可驚可愕者, 不可彈數. 始知海之所包, 廣於陸之所包, 而海蟲之多, 過於陸蟲也."

33 김려, 같은 글, "遂於暇日, 漫筆布寫. 其形色性味之可記者, 並加採錄."

34 김려, 같은 글, "癸亥季秋小晦, 寒皐櫐子書于僦舍之雨篠軒."

35 김려, 같은 글, "若夫鯪鯉鰽鯊魴鱮鮦鰂人所共知者, 與海馬海牛海狗猪羊之與魚族不干者, 及其細瑣鄙猥不可名狀, 且雖有方名而無意義可解, 侏𠎝難曉者, 皆闕而不書."

36 박준원, 〈《우해이어보》 소재 〈우산잡곡(牛山雜曲)〉 연구〉, 《동양한문학연구》 제16집, 2002; 한정호, 〈김려의 〈우산잡곡〉 연구〉, 《영주어문》 제35집, 2017.

37 김려의 한시 원문에는 기생이 내온 음식의 이름을 '거오해(巨鰲膎)'라고 적고 있

다. 《강희자전(康熙字典)》에 따르면, 오(螯)는 게의 큰 다리, 해(胲)는 말린 고기[乾肉]를 가리킨다고 했다. 따라서 '거오해'는 대게의 다리 살로 만든 포다.

38 김려, 《담정유고》 제8권 《우해이어보》, 자하(紫蝦), "鎭南門外兩丫街, 街口茅簷揷酒牌, 新髻紅娥纖手白, 槃盤托出巨螯胲."

39 김려, 《담정유고》 제8권 《우해이어보》, 부(附) 해(蟹) 자해(紫蟹), "有一種名紫蟹, 渾身紫赤色, 大如甕. 腹中無膓胗, 都是魚蝦螺蛳及沙石. 匡可容七八卧, 其股及螯肉肥甘."

40 허균, 《성소부부고》 제26권, 설부 5, 〈도문대작〉, "蟹. 産三陟者大如小狗, 其足如大竹. 味甘, 脯而食之亦好."

41 김려, 《담정유고》 제8권 《우해이어보》, 부 해 자해, "土人以爲脯, 色鮮紅可愛, 味甘輭, 眞珍品也."

42 작자 미상, 《윤씨음식법》, '히포(게포육)', "히포는 셔울셔 민들거시 모되여 히변읍의셔 ᄒᄂᆞ니 ᄒᆞ편은 쥬홍 ᄀᆞᆺ고 ᄒᆞ편은 빅셜 ᄀᆞᆺ흐니 두드려 반듯ᄒᆞ게 버혀 너흐되 션이 브프ᄂᆞᆫ 일 업ᄉᆞ 부서지기 쉬오니 츄긔야 두드리거라 만일 제 곳의셔 만나면 반건이 됴코 싱거슬 지져 국을 ᄒᆞ나 찜을 ᄒᆞ나 거믄 쟝의 구으나 마시 극히 아름다븐 빗치 쥬황쇠 ᄀᆞᆺ흐여 황홀ᄒᆞ니라."

43 김려, 《담정유고》 제12권, 《보유집》, 〈답김계량서(答金季良書)〉, "僕初到嶺徼, 僦栗峴村民田塩家舍. 薄處海口, 地性卑溼, 泉脈滑濁, 未及半載, 得癱瘓重腿之症, 昕夕叫嚷. 素患嘔血, 日益橫決, 每喉嚨間, 腥臭衝突, 如飛鳥翺翔, 汩㳿有聲, 輒咯睡鮮血若肝肺者十數片. 以玆未能久居, 移入城中. 雖瘴毒稍歇, 近市湫隘紛囂."

44 김려, 《담정유고》 제8권, 《우해이어보》, 문절어(文鰤魚), "余自遭患以來, 長歲無睡, 遂成燥疾."

45 김려, 같은 글, "土人言多食文鰤則善睡."

46 김려, 같은 글, "狀似鱲魚而稍小. 兩腮有肉, 蠆如犬乳. 形體表裏通明澄徹, 如灰色曼胡. 吻傍及顋, 微紅而黃. 背有黑點如噀墨, 而甚細如撒芥."

47 김려, 같은 글, "在海邊水淺沙肥處. 夜必成隊纍纍如貫珠然. 頭向水外, 身向水內而睡. 性甚愛睡, 睡熟則人以手摸之而不知."

48 김려, 같은 글, "故土人編竹爲大桶. 桶上尖下濶, 無蓋底, 中半爲長柄. 夜深則持松明火, 尋沙際魚所往來聚會之地, 以桶揜覆之. 桶半入水中, 半出沙上. 則魚盡在桶內, 從桶上孔, 以手探而獲之."

49 김려, 같은 글, "囑儆舍主人, 日買文鰤, 或糁食或蟲食, 頗有效. 盖此魚性凉, 能伏心火, 且能肺也."

50 김려,《담정유고》제12권,《보유집》,〈답김계량서〉, "聞縣北十里餘, 有義林僧寺. 洞壑幽邃, 南庵井水甘洌. …… 遂借住宗上人版頭方丈. 燒筍煮蕨, 喫澹度日, 身計益穩, 病勢益損."

51 《순조실록》순조 6년(1806) 8월 21일 첫 번째 기사.

52 김려,《담정유고》제8권,《우해이어보》, 제우해이어보권후(題牛海異魚譜卷後), "其在富寧者, 爲金吾隷所掠去無遺, 其在鎭海者, 因懶惰不能收拾. 豚犬輩皆不慧闕失, 過十之八九."

53 김려, 같은 글, "近於僚中得此譜, 使侄子鶴淵謄寫淨紙爲一卷."

54 《우해이어보》가 실린《담정유고》중 지금까지 전하는《담정유고》목활자본은 1882년(고종 19) 김려의 손자인 고령 현감(高靈 縣監) 김겸수(金謙秀)가 필사본 초고에서 김려의 글만 뽑아 간행한 것이다.

"가슴이 시원스럽게 뚫리는 듯했다" 이옥의 겨자장

1 이옥,《백운필》, "壬子炏, 對策熙政堂前庭, 自內賜儒生盛饌, 饌品中, 有黃芥汁一大椀, 盖爲熟肉而設, 而諸生皆攫肉徒嚼之, 不知有芥醬. 余獨取而吸(汲)半椀, 味亦甚佳, 胸膈爲洞." 이 글에서《백운필》의 번역문은 이옥 지음, 실시학사고전문학연구회 옮김,《완역 이옥전집》1~5, 휴머니스트, 2009를 참조했다.

2 《승정원일기》정조 16년(1792) 7월 20일자 기사, "壬子七月二十日卯時, 上御熙政堂. 秋到記儒生更試入侍時, …… 以次進伏訖."

3 《원행을묘정리의궤(園幸乙卯整理儀軌)》권지4(卷之四),〈찬품(饌品)〉, "始興站初九日 …… 晝茶小盤果初九日 …… 慈宮進御一牀十七器磁器黑漆足盤以下盤果盤及器皿同."

4 같은 글, "始興站初九日 …… 晝茶小盤果初九日 …… 醋醬芥子各一器艮醬醋各二合芥子一合實柏子淸鹽各一夕."

5 《시의전서·음식방문》, '계ᄌᆞ 민ᄃᆞ난 법', "…… 계ᄌᆞ 물에 담가 (결락) 를 업어노코 걸으되 체 밋히 그릇 밧치고 슈져로 문질너 걸너서 쇼곰 혼 ᄌᆞ반 너코 초와 쑬를 너허 슈져로 져허 맛보아 단맛 잇계 ᄒᆞ야 종지에 써노아 쓰라."

6 《원행을묘정리의궤》권지4,〈찬품〉, "鷺梁站乙卯閏二月初九日 …… 早茶小盤果初九日 …… 醋醬一器艮醬二合醋一合實柏子一夕."

7 유중림,《증보산림경제》제6권,〈치포(治圃)〉, '개(芥)', "芥子以黃大者爲佳."

8 《원행을묘정리의궤》권지4,〈찬품〉, "鷺梁站乙卯閏二月初九日 …… 片肉一器, ……

陽支頭一部半猪胞五部, 軟鷄蒸一器, 軟鷄二十五首黃肉二斤 …… 生鰒膾一器,…… 生
鰒一百箇."

9 　이옥, 같은 책, "余性嗜辛辣, 故於芥薑之屬, 食或過人."

10 　이옥, 같은 책, "乙卯十月, 過全州東城店, 地卽良井浦, 國薑之所出也. 見家家圃薑圃甚
廣, 提斗荷簣者, 言語皆薑也. 出三文錢, 使貨之, 可京師十五倍, 意主人厚之, 謝其太多,
主人曰今玆薑不熟, 比前半之, 直則然矣."

11 　이옥, 같은 책, "余爲剝而噉之, 所食幾三之一, 主人爲余甚嗜薑, 及飯饋薑葅一器, 根似
栗瓣, 笋如竹葉, 鹹能奪辛, 味不如生, 恰有童便意, 不可食也."

12 　이옥, 같은 책, "菜之甚賤且廣而古無今有者, 有二焉."

13 　이옥, 같은 책, "艸椒, 一名蠻椒, 俗稱苦椒. 倭瓜, 一名南瓜, 俗稱好朴. 二者, 盖近世之
自外國傳者也. 古本艸及諸書, 無稱焉."

14 　이옥, 같은 책, "憶在京師時, 每入酒肆, 連倒數觥, 手摘皮上紅椒, 裂而去子, 蘸醬而嚼
之, 則當壚者, 必瑟縮而畏之. 及居海上, 細末作鹽汁食鱠, 亦勝於黃芥汁矣."

15 　이옥, 같은 책, "余家, 有小圃, …… 有隙, 種蠻椒."

16 　이옥, 같은 책, "或言多食蠻椒, 則動風且妨目."

17 　이옥, 같은 책, "以余所聞, 鐵原有八十老婦人, 性嗜蠻椒, 餠飯之外, 皆色紅而後始嘗, 計
一年所食, 可百餘斗, 而年過八十, 猶夜辨針耳, 其果妨目也哉."

18 　이옥, 같은 책, "非甚病而藥, 則切不可食."

19 　이옥, 같은 책, "每夏月鄕舍, 多遇喫蒜者, 則纔一啓口, 臊氣滿室, 使旁人不可堪, 甚於狐
臭放屁."

20 　이옥, 같은 책, "余亦種數十本於圃邊, 以備藥用及葅料."

21 　이옥, 같은 책, "每歲朱夏, 甘雨初過, 萵葉政肥如靑錦裙, 以大盆水, 久浸淨洗. 因以盤
水, 淨洗兩手. 大開左手如承露盤, 卽以右手, 揀取萵葉厚且大者, 顚倒二葉, 鋪于掌上. 始
取白飯, 搏一大匙, 圓如鵝卵, 放在葉上, 微平其顚. 更以箸取蘇魚細膾蘸黃芥醬, 撮之飯
上. 又取芹菜若菠薐菜, 不多不少, 與膾伴居. 又取細蔥及生香芥各三四枝, 以鎭膾菜. 乃
取新煮蠻椒紅醬小許泥之. 卽以右手, 卷葉左右, 緊緊包裹, 合若蓮房."

22 　유몽인 지음, 신익철·이형대·조융희·노영미 옮김, 《어우야담》, 돌베개, 2006,
630~631쪽; 유몽인, 《어우야담-원문》, 돌베개, 2006, 257쪽, "掌列尙(萵)苣之葉,
匙捎早稻之飯, 襄以甘赤之醬, 加之以爛炙之魚."

23 　이익(李瀷), 《성호전집(星湖全集)》 제5권, 〈한거잡영(閒居雜詠) 이십수(二十首)〉,
"萵苣葉圓鹽豉紫."

24 　이가원, 《한국한문학사》, 민중서관, 1961.

25 김균태, 〈이옥의 문학사상연구〉, 《현상과 인식》 제4집, 1977.

26 이옥 지음, 실시학사고전문학연구회 역주, 《역주 이옥전집》, 소명출판, 2001.

27 2009년에 《백운필》과 《연경(烟經)》이 추가된 이옥전집이 출간되었다. 이옥 지음,
실시학사고전문학연구회 옮김, 《완역 이옥전집》 1~5, 휴머니스트, 2009.

28 《동아일보》 1969년 5월 20일자.

29 김영진, 〈이옥(李鈺) 문학과 명청(明淸) 소품(小品): 신자료의 소개를 겸하여〉, 《고
전문학연구(古典文學硏究)》 제23집, 2003, 364~369쪽.

30 이옥, 《백운필》, "白雲曷爲笔之? 盖不得已筆也."

31 이옥, 같은 책, "白雲素僻, 夏日方遲. 僻故無人, 遲故無事. 旣无事又無人, 吾曷爲消此方
遲之暑於素僻之地也. 吾欲行, 匪徒無可之, 火傘烘背, 畏不敢出. …… 吾將曷爲聊此日
於此地耶? 不得不以手代舌, 與墨卿毛生, 酬酢於忘言之境."

32 《승정원일기》 정조 16년(1792) 10월 19일 기사, "日昨儒生李鈺之應製句語, 純用小
說, 士習極爲駭然. 方令同成均日課四六, 滿五十首, 頓革舊體, 然後許令赴科."; 《정조실
록》 36권, 정조 16년(1792) 10월 19일 첫 번째 기사.

33 성균관 대사성이었던 서영보(徐榮輔, 1759~1816)는 이옥이 매일 사운율(四韻
律) 20수를 바치는데, 이미 100편에 이른다고 보고했다.(《승정원일기》 정조 16년
(1792) 12월 27일 기사, "徐榮輔, 以成均館大司成意啓曰, …… 日捧四韻律十首, 今已
滿百篇矣.")

34 《승정원일기》 정조 19년(1795) 8월 10일 기사, "李殷模, 以刑曹言啓曰, 卽接成均館
移文, 則今八月初七日觀旂橋迎鑾儒生應製時, 生員李鈺試券, 以體怪, 充軍題下, 故如是
移文云矣. 李鈺, 忠淸道定山縣, 充軍定配所, 卽爲押送之意, 敢啓."

35 《승정원일기》 정조 19년(1795) 9월 11일 기사, "李勉兢, 以刑曹言啓曰, 卽接成均館
移文, 則定山縣充軍罪人李鈺, 今番應製時試券, 以嚴勘之後, 嚇殺尤甚, 稍遠地移充事書
下矣. 李鈺慶尙道三嘉縣, 更爲充軍定配, 使卽押送事, 發關分付於該道道臣之意, 敢啓."

36 이현우, 〈이옥 소품(小品) 연구〉, 성균관대학교 대학원 박사학위청구논문, 2002,
5~6쪽.

37 이옥, 《봉성문여(鳳城文餘)》, 〈추기남정시말(追記南征始末)〉, "……余遂以十月, 復往
三嘉, 官例爲授館, 而余則自留於西城外朴大成之店舍, 借室而眠, 買飯而食."

38 이옥, 《봉성문여》, 〈시기(市記)〉, "余所寓店也, 近市. 每二日七日, 市聲囂囂然聞. 市
之北, 卽余寓之南壁下也. 壁舊無牖, 余爲納陽, 穴而置紙槅. …… 槅又有穴, 僅容一目.
十二月之二十七日市, 余無聊甚, 從槅穴窺之, 時雪意猶濃, 雲陰不可辨, 而大略已過午
矣. …… 有抱鷄來者, 有拖八梢魚來者, 有縛猪四足擔而來者, 有束靑魚來者, 有編靑魚

舁而來者, 有抱北魚來者, 有持大口魚來者, 有抱北魚而持大口魚或八梢魚而來者, ……有曳海藿來者, …… 有負或戴麵而來者, 有荷米橐而來者, 有擁乾柿來者, …… 有以竹筐盛蘿葍來者, …… 有以木叉串彘肉來者, 有負孩兒而兒右手持餳若餅噉而來者, 有繫瓶項携而來者, …… 有以瓢盛豆腐來者, 有椀斟酒若羹謹而來者. …… 歲暮故市益繁也."

39 이옥, 같은 글, "觀未止, 有負一擔柴者, 憩于榻外正牆面, 余亦隱几而臥."

40 김려, 〈제매화외사권후(題梅花外史卷後)〉, "誦芬嘗言, 其相筆端有舌. 余以爲善評云."

41 이옥, 《봉성문여》, 〈제석제선(除夕祭先)〉, "則以歲盡日之午, 祭其先."

42 홍석모, 《동국세시기》, 정월 원일(元日), "京都俗歲謁家廟行祭曰茶禮."

43 이옥, 같은 글, "而不用湯餅, 具飯羹魚肉酒果以享之."

44 이옥, 같은 글, "俗以計年, 而余今年不喫餅, 當得一籌, 若汝曹已虛喫了歲月矣."

45 이옥, 《봉성문여》, 〈반과호궤(盤果犒饋)〉, "邑之俗, 家有婚禮, 或祥祭或祀神, 則助者, 以一大柈備果品及魚鱐及彘肉或牛肉, 凡四五器, 或六七器, 以贈之曰盤果. 又設飯羹葅菜魚肉膾炙諸饌品, 貧者猶七八器, 侈者至十五六器. 具匙箸, 羃以黃油, 往饋之曰犒饋. 東家饋西家, 東家有事, 西家亦如之, 亦厚風也. 有致三四十盤者."

46 이옥, 《봉성문여》, 〈방언(方言)〉, "庖曰庚子, 鼎之無足者曰大曷, 小盆之有觜者曰使器, …… 稻曰羅落, …… 大口魚曰莀醬, …… 食之曰默談."

47 이옥, 《봉성문여》, 〈생해삼(生海蔘)〉, "其大强猪之新生者, 色黝而微黃, 其質脆甚, 視牛毛稍堅."

48 이옥, 같은 글, "膾而肴紅露, 初若爽味, 未盡一楪, 覺胸膈充關如飽. 雖無味."

49 이옥, 《백운필》, "洛城諸宰, 嘗以暮春會北洞, 作桃花筵, 各具供帳, 將以骰核相尙. 南城一宰家所設, 甚豐且華, 衆皆推爲第一. 最晚, 有東城一宰家, 始傳饌, 而只一小婢鬟, 頂一硃紅小盒來, 及啓封, 只藥飯一小盂·蒸紅棗十枚一小楪而已. 宰食其七, 復封其三甚謹, 授婢使還之. 南宰之家人疑怪之, 從其婢問之, 十棗之費, 爲二萬餘錢. 蓋蒸而去核, 與肉末江蔘和蜜, 復塡其腹, 以海松子釘其兩頭也. 於是, 南宰家大慚, 不敢自居于饌品."

50 이옥, 같은 책, "噫, 亦過矣. 果則果矣, 藥則藥矣, 何必乃爾?"

51 이옥, 같은 책, "嘗聞李羅州寅燮戒其家曰與其食奢, 寧奢於服, 食奢者先亡, 服奢者後覆. 味哉言乎."

52 이옥, 같은 책, "重卿與坃人論穀性, 坃人則曰麥飯勝, 重卿曰不如粱飯之美, 遂各執而不能訂."

53 이옥, 같은 책, "道不同, 不相爲謀, 坃人飯麥, 西人飯粱. 各從所好, 何短何長."

54 이옥, 같은 책, "食品只可取味, 不可取名, 而世人多耳食, 故亦有取名, 而不取味者."

55 이옥, 《연경》, "子曰, 人莫不飲食, 尠能知味."

56 이옥, 같은 책, "味猶尠知, 況知其所由之遠, 知其可施之宜者, 能幾人也哉."

57 이옥은 자신이 쓴 상추에 대한 글을 두고 세상의 채소 맛을 아는 사람들이 자신의
    이 글을 읽게 되면 중국 당나라 때의 미식가 단문창(段文昌, 772~835)이 쓴 《식경
    (食經)》보다 낫게 여길 것(이옥, 《백운필》, "願與世之知菜味者道之. 得而讀之, 則似有
    勝於鄒平公鍊珍堂食憲五十章云矣.")이라고 했다. 그래서 이런 추정을 해본다.

3부 어의와 왕의 음식: 장수를 위하여

"동치미 국물에 적시고 소금 조금 찍으면 그 맛이 더없이 좋다" 전순의의 동치미

1 전순의, 《산가요록》, '동침(凍沈)', "冬月, 蔓菁削皮, 置器中, 極凍盛瓮, 冷水注之, 封
   口置溫房, 待熟. 嘗味可食, 用時, 裂之盛匙, 貼沈水貼鹽小許. 其味甚好." 이 글에 나오
   는 《산가요록》의 원문과 번역문은 전순의 찬, 《산가요록》, 농촌진흥청, 2004; 전순의
   찬, 한복려 엮음, 《다시 보고 배우는 산가요록》, 궁중음식연구원, 2007을 참조했다.

2 김유, 《수운잡방》, 〈탁청공유묵〉, '청교침채법(青郊沈菜法)', "蔓菁極洗, 簾上鋪置, 下
   鹽如微雪. 須臾更洗, 如前下鹽, 勿令殘菜, 香草盖之. 經三日, 切三四寸許納甕, 大瓮則鹽
   二升, 小瓮則鹽一升, 半熟冷水和注, 待熟用."

3 유중림, 《증보산림경제》제8권, 〈치선〉, '만청저(蔓菁菹)', "取根只可飛削, 作淡菹. 一
   時食之, 不可作經冬之饌品."

4 황혜성 외, 《한국민속종합조사보고서(향토음식 편)》, 문화공보부문화재관리국,
   1987, 270~271쪽.

5 《시의전서·음식방문》, '冬沈伊 동침이', "잘고 모양 조흔 무우을 정히 껍질 벗기 미
   초아 져려 홀노 지닉거던 정히 씨서 독을 뭇고 어린 외 한듸 져려 너코 빅와 유ㅈ
   왼치 껍질 벗겨 쎠허지 말고 총빅 흔치 기리식 버혀 우흘 네쪽에 닉고 싱강 얄계
   졈인 것과 고초 쎠흔 것 우히 만히 너코 조흔 물에 함담 마초와 가난 체에 바타 가
   득히 붓고 둣겁이 봉ᄒᆞ야 익은 후 먹으되 빅 유ㅈ는 먹을 쩍 쎠흘고 국의 빅청 타
   셕뉴 빅ㅈ 홋터씨라."

6 전순의, 《산가요록》, '토읍침채(土邑沈菜)', "正二月時, 真菁根, 洗淨削皮, 隨其大小,
   或截三四五片, 沈水三日, 數數改水後, 去水盛缸, 净水或淡米泔沸湯, 待冷注之. 置溫

突, 厚裹待熟, 用之."

7 전순의, 같은 글, "又法, 二月時, 真菁根净洗削皮, 大則剖作三四片, 盛缸. 鹽小許沸湯
   待冷, 菁一盆水三盆, 置之凉處. 或云稍乿一盆, 塩一掬水一盆, 為可."

8 김유, 《수운잡방》, 〈탁청공유묵〉, '토읍침채', "正二月, 真菁根, 净洗削皮, 大則剖作片
   納瓮. 净水盐小許沸湯待冷. 菁一盆則水三盆注之, 待熟用之."

9 전순의, 《산가요록》, '과저(瓜菹)', "又法, 五六月間, 瓜洗之, 无水氣晒之. 白頭翁根莖
   爛蒸, 相間盛瓮. 湯鹽水乘熱滿注. 盖口塗泥, 置潔處, 待秋冬用之."

10 이종봉, 〈전순의의 생애와 저술〉, 《지역과 역사》 28호, 2011, 5쪽.

11 《단종실록》 13권, 단종 3년(1455) 1월 25일 세 번째 기사.

12 《세종실록》 116권, 세종 29년(1447) 5월 6일 첫 번째 기사.

13 《세조실록》 2권, 세조 1년(1455) 12월 27일 세 번째 기사.

14 《세조실록》 2권, 세조 1년(1455) 8월 16일 첫 번째 기사.

15 《세조실록》 18권, 세조 5년(1459) 11월 12일 여섯 번째 기사.

16 전순의, 《식료찬요(食療纂要)》, 〈식료찬요서(食療纂要序)〉.

17 전순의, 같은 글, "賜名曰, 食療纂要, 仍命序之."

18 《세조실록》 25권, 세조 7년(1461) 7월 19일 세 번째 기사.

19 《세조실록》 28권, 세조 8년(1462) 4월 11일 첫 번째 기사. 이즈음 40세 초반의 서
   거정(徐居正, 1420~1488)은 '전중추(全中樞)', 즉 전순의로부터 치료를 받았다. 노
   쇠한 전순의는 뜸질할 자리만 표시해놓고 여의(女醫) 접상(接常)을 보내서 뜸질을
   하도록 시켰다〔서거정, 《사가시집(四佳詩集)》 제12권, 〈全中樞(循義). 來點灸穴而
   去, 遣女醫接常灸之, 爲賦一絶誌之.)〕.

20 김영진, 〈해제〉, 전순의 찬, 《산가요록》, 농촌진흥청, 2004, 5쪽.

21 김영진, 같은 글, 9~12쪽.

22 염정섭, 〈《산가요록》 농서 부문의 편찬 과정과 서술 방식〉, 《지역과 역사》 28호,
   2011.

23 김영진, 같은 글, 14쪽.

24 전순의, 《산가요록》, '침송이(沈松耳)', "擇肥好不老者, 以多瓜蒂或楮葉, 和水磨洗, 洗
   白為度, 烹之. 經宿後, 并烹水納津瓮待冷, 以茅着耳上, 以石輕鎮之. 經十日, 漉出耳, 去
   其舊水, 新水更沉之. 十五二十日, 頻改其水, 則其色净白, 經年不腐. 臨時隨宜用之, 無異
   生耳."

25 Goody, Jack, "Industrial Food: Towards the Development of a World Cuisine",
   Cooking, Cuisine and Class, Cambridge University Press, 1982, pp.154~157.

26 전순의, 《산가요록》, '침계란(浸鷄卵)', "猛灰濃如粥, 浸卵經一朔, 還出浄拭. 又鹽和水如粥, 浸之經一二朔, 出去売, 凝如烹卵, 用之."

27 전순의, 《산가요록》, '동절양채(冬節養菜)', "造家大小任意, 三面築蔽, 塗紙油之, 南面皆作箭窓, 塗紙油之. 造突, 勿令煙生, 突上積土一尺半許, 春菜皆可栽植. 朝夕令溫勿使入風, 氣天極寒, 則厚編飛介掩窓, 日暖時, 則撤去. 日日酒水, 如露房內, 常令溫和有潤氣, 勿令土白乾. 又云作因於築外, 掛釜於壁內朝夕使釜中水氣, 薰扁房內."

28 전순의, 《산가요록》, '송자좌반(松子佐飯)', "四五月間, 松子摘取, 刮去青皮, 一介分二三片切之, 蒸之. 脂液盡出, 無苦味, 為度洗之, 布列乾正. 沉艮醬, 令潤色赤, 又出乾. 用時, 煎油為可."

29 최한기(崔漢綺), 《농정회요(農政會要)》 권19, 구황(救荒), '송자(松子)', "待纔熟未落之時, 連枝折下, 取窠晒乾, 收子或蒸或炒, 作末. 或蜜丸, 或作散, 水調服, 可以療饑氣断穀."

30 행을 달리하여 '최유빈 초(崔有贇 抄)'라는 글자가 적혀 있다. 즉 편찬자는 전순의 이지만, 이 책을 필사한 사람은 '최유빈'이라는 말이다. 그러나 '최유빈'이 누구인지 알 수 있는 자료는 아직까지 찾지 못했다.

"겨울밤에 모여서 술 마실 때, 아주 좋다" 이시필의 열구자탕

1 이하 출처를 따로 밝히지 않은 직접 인용문은 이시필 지음, 백승호·부유섭·장유승 옮김, 《소문사설, 조선의 실용지식 연구노트: 18세기 생활문화 백과사전》, 휴머니스트, 2011의 원문과 번역문을 참조했다.

2 요사이 신선로는 맛보다는 모양을 중시하는 편이다. 색깔이 다른 여러 가지 식재료로 전을 부쳐서 신선로에 가득 채운다. 어느 고급 한정식 음식점에서는 일종의 차별화 전략으로 해물탕 재료로 만든 신선로를 제공하기도 한다.

3 식품학자 김태홍은 조선 후기 신선로의 바탕 맛을 쇠고기의 양·양지머리 등과 '무'라고 보았다[김태홍, 〈신선로(神仙爐)의 조리사적(調理史的) 고찰〉, 《가정문화연구(家庭文化研究)》 6권, 1988, 18쪽].

4 王芳, 〈火锅的来历〉, 《新长征》 2012年 12月, 60쪽.

5 王芳, 같은 글, 60쪽.

6 왕런샹 지음, 주영하 옮김, 《중국음식문화사》, 민음사, 2010, 484쪽.

7 주영하, 《식탁 위의 한국사: 메뉴로 본 20세기 한국 음식문화사》, 휴머니스트,

2013, 186~188쪽.

8 황재(黃梓),《갑인연행록(甲寅燕行錄)》권3,〈유관록(留館錄)〉, 1734년 10월 23일
자, 한국고전번역DB.

9 조엄(趙曮),《해사일기(海槎日記)》2, 1763년 11월 29일, "而其味何敢當我國悅口子
湯也."

10 정약용,《다산시문집》제6권,〈선조 기사(先朝紀事)〉, "悅口子湯宣賜至."

11 국립민속박물관 편,《조선대세시기Ⅲ: 경도잡지·열양세시기·동국세시기》, 국립민
속박물관, 2007.

12 《승정원일기》숙종 20년(1694) 12월 18일자 기사.

13 같은 글, "御醫李時聖·李以楨, 正使軍官金振賢·方震說·李時弼·申溍, 副使軍官尙經
周·朴行建, 各兒馬一匹."

14 《승정원일기》숙종 31년(1705) 12월 4일자 기사, "議藥同參韓俊興·柳誼·金慶華·
玄萬運·全悌望·尹聖輔·李重蕃·李時弼·李長白, 內醫金國賓·申熙溟·李道元·鄭文
益·玄信綱·韓再愈, 鍼醫玄孝綱·李敏夏·卞三彬·白興銓·玄悌綱·李得英·崔命錫·崔
後甲, 議藥同參洪晥·李時聖·崔鼎和·金自光·趙錫孚, 各上弦弓一張賜給. 別監中禁書
員及下人等, 令該曹米布分等磨鍊題給."

15 《승정원일기》숙종 37년(1711) 4월 26일자 기사, "及至回還時, 三月初八日到瀋陽,
則御醫李時弼."

16 이시필 지음, 백승호·부유섭·장유승 옮김,《소문사설, 조선의 실용지식 연구노트:
18세기 생활문화 백과사전》, 휴머니스트, 2011, 24쪽.

17 이시필 지음, 같은 책, 26쪽.

18 이시필 지음, 같은 책, 28~29쪽.

19 《승정원일기》숙종 40년(1714) 4월 11일자 기사, "頤命曰, 醫官李時弼, 曾聞嶺缺之
人, 病口味苦, 不進食飮者, 得缺國米作粥飮之."

20 백승호·부유섭·장유승은 1720년에서 1722년 사이라고 보았다(이시필 지음, 같
은 책, 31~32쪽).

21 이시필 지음, 같은 책, 22~32쪽.

22 이시필 지음, 같은 책, 20쪽.

23 사복시(司僕寺) 소속으로 관직상의 명칭은 견마배(牽馬陪)다. 임금의 행차 때 앞
에서 말을 타고 길을 트는 일을 주로 했다. 거덜의 행동으로 인해서 '거덜거리다'
라는 말이 나왔다.

24 이시필이 중국에서 먹었다는 글을 써놓지는 않았지만, 두부피는 당시 중국 북방

의 일상식이었다.

25 日本風俗史学会 編集,《図説江戸時代食生活事典(新装版)》, 雄山閣出版, 1996, 312쪽.

26 《거가필용사류전집》에 나오는 황자계만두의 재료는 황자계고기, 밀가루, 파의 흰 대 다진 것, 천초잎장아찌와 각종 향신료다.

27 국립중앙도서관 소장본《소문사설》〈식치방〉과 종로도서관 소장본의 서체가 다르 다. 심지어 종로도서관 소장의 〈전항식〉과 〈식치방〉의 서체도 약간 다르다. 몇 사 람이 나누어서 필사했기 때문으로 여겨진다.

"지난번에 처음 올라온 고추장은 맛이 대단히 좋았다" 영조의 고추장

1 《승정원일기》 영조 27년(1751) 윤5월 18일자 기사, "若魯曰, 苦椒醬近日連爲進御 乎? 上曰, 連進御矣. 向日初入之苦椒醬, 甚好矣. 若魯曰, 此趙宗溥家物也. 更入之乎? 上曰, 唯. 宗溥年少而爲人頗佳, 誰子乎? 若魯曰, 趙彦臣之子也. 上曰, 予每信之而見欺, 然此人以外貌觀之, 似不爲奇怪之事矣."

2 《승정원일기》 영조 30년(1754) 11월 20일자 기사, "趙宗溥非怪異之人矣. 而見其書 可知矣. 曾見宗溥椒醬味好矣. 渠無乃過喫椒醬, 全身化爲椒乎? 甚酷烈矣."

3 같은 글, "上曰, 予初以爲不過如椒醬而止矣. 此則專出於薰心矣."

4 《영조실록》 영조 30년(1754) 11월 20일 두 번째 기사.

5 유중림, 《증보산림경제》 제8권, 〈치선〉, '조만초장법(造蠻椒醬法)', "大豆精揀淘去砂 石, 如法作末醬令極乾作末篩過. 每一斗用蠻椒末三合, 糯米(卽粘米)末一升, 右三味用 好淸醬搜打極稠, 入小瓮晒之. 俗方則其內加芝麻炒末五合, 則膩乾不好. 又糯米末多入, 則味酸不佳好. 蠻椒末過多, 則辣甚不好矣. 一方大豆一斗作豆腐, 絞去水氣幷諸物同打 成, 熟極美. 凡打合時塩水亦可, 而然不如味好淸醬矣. 一方乾魚去頭鱗切作尾, 又昆布多 絲麻(卽海帶也)之屬同入, 持熟食之極美(乾青魚尤佳)."; 농촌진흥청, 《증보산림경제 II》, 농촌진흥청, 2003, 200~201쪽.

6 조선시대 문헌에서는 '다사마(多絲麻)'를 '다사마(多士麻)'라고 적기도 한다. 그런 데 곤포(昆布)와 다사마는 사람마다 약간씩 다르게 설명했다. 정약용은 《경세유표 (經世遺表)》 제14권 〈균역사목추의(均役事目追議)〉 제1의 '곽세(藿稅)'에서 "곤포 중에 작은 것을 방언으로 다사마라 한다(昆布之小者, 方言云多士麻)"고 적었다. 이 에 비해 이유원(李裕元, 1814~1888)은 《임하필기(林下筆記)》 제28권 〈춘명일사 (春明逸史)〉에서 "해대(海帶)는 우리나라에서 말하는 다사마이니 미역과 비슷하지

만 가늘고 길다. 또 곤포(昆布)라고도 한다(海帶東人所謂多士麻, 似藿而細長. 又曰 昆布)"고 했다. 그런데 유중림은 곤포와 다시마를 구분하여 적었다. 그래서 다시마를 '작은 다시마'로 본다.

7 이시필 지음, 백승호·부유섭·장유승 옮김,《소문사설, 조선의 실용지식 연구노트: 18세기 생활문화 백과사전》, 휴머니스트, 2011, 114~115쪽.

8 《승정원일기》영조 28년(1752) 4월 10일자 기사, "若魯笑曰, 趙宗溥之醬, 果善沈云 矣. 上曰, 苦椒醬, 乃近來所沈, 昔年若有之, 則必當進御矣. 善行曰, 方外間間家則盛行矣."

9 《영조실록》영조 44년(1768) 7월 28일 계축 네 번째 기사, "內局入侍. 上曰, "松茸· 生鰒·兒雉·苦椒醬, 有此四味則善飯, 以此觀之, 則口味非永老矣."

10 《승정원일기》영조 13년(1737) 9월 27일자 기사, "上曰, 自頃以來, 脾胃虛弱, 痰飮 用事, 近似有漸勝, 而起動則甚難矣."

11 《승정원일기》영조 25년(1749) 7월 24일자 기사, "而水刺, 則豆飯常有口淡之患, 麥 飯則不淡, 而所進, 亦每不過數匙矣. 嘗見昔年進水刺時, 必進鹹辛之物, 今予亦常嗜川椒 之屬及苦椒醬. 此乃食性, 漸與少時不同者, 其亦胃氣之漸衰耶?"

12 김민호, 〈사상의학(四象醫學)을 통해 본 조선시대 어진(御眞) 연구〉, 고려대학교 대학원 석사학위청구논문, 2011, 57쪽.

13 《영조실록》영조 34년(1758) 12월 21일자 기사.

14 《영조실록》영조 37년(1761) 3월 24일자 기사.

15 《영조실록》영조 38년(1762) 1월 20일자 기사.

16 《영조실록》영조 49년(1773) 5월 16일자 기사.

17 영조(英祖), 〈어제건공가증(御製建功可憎)〉, "建功可憎一日三貼, 神農命乎扁鵲劑乎, 若問朝鮮大小皆迷, 且問其由其皆時體, 其雖若此能視能步, 嗟哉暮年猶苦猶困, 咸曰靈 丹予云支撐, 每見鑽鈔先自蹙眉, 加入鹿茸其果雙補, 予自一哂衆皆其信, 君與其臣日困 日迷, 其欲端本宜曉此心, 建功建功何困何困, 靈丹靈丹徒苦徒苦, 可憎此湯於晝於夜, 其 將鑽鈔深藏深藏. 歲同年同月日朝來呼書."

18 김종오·오준호·김남일, 〈조선의 왕실 차(茶) 처방(다음茶飮)의 운용-승정원일기 의 내용을 중심으로〉,《한국한의학연구원논문집》제15권 제3호, 2009, 12~13쪽.

19 노혜경, 〈영조 어제첩에 나타난 영조 노년의 정신세계와 대응〉,《장서각》제16집, 2006, 142쪽.

20 《영조실록》, 〈영종대왕행장〉, "國典內膳夫日五進王膳, 而王一日三膳, 膳亦未嘗飽, 故 宮中遂廢午夜二膳."

"지금 엿집에서 사용하는 좋은 방법이다" **김유의 엿**

1 김유,《수운잡방》,〈탁청공유묵〉, '이당(飴餹)', "色黃紅, 則用真末布盤上, 寫於上. 待
   凝引之色白為限." 이 글에서《수운잡방》 번역문은 김유 지음, 김채식 옮김,《수운잡
   방》, 글항아리, 2015를 참조했다.

2 김유, 같은 글, "中米一斗, 净洗爛作飯, 乘熱盛缸. 即於炊飯鼎, 净水十鉢, 沸湯注其飯."

3 가사협(賈思勰),《제민요술(齊民要術)》권8 '작얼법(作糵法)', "欲令餳如琥珀色者,
   以大麥為其糵."

4 서유구,《임원경제지》,〈정조지〉 제2권, '취류지류(炊餾之類)', '이방(飴方)', "飴餳用
   麥糵或穀芽(案) …… 而東人但知用麥糵也."

5 김유, 같은 글, "秋麩糵細末一升, 冷水和之, 瀉於缸, 以木均攪之. 置溫埃以褚衣厚裹. 待
   二炊飯頃, 嘗其味則甘為上. 稍酸則為下, 久裹置故也."

6 전라남도농촌진흥원,《향토요리모음》, 농촌진흥청농촌영양개선연수원, 1979(정
   보제공자: 전라남도 담양군 창평면 삼천포리 김정순); 농촌진흥청 농업과학기술
   원,《한국의 전통향토음식7-전라남도》, 교문사, 2008, 414쪽.

7 김유, 같은 글, "須酌宜以布絞取計寫鼎, 以微火煎之, 數攪之. 不攪則煎付鼎底."

8 김유, 같은 글, "今飴家所用良法."

9 홍만선,《산림경제》 제2권,〈치선〉 '조이당법(造飴糖法)', "本草曰, 諸米皆可作, 惟以
   糯米作者, 入藥. 以糯米煮粥, 候冷入麥芽末, 候熱取清. 再熬如琥珀色者, 謂之膠飴, 可入
   藥. 其牽白堅强者, 謂之餳糖, 不可入藥, 只可啖之而已(寶鑑)."

10 홍만선, 같은 글, "以大米炊飯, 仍置鼎內, 乘熱入麥芽末及溫水(米一斗, 約入麥芽一升
   三合許, 水二瓶許) 還覆鼎蓋, 留糠火於鼎底, 使不至冷. 過半日後, 飯化爲水, 只有米皮.
   仍以布絞, 下米水於鼎內, 再熬成糖. 熬時置甑鼎口, 以防沸溢(俗方)."

11 《주역(周易)》,〈수괘(需卦)〉, "象曰, 雲上于天, 需, 君子以飲食宴樂."

12 김귀영,〈해제: 음식으로 보는 조선시대〉,《수운잡방》, 글항아리, 2015, 19쪽.

13 이황(李滉),《퇴계선생문집(退溪先生文集)》 제46권,〈성균생원김공묘지명(成均生
   員金公墓誌銘) 병서(并序)〉, "庖繼兼珍, 甕溢香酥."

14 이황, 같은 글, "縣監家故饒溫, 公因是以財雄於鄕."

15 이황, 같은 글, "宅邊亦有亭, 公皆修而敞之. 客至, 輒爲之投轄劇飮, 或連夜無倦色."

16 屈原, 〈漁父詞〉, "滄浪之水淸兮, 可以濯吾纓. 滄浪之水濁兮, 可以濯吾足."

17 이황, 같은 글, "搢紳之過縣, 多枉駕盡歡. 雖褐寬博, 待必款款."

18 김령, 《수운잡방》, 〈계암선조유묵(溪巖先祖遺墨)〉, '분탕(粉湯)', "真油一升, 切蔥白一升合煎, 清醬一鉢, 水一盆, 右四物和合作稀汤. 汤下時醶淡嘗用之."

19 김령, 같은 글, "膏肉如初味切之, 菉豆如長麮切之, 入黃白兩色. 又生瓜水芹桔更中, 一寸許切之, 菉豆末着衣, 沸於熱水中拯出. 右件味下汤用之, 當用时, 蔥白細拆, 投之用之. 然此汤膏肉为多, 至味好矣."

20 김령, 《수운잡방》, 〈계암선조유묵〉, '전약(煎藥)', "清蜜阿膠各三鉢, 大召一鉢, 胡椒丁香一兩半, 乾姜五兩, 桂皮三兩, 依法和煎."

21 허준(許浚), 《동의보감(東醫寶鑑)》, 〈잡병편(雜病篇)〉 권9, '잡방(雜方)', '조전약법(造煎藥法)', "白薑五兩, 桂心二兩, 丁香胡椒各一兩半, 已上爲細末. 大棗蒸去核取肉爲膏二鉢. (一鉢三升爲) 阿膠煉蜜各三鉢. 右先熔膠, 次入棗蜜消化. 乃入四味藥末, 攪勻煎微溫. 下篩貯器, 待凝取用(俗方)."

22 김유, 《수운잡방》, 〈탁청공유묵〉, '진맥소주(眞麥燒酒)', "眞麥一斗浄洗煇蒸, 好麴五升合搗納瓮, 冷水一盆注下攪之. 第五日, 燒取酒, 四鐥極猛."

23 경북대학교출판부 편집부, 《음식디미방(고전총서 10)》, 경북대학교출판부, 2003, 206쪽.

24 정약용, 《아언각비(雅言覺非)》 제2권, '선(鐥)', "鐥者, 量酒之器, 吾東之造字也. 今郡縣餽贈, 以酒五盞謂之一鐥.(中國無此字) 方言謂之大也. 盟器亦謂之大也, 唯大小不同耳. 按匜者酒器, 亦稱盟器. 然則去鐥從匜, 不害爲書同文矣."; 전순의의 《산가요록》에서는 두 되(升)가 한 선(鐥), 세 선이 한 병, 다섯 선이 한 동이(東海)가 된다고 했다(전순의, 《산가요록》, '주방(酒方)', "二升爲一鐥, 三鐥爲一甁, 五鐥爲一東海.").

25 Notaker, Henry, *A History of Cookbooks: From Kitchen to Page over Seven Centuries*, University of California Press, 2017, p.50.

26 이황, 같은 글, "年十七, 歸于公, 善於內治, 蘋藻之奉, 必致誠謹, 賓客應須, 雖家務騷騷, 呲嗟之頃, 無不整辦."

"먹으면서 꽤 오랫동안 이야기를 나누다가 파했다" 조극선의 두붓국

1 조극선, 《인재일록》, 1615년 10월 3일, "昨與李丈約爲軟泡 李丈設辦而求鷄兒子 余逢捉之以送 往省下宅返 而着衣又往 則從兄不肯行 余獨至瓦寺 李丈已與申祖對棊 而鄭彦

逸在旁 鄭谷山及朴泓旣至 設泡以食 良久話罷." 이 글에서 참고한《인재일록》은 한국
학중앙연구원 장서각 소장본이다. 이 책의 정서본은 조극선,《인재일록 I 정서본》,
한국학중앙연구원출판부, 2012; 조극선,《인재일록 II 정서본》, 한국학중앙연구원
출판부, 2012가 있다.

2 '조극선 일기'에 대한 연구는 아직 초보 단계다. 이 글은 나의 논문(주영하,〈1609~
   1623년 충청도 덕산현(德山縣) 사대부가의 세시 음식: 조극선의《인재일록》을 중
   심으로〉,《장서각》38집, 2017)]을 기초로 했다. 최초의 종합적인 연구로는 성봉
   현·김학수·원창애·이욱·이민주·주영하·허원영·정수환·손계영,《17세기 충청
   도 선비의 생활기록: 조극선의 인재일록과 야곡일록》, 한국학중앙연구원출판부,
   2018이 있다.

3 정약용,《다산시문집》제7권,〈시(詩)-경의 뜻을 읊은 시(經義詩)〉, '절에서 밤에
   두붓국을 끓이다[寺夜鬻菽乳]', '俗以菽乳湯爲軟泡.'

4 조극선, 같은 책, 1615년 10월 2일, "往下宅, 鄭子翼申季挺氏亦至, 良久話. 午後, 上來
   着衣, 卽往拜李丈, 坐未幾, 李信培氏來言, 李尙定氏李緗黃厚載得中云, 鄭彦逸亦至, 仍
   行酒話. 李信培氏旣歸, 酒亦告乏, 李丈復爲我多沽以飮, 旣昏而歸. 李丈送之以人馬."

5 조극선, 같은 책, 1615년 10월 3일, "從李丈向山路, 坐語松根而辭歸."

6 홍만선,《산림경제》제2권,〈치선·어육(魚肉)〉, '자연포법(煮軟泡法)', "造泡, 不堅壓
   則軟. 切作小片, 每一串, 揷三四箇. 白蝦醢汁和水入煮器, 以布加其上, 使鹽水透出. 倒浸
   泡串於其中而煮之, 待其少熟取出. 別以石花, 入於汁中而煮之. 爛擣生薑, 和汁以食, 極
   軟味絶佳. 俗方."

7 유중림,《증보산림경제》제8권〈치선〉 '조연포갱법(造軟泡羹法)', "此羹宜食冬月. 牛
   肉不如猪肉, 猪肉不如雉, 雉亦不如肥雌鷄. 取鷄淨又取牛肉一大片多洗去血. 並鷄納鼎
   中多下水爛烹, 另造豆腐而必堅壓方好, 以刀切作片, 而長八九分, 四方廣二三分, 略洒
   塩待少時(一法無塩), 用鼎盖撐炭火上, 多添油煎豆腐, 令無不煎之面, 然後先烹牛肉, 取
   出不用, 卽下已煎豆腐於肉汁中, 亦下油醬, 令味適宜. 次下薑蔥眞茸蘿古石茸, 而必皆細
   切, 又以器取肉汁少許, 調細羅眞麵, 而宜少切, 不宜多. 又多取鷄卵, 破合調麵之內, 而要
   以此多攪之, 急撥肉汁之中, 亦卽急攪, 務令調遍, 再煮五六沸, 要諸物料和合, 始取食之,
   而鷄則絲絲擘裂. 另用鷄卵分黃白, 油煮作薄片, 以刀縷切, 並鷄肉絲布滿軟泡羹梡面, 次
   下川椒胡椒而供之. 又方所煎豆腐每三四片, 縱揷於細竹簽作串, 浸汁中食之."; 농촌진
   흥청,《증보산림경제 II》, 농촌진흥청, 2003, 227~228쪽.

8 정약용, 같은 글, "芘蔄戒殺不肯執, 諸郎希搆親畾刲."

9 조극선, 같은 책, 1611년 7월 27일, "金叔, 與具德仁鄭宗義金應豪等設家獐, 余同參."

10 조극선, 같은 책, 1620년 11월 21일, "兵使宅遺肉(前於十三日送獐肉, 今再遺)"

11 정경운(鄭慶雲), 《고대일록(孤臺日錄)》 1609년 7월 6일, "造渭瑞家, 與趙守一朴汝受食家獐."

12 조극선, 같은 책, 1621년 6월 20일, "有客應接(朴主人來, 有所事, 而一兄至, 留話久. 朴去而復持烹狗一脚來, 盖其姪成龍家殺狗, 朝已自成龍家見饋也.)"

13 허원영, 《인재일록》을 통해 본 선물(膳物)의 내용과 성격), 《17세기 충청도 선비의 생활기록: 조극선의 인재일록과 야곡일록》, 한국학중앙연구원출판부, 2018, 340~341쪽.

14 조극선, 같은 책, 1615년 7월 22일, "乞世進以狗肉."

15 가령 홍석모는 《동국세시기》에서 삼복(三伏) 때 "삶은 개고기에 파를 넣고 문드러지게 찐 음식을 구장(狗醬)이라 부른다. 또 닭고기와 죽순을 넣으면 더욱 좋다. 또 국을 만들어서 천초가루를 치고 흰 밥을 말아서 먹으면 땀이 솟아나서 더위도 쫓고 허함도 고쳐준다. 시장에서도 이것을 많이 판다"고 했다(홍석모, 《동국세시기》, '삼복(三伏)', "烹狗和蔥爛蒸名曰狗醬, 入雞笋更佳. 又作羹調番椒屑澆白飯, 爲時食, 發汗可以祛暑補虛. 市上亦多賣之.").

16 조극선, 같은 책, 1616년 음력 1월 3일, "子明家朝送饅頭來."

17 조극선, 같은 책, 1616년 음력 1월 4일, "朝與一兄陪父主於下宅, 食饅頭及酒."

18 조극선, 같은 책, 1619년 1월 6일, "過石谷禾谷到聘家(早入 飮食餠湯而出)."

19 조극선, 같은 책, 1623년 1월 1일, "父主往一兄家, 謁祠堂, 余則先於參禮時, 入見嫂氏及阿晏婦, 而喫餠湯也."

20 이식(李植), 《택당집(澤堂集)》, '정월일전(正節日奠)', "正朝. 每位餠湯, 曼頭湯各一器."

21 조극선, 같은 책, 1620년 6월 18일, "歸德山(叔丈季氏以小麥一斗, 送于室人外姑, 亦送眞末五升及蒸麥五升矣.)."

22 조극선, 《야곡일록》, '범례(凡例)', "若賻助贈賻等事, 則或稱其有名. 凡人有德於我, 我不可忘, 故事之大小, 雖如飮食之流, 必皆詳錄. 我有德於人, 則不可不忘, 故事之大小, 并不收載. 惟關於禮俗, 及或曰其節次, 而不得不記者."

"목구멍에 윤낸다고 기뻐하지 말라" **이덕무의 복국**

1   이덕무(李德懋), 《청장관전서(靑莊館全書)》 제1권 《영처시고(嬰處詩稿)》 1, 〈하돈

탄(河豚歎)〉, "惑於河豚者, 自言美味尤. 腥肥汚鼎鬴, 和屑更調油. 不知水陸味, 復有鮪
與牛. 人皆見而喜, 我獨見而憂. 吁嗟乎世人, 勿喜潤脾喉. 凜然禍莫大, 慄然害獨優." 이
번역문은 안대회, 〈치명적 유혹의 맛, 복어국〉, 《18세기의 맛》, 문학동네, 2014, 43
쪽을 참조했다. 이후 이 글에서 《청장관전서》의 원문 인용과 번역은 한국고전번역
원의 고전번역DB를 참조했다.

2   서거정, 《사가시집》 제20권 〈시류(詩類)〉, '聞河豚已上, 悠然起興, 有作', "漢江江上三
     月時, 細雨桃花漲碧漪, 好是河豚方有味, 扁舟歸去悔遲遲."

3   허균, 《성소부부고》 제26권, 설부 5, 〈도문대작〉, "河豚, 京江最佳."

4   유중림, 《증보산림경제》 권9 〈치선 하〉, '하돈(河独)', "蒸法, 取河独剜開其腹, 見縱橫
     血絡. 以刀尖刻去, 不留半絲許. 又細搯去脊間血, 切勿傷肉理. 以白礬一小塊下鍋內,
     多添油, 入焯過芹及羊蹄葉, 醬水要淡. …… 用慢火煮熟一二時食之." 여기에서 요리법
     의 이름을 증법(蒸法)이라고 적었지만 내용을 보면 복국이다.

5   유중림, 같은 글, "此湯雖冷而不腥味, 尤奇."

6   이덕무, 같은 글, "腥肥汚鼎鬴, 和屑更調油."

7   유중림, 같은 글, "又方, 但切取河独白肉作片, 香油炒煎取出而作湯, 則萬無一失, 味亦
     絕美."

8   홍만선, 《산림경제》 제3권, 〈구급(救急)〉, '제어독(諸魚毒)', "藍汁服之, 又煮榛皮飮
     之. 又槐花末三錢, 新汲水調服, 或煎服. 又紫蝦醯, 或生紫蝦(권뎡이)喫之(俗方)."

9   유중림, 같은 글, "紫蝦醯善解河独毒."

10   허균, 같은 글, "而多殺人."

11   《숙종실록》 숙종 35년(1709) 2월 21일 두 번째 기사.

12   유중림, 같은 글, "血與卵有大毒, 誤食必殺人. 人無不知, 而食一時之滋味, 往往遭毒艮
     可慨矣."

13   이덕무, 《청장관전서》 제28권, 《사소절(士小節) 중(中)》, 〈사전(士典) 2〉, "河豚不可
     食, 當遺戒子孫, 以其習俗易染也. 縱有不死, 是幸免也."

14   이덕무, 《청장관전서》 제29권, 《사소절 중》, 〈사전 3〉, '복식(服食)', "惡衣食, 無一毫
     厭愧心."

15   이덕무, 같은 글, "富貴子弟, 當麤飯而甘啖者, 好人也. 委巷之人, 不忍食於黍稷麥菽之
     飱, 大是不祥人. 天下寧有不堪食之穀. 惟饐餲生硬糠粺塵沙及虫獸之餘, 則不可食也."

16   이덕무, 《청장관전서》 제28권, 《사소절 중》, 〈사전 2〉, '복식', "科擧俗流, 當科不食
     蟹. 蟹者解也, 忌其解散也. 不食章擧, 章擧者, 俗名落蹄, 惡其音近於落第也."

17   이덕무, 《청장관전서》 제29권 《사소절 중》, 〈사전 3〉, '복식', "犯禁私屠牛肉, 不可買

18 정약용, 《경세유표(經世遺表)》제10권, 〈지관수제(地官修制)〉, '부공제(賦貢制) 2', "後魏之制, …… 耕牛十頭, 當奴婢八."

19 김매순(金邁淳), 《열양세시기(洌陽歲時記)》, 〈정월(正月)〉, '원일(元日)', "諸法司皆有禁條, 而牛禁爲大. 有犯者該司出牌拿治. 每當正朝, 或以特旨限三日藏牌, 則民間公得屠宰肥肉, 大歲磊落坊市. 兪著庵漢雋元日雜詩曰, 東郊之牛興仁門, 南郊之牛崇禮門, 兩門牛入日千頭一入城中無返魂, 詞雖近俚, 而亦可謂記實矣."

20 이덕무, 《청장관전서》제27권, 《사소절 상(上)》, 〈사전 1〉, '복식', "羹之濁醬, 不可澆飯, 惡其淆雜也."

21 이덕무, 《청장관전서》제28권, 《사소절 중》, 〈사전 2〉, '복식', "萵苣馬蹄菜海苔包飯, 勿徒使指掌, 惡其褻也."

22 이덕무, 같은 글, "必先團飯于匙, 橫置器口, 次以箸挾包菜二三葉, 整覆于團飯, 始擧匙入口. 旋勺醬以啖. 勿大包難容口, 以其輔填而不典也."

23 이덕무, 같은 글, "勿大包難容口, 以其輔填而不典也."

24 이덕무, 《청장관전서》제28권, 《사소절 중》, 〈사전 2〉, '동지(動止)', "君子立溫雅之途, 佩皎潔之符, 守精敏之樞, 處寬博之都."

25 이광규(李光葵), 〈선고적성현감부군연보(先考積城縣監府君年譜) 상(上)〉, 《청장관전서》제70권(부록 상), "丙寅, 公六歲. 始受書, 公自幼聰慧, 好鈔書, 善屬文. 未嘗受業於人, 公之大人敎十九史略, 未盡一篇, 文理已通暢."

26 이광규, 같은 글, "甲申, 公二十四歲. 九月初九日, 著觀讀日記, 起自九月止十月. 公自序略曰, 余今年爲學業, 所纏雖有古人詩書."

27 이광규, 같은 글, "己亥, 公三十九歲. 六月初一日, 拜外閣檢書官."

28 이덕무, 《청장관전서》제4권, 〈영처문고 2(嬰處文稿二)-전(傳)〉, '간서치전(看書痴傳)'.

29 이광규는 이덕무의 연보에서 이렇게 밝혔다(이광규, 같은 글, "乙未, 公三十五歲. 十一月初一日, 士小節成."). 이덕무 본인은 《사소절》의 서문에서 "영조 51년 을미(1775년) 남지일(南至日)에 찬(撰)했다"고 썼다.

30 이광규, 같은 글, "凡三篇, 曰士典, 曰婦儀, 曰童規, 總九百二十四章. 不肖光葵, 嘗註釋其名物度數難解處, 共三冊. 全書, 只以無註, 三篇編作二冊."

31 이덕무, 《청장관전서》제27권, 《사소절 상》, 〈사소절서(士小節序)〉, "人有恒言, 不拘小節, 竊嘗以爲畔經之言也."

32 이덕무, 같은 글, "於是乎朱子憂之, 述小學之書. 立敎明倫, 以至于心術威儀衣服飮食之

禮, 皆所以備小節也."

33 이덕무, 같은 글, "然至于六七百年之下, 處于遐僻之鄉, 古今迭遷, 風俗不齊, 習氣彌偸."

34 이덕무, 같은 글, "以其貧賤之士也, 故其所道說, 多貧賤之節. 而援昔賢遺訓, 備箴警也. 紀今人近事, 資觀感也. 匪敢曰範俗而規人, 只自爲身家之法則而已."

35 이덕무, 같은 글, "士典酒所自砭, 以期乎寡過. 婦儀, 以之警戒室婦. 童規, 所以訓夫子弟."

36 이덕무, 《청장관전서》 제30권, 《사소절 하(下)》, 〈부의 1〉, '복식', "飮食之政, 惟婦人是掌. 是故, 養舅姑, 供祭祀, 待賓客, 非此, 無以致恭敬懽樂. 若或生熟不齊, 酸醎不適, 冷煖不調, 塵埃雜而不堪食, 其何以享神而養人也哉. 匪謂豊侈綺珍之備也, 雖曰匏菽, 潔且精, 可也."

37 이덕무, 같은 글, "凡手調飮食, 勿搔首癢, 勿乳孩兒, 愼言笑, 剔爪甲. 必用巾幂逐器盖覆, 調芥醬, 勿逼而噓氣. 凡調飮食, 須脫指環. 惡其銅銀綠垢, 漬染餠肉. 凡炙魚肉, 翻之以箸, 毋以徒手. 手雖漬, 不可吮. 調五味, 必以匕一嘗, 不可頻頻攪匕, 口有歟聲, 亦勿以指挹指嘗之, 因拭手瀝于裳及牆壁. 炙肉鉄器, 必深藏. 不惟塵埃雜於膏膩, 如或棄置不藏, 犬猫必舐, 不潔莫甚, 將何以養老享神."

38 이덕무, 같은 글, "溫酒, 勿熱沸壞酒性也. 筋酒, 毋得太加水. 享神待賓, 非其宜也."

39 이덕무, 같은 글, "嗜餠買喫, 亡家之兆."

40 이덕무, 같은 글, "世俗嫁女, 必具饌極其豊侈, 饋于壻家. 名曰長盤, 夸耀宗族賓客. 壻家忌日, 必大器峙餠, 大壺實酒, 陳于卓下. 名曰加供, 不備此, 以爲羞耻. 凡此二者, 皆浮靡之習也, 壻家當痛禁之. 其忍使之督責之耶."

41 이덕무, 《청장관전서》 제30권, 《사소절 하》, 〈부의 1〉, '제사(祭祀)', "債家之督索, 必辱之曰, 貸錢祭先而不卽報, 何其不孝也, 嗚呼."

42 이덕무, 같은 글, "盖有侈祭而破産業者焉, 豈祖先之志也."

43 이덕무, 《청장관전서》 제30권, 《사소절 하》, 〈부의 1〉, '복식', "飯澆水而有餘粒, 須使匕抄訖, 勿潑棄也. 勿擧器仰吸, 轉身而冀其盡啖也. 惡其不典也."

44 이덕무, 《청장관전서》 제31권, 《사소절 하》, 〈동규(童規) 1〉, '사물(事物)', "夜饌勿多食, 食後勿卽卧. 凡飮食, 屑不可舌舐, 汁不可指挹, 當食勿放笑. 朝食不洗面, 命曰齷齪."

45 이덕무, 《청장관전서》 제30권, 《사소절 하》, 〈부의 1〉, '교육(敎育)', "縫裁衣服, 調飪飮食之法, 笥記以爲譜簿, 必敎室女, 使之熟習."

46 이덕무, 같은 글, "敎子女, 先禁貪食. 而女尤不可小恕. 不惟生丁奚疳積諸疾, 因貪生奢,

因奢生盜, 因盜生悍. 予未見嗜食婦女不亡人家者也."

47 이덕무, 같은 글, "先恭人, 養我兄弟及徐元兩妹也, 使之節食. 故我輩四人, 旣長, 庶無
過人之慾焉."

48 이덕무,《청장관전서》제27권,《사소절 상》,〈사전 1〉, '인륜(人倫)', "我諸父俱在時,
篤於友愛. 五昆季同會一堂, 怡怡如也. 先恭人, 敬事諸兄公, 朝晡之供, 必手自爲之, 五飯
五羹, 必列於一大案進之. 圍而共食, 和氣藹然."

49 이덕무, 같은 글, "世或有父子兄弟同宮而異食者, 非善俗也. 一家之內, 朝晡之食, 必有
先後豐薄有無之不齊焉, 其各爲心, 安乎否乎."

50 한미경,《《사소절》현전본에 대한 연구》,《한국문헌정보학회지》제49권 제3호,
2015, 58~61쪽.

5부 사대부 여성의 요리법: 서재에서 부엌으로 간 요리법

"잠깐 녹두가루 묻혀 만두같이 삶아 쓰나니라" 장계향의 어만두

1 이 글에서 출처를 밝히지 않고 인용한《음식디미방》의 원본과 한글 번역은 경북
대학교출판부 편집부 편,《음식디미방(고전총서 10)》, 경북대학교출판부, 2003을
참조했다.

2 曾維华,〈馒头, 包子与蒸饼〉,《文史知识》2016(1), 2016, 65쪽.

3 전순의,《산가요록》, '어만두(魚饅頭)', "新鮮生魚作片, 以布紋去水氣, 以刀又薄片. 納
塑, 傳以菉豆末粘米末後, 烹水. 更以菉豆末傳之, 正湯潔水烹之."

4 전순의, 같은 글, "夏則改水令冷, 冬則於其烹水, 泛進, 醋醬用之."

5 유중림,《증보산림경제》,〈치선 하〉, 치어(鯔魚), 魚饅頭法, "勿論牛猪雉鷄肉, 烹熟爛
剝, 薑椒蔥菌蕈石茸等物料搗細和合. 量宜加油醬炒出. 取大鯔魚切作薄片如水掌大. 以
前物料團如栗子, 用魚片包之成松餅樣, 衣以菉末, 謹手下滾湯中. 待熟取出, 候冷澆以醋
醬, 散完栢子仁供之. 他魚亦用之, 而終不如此魚之美也."

6 1629년 음력 6월 21일 봉림대군이 윤선도의 생일에 보낸 음식을 적은 고문서는
현재 해남 윤씨 녹우당(전라남도 해남군 해남읍 연동리)에 소장되어 있다.

7 《(기해(己亥)) 진연의궤(進宴儀軌)》(1719). 어만두에 들어간 재료는 큰 생선 두 마
리, 생강 3전(戔), 꿩고기 한 마리, 녹두가루 5합(合), 어린 닭고기 한 마리, 참기름

3홉, 표고버섯 두 냥(兩), 송이버섯 세 개(介), 후춧가루 다섯 석(夕)이다. 꿩고기·어린 닭고기·표고버섯·송이버섯·생강·후춧가루 등은 어만두의 소에 들어가는 재료이고, 소를 섞어서 볶는 데는 참기름을 사용했다. 다만 무슨 생선으로 어만두의 피를 만들었는지는 밝히지 않았다. 계절로 보아 봄에 주로 잡히는 숭어가 아니라, 늦가을에 잡히는 민어(民魚)일 가능성이 크다.

8 작자 미상, 《요록(要錄)》, '소방(所方)', "膏肉細切, 一鉢艮醬二合眞油末膠各一合, 調椒一戈交合. 眞末和水褁之, 上如石榴毬, 体似雞卵, 烹食."

9 작자 미상, 《술 만드는 법》, '셩뉴탕법', "싱치나 닭이나 졋코 기름진 거슬 두다려 난도를 ᄒ고 무나 미나리나 두 가지 즁에 흔 가지를 알마츄 넛코 표고 셕이 호쵸 각식 양념을 만나게 ᄒ야 기름과 지령에 쇼를 만드러 진말이나 모밀가로나 가늘게 쳐셔 눅으시 말아 썩을 앗게 얏게 비져 셕뉴 모양으로 빗ᄌ를 셔넛식 너허 불이를 단단히 잡아 쓸는 물에 데쳐 닉여 쵸쟝에 양념ᄒ야 먹는니라."

10 정일당 남씨(貞一堂 南氏, 추정), 《정일당잡지(貞一堂雜識)》, '셕뉴탕', "싱치나 돍이나 졋두드리고 무우 미ᄂ리 ᄂ믈 죠곰 ᄒ고 파도 너코 두부 표고 셕이 흔디 두드려 맛나게 복가 후초ᄀ로 잣 ᄂ하 만두소 ᄌᄌ 밍그라 진말 졍히 닉여 반쥭ᄒ여 국슈 미닷 홍독개로 미러 네모지게 방졍이 산슴 너뷔만치 싸흐라 소를 젼 곰마름 쎼여 소 너허 젼 셩뉴 모양으로 비져 ᄒ라 싱치 데친 믈의 국 ᄒ여 오래 쓸히고 비젼 거슬 너코 또 닉게 쫴 쓸히고 ᄌ로 가만가만 상치 아니케 쩌 담아 안쥬도 ᄒ고 반찬도 ᄒᄂ니라 ᄀ올 셴 동화룰 휜 션쳐로 지져 싱강 마늘 파 약념 두드려 격지두어 항의 단단이 너코 됴흔 초롤 부어 두엇다가 이듬히 봄의 만난 쟝 쳐 술안쥬의 일미니라."

11 苏东民, 〈馒头的起源与历史发展探析〉, 《河南工业大学学报·社会科学版》 5(2), 2009, 16쪽.

12 김사엽, 〈규곤시의방(閨壼是議方)과 전가팔곡(田家八曲)〉(자료), 《영서 고병간 박사(瀛西高秉幹博士) 송수기념논총(頌壽紀念論叢): 인문사회 편》, 경북대학교, 1960, 671~705쪽.

13 '안동 장씨 부인'이 집필자라는 전제에서 이 책을 연구한 국어학자들은 17세기 말 경상도 북부 지역에서 쓰인 한글 단어가 다수를 이룬다는 분석을 통해 이러한 주장을 뒷받침했다. 다만 《음식디미방》에 쓰인 한글 서체가 한 사람의 필체라고 단정하기에는 고르지 않기 때문에 오롯이 장계향이 집필했다고 보기는 어렵다. 일부 사람들은 《음식디미방》의 제일 마지막 쪽에 나오는 "이 책을 이리 눈 어두운데 간신히 썼으니"라는 글을 근거로 장계향이 직접 쓰다가 나중에는 다른 사람이 장

계향의 구술을 정리한 것이라는 추측을 내놓기도 했다.

14 배영동 교수는 2002년 4월 1일 장씨 부인의 남편인 이시명의 종택에서 불천위 신위의 함중을 조사하다가 장계향의 실명을 확인했다(배영동, 《음식디미방》 저자 실명 '장계향(張桂香)'의 고증과 의의〉,《실천민속학연구》 19호, 2012〕.

15 김미영, 〈전통의 오류와 왜곡의 경계선-〈음식디미방〉의 '맛질 방문'을 중심으로〉, 《비교민속학》, 46집, 2011.

16 주영하, 〈한 사대부 집안이 보여준 다채로운 식재료의 인류학: '음식디미방'과 조선 중기 경상도 북부 지역 사대부가의 식재료 수급〉,《선비의 멋 규방의 맛: 고문서로 읽는 조선의 음식문화》, 글항아리, 2012.

17 김령,《수운잡방》,〈계암선조유묵〉, '조국법(造麴法)', "六月上寅日, 菉豆去皮細末, 羅汁如薄粥, 和麥麩捥成曲塊. 各裹楮葉厚紙, 麩分堅縛, 各懸椽頭, 待薰蒸曬乾用之, 菉豆三斗, 則麥麩四斗为例."

18 전순의,《산가요록》, 조국법, "其火與录豆, 合其水, 熟擣上槽, 作圓. 其火一石, 录豆一斗, 為率, 以堅為貴."

19 유중림,《증보산림경제》,〈치선 하〉, 속법(俗法), "麴機內布袱, 袱內布草麻葉, 始下搜麩, 其上布葉即掩袱, 堅踏."

"즙이 많이 묻어 엉겨서 맛이 자별하니라" 빙허각 이씨의 강정

1   빙허각 이씨 지음, 정양완 옮김,《규합총서》, 보진재(寶晉齋), 1975, 100쪽.《규합총서》는 여러 가지 판본이 있고 그 구성과 내용이 약간씩 다르다. 이 글에서 인용한 《규합총서》〈주사의〉의 내용은 여러 가지 판본을 종합한 정양완이 옮긴 《규합총서》를 주로 참고하였다.

2   빙허각 이씨는 '酒食議'를 한글로 '주사의'라고 썼다. 한자 '食'은 보통 '밥 식' 자로 쓰지만, '먹이 사' 또는 '밥 사'로 쓰기도 한다.

3   빙허각 이씨 지음, 정양완 옮김, 같은 책, 100쪽.

4   빙허각 이씨 지음, 정양완 옮김, 같은 책, 100쪽.

5   빙허각 이씨 지음, 정양완 옮김, 같은 책, 100쪽.

6   빙허각 이씨 지음, 정양완 옮김, 같은 책, 100쪽.

7   빙허각 이씨 지음, 정양완 옮김, 같은 책, 100쪽.

8   빙허각 이씨 지음, 정양완 옮김, 같은 책, 100쪽.

9   이규경(李圭景), 《오주연문장전산고(五洲衍文長箋散稿)》, 〈주각빙주일용변증설(廚
     閣氷廚日用辨證說)〉, "荏油俗名法油, 凡煎餅餌魚肉藥果等."

10   《원행을묘정리의궤》 권지4, "早茶小盤果初九日, …… 慈宮進御一牀十六器磁器黑漆
     足盤, 各色强精一器, 高四寸, 粘米三升五合, 實荏子八合, 細乾飯實柏子各一升五合, 松
     花七合, 眞油二升五合, 白糖二斤八兩, 淸五合, 芝草二兩."

11   《원행을묘정리의궤》, 부편(附編), 권지1(卷之一), 〈찬품〉, "五色强精一器, 高九寸, 粘
     米八升, 淸五合, 眞油四升, 實栢子 · 乾飯各三升, 松花黑荏子各二升, 白糖二斤三."

12   빙허각 이씨 지음, 정양완 옮김, 같은 책, 100쪽.

13   빙허각 이씨 지음, 정양완 옮김, 같은 책, 101쪽.

14   빙허각 이씨 지음, 정양완 옮김, 같은 책, 103쪽.

15   빙허각 이씨 지음, 정양완 옮김, 같은 책, 103쪽.

16   《규합총서》(일본 도쿄대학교 오구라문고(小倉文庫) 소장, '빙사과'.

17   《규합총서》(일본 도쿄대학교 오구라문고 소장), 같은 글.

18   송시열(宋時烈), 《송자대전(宋子大全)》 제72권, 〈서(書)〉, '답리택지(答李擇之), 기
     미(己未) 12월 20일(十二月二十日)', "禮, 煎熬之物, 不用云云, 而油果是煎熬而成者,
     則不用似宜. 而第三代之時祭尙臭, 油果之香臭, 比諸饌特異, 廢之無乃不可乎. 尹八松則
     遺命勿用, 愼齋先生則嘗言油果貧不易辦, 只欲平排云, 於此數說, 擇而從之可也."

19   송시열, 같은 글, "鄙家貧甚, 每欲廢, 而廢之缺然, 故依先例仍用, 而亦用高排."

20   김원행(金元行), 《미호집(渼湖集)》 제14권, 〈잡저(雜著)〉, '고아(告兒)', "今之油果,
     佛家之食也. 不用於祭可也."

21   안정복(安鼎福), 《순암선생문집(順菴先生文集)》 제8권, 〈서(書)〉, '답이형중문목(答
     李瑩仲問目, 병신丙申)', "油果自麗以來爲俗品, 用不用無關."

22   정해은, 〈조선 후기 여성 실학자 빙허각 이씨〉, 《여성과 사회》 8권, 1997, 304쪽.

23   장철수(張哲秀), 《《규합총서》의 민속학적 의미〉, 《규합총서》, 한국정신문화연구원,
     2001, 11~13쪽.

24   빙허각 이씨 지음, 정양완 옮김, 같은 책, 1쪽.

25   빙허각 이씨 지음, 정양완 옮김, 같은 책, 1쪽.

26   빙허각 이씨 지음, 정양완 옮김, 같은 책, 1쪽.

27   빙허각 이씨 지음, 정양완 옮김, 같은 책, 1쪽.

28   빙허각 이씨 지음, 정양완 옮김, 같은 책, 1쪽.

29   빙허각 이씨 지음, 정양완 옮김, 같은 책, 1쪽.

30   서유본(徐有本), 《좌소산인문집(左蘇山人文集)》, 권1, 〈강거잡영15수(江居雜詠十五

首)〉, "無非山居日用之要, 而尤詳於草木鳥獸之性味."

31 서유본, 같은 글, "余爲命其名曰閨閣叢書."

32 빙허각 이씨 지음, 정양완 옮김, 같은 책, 1쪽.

33 빙허각 이씨 지음, 정양완 옮김, 같은 책, 1~2쪽.

34 빙허각 이씨 지음, 정양완 옮김, 같은 책, 1쪽.

35 빙허각 이씨는 《규합총서》를 집필한 장소로 "내가 동호(東湖) 행정(杏亭)에 집을 삼아" 살 때라고 했다. 여기서 '동호'가 어디인지 학자들마다 의견이 다르다. 초기의 연구자들은 '동호'를 한강을 부르던 명칭으로 여겨 지금의 서울 용산이나 옥수동 근처로 파악했다. 또 1939년 책이 발견된 황해도 장연(長淵)이라는 주장도 있었다. 또 서유본의 호 '좌소(左蘇)'가 지금의 경기도 파주시 장단 일대라서 이곳을 '동호'라고 파악한 학자도 있다. 한문학자 심경호는 '동호'를 전라남도 영암을 말하는 듯하다고 했다(심경호, '서유본', 《한국민족문화대백과사전 개정증보》, 한국학진흥사업성과포털, 2008). 1806년 서유본이 둘째아버지〔仲父〕 서형수(徐瀅修)가 해도(海島)로 귀양 갈 때 연루되어 관직을 빼앗긴 후 영암군 삼호 행정(杏亭)에서 교거(僑居, 남의 집에 임시로 삶)하면서, 학문에 주력한 적이 있기 때문에 '동호'를 영암으로 볼 수도 있다. 더욱이 지금도 영암군 삼호읍에 마을 이름으로 '동호'가 있어 가장 근거 있는 주장이다.

36 빙허각 이씨 지음, 정양완 옮김, 같은 책, 37쪽.

37 농촌진흥청, 《증보산림경제 II》, 농촌진흥청, 2003, 196~197쪽.

38 빙허각 이씨 지음, 정양완 옮김, 같은 책, 36쪽.

39 유중림, 《증보산림경제》, 권지8, '급조청장법(急造淸醬法)', "取經年釅石花醢汁, 煎一升至半, 成好淸醬, 與眞莫辨(해를 넘겨 맛이 짠 굴젓〔石花醢〕의 즙 한 되를 반 되가 되도록 달이면 맛 좋은 청장이 되는데, 원래의 장맛과 구별하기 어려울 정도다)."

40 빙허각 이씨 지음, 정양완 옮김, 같은 책, 37쪽.

41 빙허각 이씨 지음, 정양완 옮김, 같은 책, 30~32쪽.

42 빙허각 이씨 지음, 정양완 옮김, 같은 책, 31쪽.

43 빙허각 이씨 지음, 정양완 옮김, 같은 책, 31쪽.

44 빙허각 이씨 지음, 정양완 옮김, 같은 책, 31쪽.

45 빙허각 이씨 지음, 정양완 옮김, 같은 책, 31쪽.

46 정해은, 같은 글, 307쪽.

47 정해은, 같은 글, 308쪽.

48 서유본, 《좌소산인문집》, 권1, 〈부첩전운시내자(復疊前韻示內子)〉, "內子每歲養蠶斷

匹帛, 採百花釀酒以供余."

49 빙허각 이씨 지음, 정양완 옮김, 같은 책, 22쪽.

50 빙허각 이씨 지음, 정양완 옮김, 같은 책, 20~21쪽.

51 빙허각 이씨 지음, 정양완 옮김, 같은 책, 21쪽.

52 빙허각 이씨 지음, 정양완 옮김, 같은 책, 21쪽.

53 빙허각 이씨 지음, 정양완 옮김, 같은 책, 21쪽.

54 빙허각 이씨 지음, 정양완 옮김, 같은 책, 21~22쪽.

55 빙허각 이씨 지음, 정양완 옮김, 같은 책, 21쪽.

56 서유구, 《풍석전집(楓石全集)》·《금화지비집(金華知非集)》 권제7(卷第七), 〈수씨단인이씨묘지명(嫂氏端人李氏墓誌銘)〉, "壬午七月, 伯氏暴疾亟. 端人水漿不入口, 齋沐禱于廟, 請以身代, 斷指進血不效."; 정해은, 같은 글, 309쪽.

57 서유구, 같은 글, "端人恚曰使我一日不死, 是餉我一日毒也. 酒作絶命詞曰生醉死亦夢."; 정해은, 같은 글, 309쪽.

58 빙허각 이씨 지음, 정양완 옮김, 같은 책, 2쪽.

59 서유구, 같은 글, "其閨閤叢書, 及端人在時, 已聞于世, 姻戚往往傳寫焉."

60 〈주사의〉가 들어가 있는 목판본은 서울대학교 규장각한국학연구원의 가람문고본(가람 古396-G999)과 국립중앙도서관 소장본(古536-1)이 있다. 필사본으로는 국립중앙도서관 소장본(古朝 29-114), 정양완 소장의 세 종류, 도쿄대학교 오구라문고 소장본(新L174593-4), 영평사(永平寺) 소장본(정양완, 《조선학보》 71집, 75집) 등이다(김영혜, 《《규합총서》의 편찬과 필사(筆寫) 양상에 관한 고찰》, 성균관대학교 대학원 석사학위청구논문, 2016).

61 라연재, 〈근대 요리책의 계통과 지식 전승-출판인쇄본 《부인필지》, 《조선요리제법》, 《조선무쌍신식요리제법》을 중심으로〉, 《민속학연구》 제42호, 2018, 53~57쪽.

"갓채는 물을 짤짤 끓여 부으면 맛이 좋으니" 여강 이씨 부인의 갓

1 이 글에서 출처를 밝히지 않고 인용한 이씨 부인의 한글 편지는 한국학중앙연구원 편, 《의성 김씨 김성일파 종택 한글 간찰》, 태학사, 2009와 황문환 외 옮김, 《조선시대 한글 편지 판독자료집 2》, 역락, 2013, 그리고 한국고문서자료관(http://archive.aks.ac.kr/)의 '한글 편지' 관련 원문과 현대어를 참조했다.

2 저자 미상, 《물명고(物名考)》(서울대학교 규장각한국학연구원 소장, 가람古 031-

M918a), 〈초목류(草木類)〉, "芥菜 갓, 菼芥 밋갓".

3   빙허각 이씨,《규합총서》'친화실장판본',〈섞박지〉.

4   '숭개'의 중국어는 '가이차이터우(芥菜頭)' 또는 '자차이(榨菜)'다. 중국음식점에
    가면 주문한 음식이 나오기 전에 짭짤하고 매콤한 단무지 썬 것 같은 반찬이 나온
    다. 이 반찬의 주재료가 바로 '자차이'라서 중국인들은 반찬의 이름도 아예 '자차
    이'라고 부른다.

5   이규경,《오주연문장전산고》,〈행주음선변증설(行廚飮膳辨證說)〉, '개근산(芥根
    蒜)', "取根芥如菁者, 窌藏冬與春. 切如麪絲. 和蔥絲, 薑絲, 石耳絲, 蒜屑. 裝入缸中, 灌
    以醋醬, 酸鹹得中, 重封缸口, 勿泄氣. 經一宵取食."

6   이규경, 같은 글, "久置無妨."

7   이규경, 같은 글, "經一宵取食, 淸烈鎭胃."

8   경북대학교출판부 편집부 편,《음식디미방(고전총서 10)》, 경북대학교출판부,
    2003, 172~173쪽 .

9   유중림,《증보산림경제》권지8 '산개저법(山芥菹法)', "先用蔓菁根或蘿葍以刀飛削作
    淡菹(俗云나박침치), 置溫處一二日待熟. 取山芥揀精不必去根, 以水洗凈, 貯於缸器, 就
    於釜中熱水(其熱入水不爛傷為度), 注澆三四次, 因以其水並芥納其缸中(水則量宜灌淹
    可也), 多噓口氣於缸內, 以重紙密封缸口, 又以盖合定, 少不泄氣, 置於溫堗, 以衣被覆
    之. 半時許取出, 候溫和合於先造菁菹之中, 加味甘煉淸醬食之, 則辣味少減, 淸爽甚羙.
    若就単沉山芥和醬食之, 則太辣, 反少味矣. 每取用後即密掩缸, 勿令泄氣, 風入味反變苦
    (先沉菁菹必入蘿葍芽蔥白等物)."

10 1848년에 이씨 부인이 보낸 편지에서 "늙은 기생 두 년이 들어와 반찬을 저의 손
    으로 하여 드리니 잡수시고 비위를 정하신 듯하니 그년들 고맙습니다"라는 글이
    나온다. 남편 김진화와 무장현에서 함께 살던 측실이 1847년 7월경에 사망한 뒤
    라 남편의 식사를 챙기기 위해 이씨 부인이 밑갓과 갓의 요리법을 자세하게 적어
    보낸 것이다. 즉 남편의 음식 시중을 들던 관아의 기생들에게 이대로 시키라는 뜻
    이다.

11 허균,《성소부부고》제26권,〈도문대작〉, '팔대어(八帶魚)', "卽文魚. 産于東海. 華人
    好之."

12 그런데 방어에는 독이 있기 때문에 임금에게는 올리지 않는다고 했다. 허균,《성
    소부부고》제26권,〈도문대작〉, '방어(魴魚)', "東海多産. 而以有醉毒, 不供上."

13 빙허각 이씨 지음, 정양완 옮김,《규합총서》, 보진재, 1975, 62쪽.

14 한국학중앙연구원 편,《의성 김씨 김성일파 종택 한글 간찰》, 태학사, 2009. 이 책

에는 학봉종택의 190여 통의 간찰 중 167통의 실려 있다. 이 중에 이씨 부인이 남편 김진화에게 보낸 한글 편지가 총 60통이다. 이 밖에도 책에 실리지 않은 이씨 부인의 한글 편지가 11통이 더 있는 것으로 알려진다(김한별, 〈19세기 전기 국어의 음운사 연구: 〈의성 김씨 학봉 종가 언간〉을 중심으로〉, 서강대학교 대학원 박사학위청구논문, 2016, 부록2).

15 창릉은 예종(睿宗)과 예종비 안순왕후(安順王后)의 능으로 고양군(高陽郡) 신도읍(神道邑, 지금의 고양시 덕양구 용두동)에 있었다. 김진화의 벼슬은 최하위직인 종9품의 참봉이었다.

16 빙허각 이씨 지음, 정양완 옮김, 같은 책, 47~48쪽.

17 주영하, 〈부안 김씨가 해삼을 한양에 보낸 이유〉, 《우반동 양반가의 가계 경영》, 한국학중앙연구원출판부, 2018, 141~142쪽.

에필로그: 조선시대 요리책 읽는 법

1 미국의 퍼시픽대학교에서 역사학을 가르치는 켄 알바라(Ken Albala)는 역사학자가 역사 기록물로서 요리책을 연구할 때 '책을 쓴 사람이 누구인가?', '누구를 대상으로 썼는가?', '어디서, 언제 발간되었는가?', '왜 그 책을 썼는가?'라는 출처와 목적에 관한 기본 질문을 던져야 한다고 했다. Albala, Ken, "Cookbooks as Historical Documents", *The Oxford Handbook of Food History*, Oxford, New York: Oxford University Press, 2012, p.228.

2 주영하 외, 《조선 지식인이 읽은 요리책-거가필용사류전집의 유입과 역사》, 한국학중앙연구원출판부, 2018, 6~9쪽.

■ 고문헌

《갑인연행록(甲寅燕行錄)》

《강희자전(康熙字典)》

《거가필용사류전집(居家必用事類全集)》

《경세유표(經世遺表)》

《고대일록(孤臺日錄)》

《관암전서(冠巖全書)》

《규곤시의방(閨壺是議方)·음식디미방》

《규곤요람(閨壺要覽)》

《규합총서(閨閤叢書)》

《기해진연의궤(己亥進宴儀軌)》

《노가재연행일기(老稼齋燕行日記)》

《농암선생문집(聾巖先生文集)》

《농정전서(農政全書)》

《농정회요(農政會要)》

《다산시문집(茶山詩文集)》

《단종실록(端宗實錄)》

《담정유고(潭庭遺藁)》

《대연유고(岱淵遺藁)》

《동국세시기(東國歲時記)》

《동국이상국집(東國李相國集)》

《동의보감(東醫寶鑑)》

《매월당시집(梅月堂詩集)》

《목은시고(牧隱詩藁)》

《물명고(物名考)》

《미호집(渼湖集)》

《백운필(白雲筆)》

《본초강목(本草綱目)》

《봉선잡의(奉先雜儀)》

《봉성문여(鳳城文餘)》

《부인필지(婦人必知)》

《사가시집(四佳詩集)》

《산가요록(山家要錄)》

《산림경제(山林經濟)》

《선조수정실록(宣祖修正實錄)》

《선화봉사고려도경(宣和奉使高麗圖經)》

《성소부부고(惺所覆瓿藁)》

《성호전집(星湖全集)》

《세설신어(世說新語)》

《세종실록(世宗實錄)》

《송자대전(宋子大全)》

《수운잡방(需雲雜方)》

《수원식단(隨園食單)》

《숙종실록(肅宗實錄)》

《순암선생문집(順菴先生文集)》

《순조실록(純祖實錄)》

《숭정삼임자식년사마방목(崇禎三壬子式年司馬榜目)》

《승정원일기(承政院日記)》

《시의전서·음식방문(是議全書·飮食方文)》

《아언각비(雅言覺非)》

《야곡일록(冶谷日錄)》

《양촌선생문집(陽村先生文集)》

〈어제건공가증(御製建功可憎)〉

· 《열양세시기(洌陽歲時記)》

· 《영재집(泠齋集)》

· 《영조실록(英祖實錄)》

· 《예기(禮記)》

· 《오주연문장전산고(五洲衍文長箋散稿)》

· 《옥담시집(玉潭詩集)》

· 《요록(要錄)》

· 《우해이어보(牛海異魚譜)》

· 《원행을묘정리의궤(園幸乙卯整理儀軌)》

· 《유연고(游燕藁)》

· 《윤씨음식법》

· 《은대조례(銀臺條例)》

· 《음선정요(飮膳正要)》

· 《의학입문(醫學入門)》

· 《인재일록(忍齋日錄)》

· 《일성록(日省錄)》

· 《일암연행일기(一庵燕行日記)》

· 《임원경제지(林園經濟志)》

· 《임하필기(林下筆記)》

· 《장음정유고(長吟亭遺稿)》

· 《재물보(才物譜)》

· 《전해우형지(滇海虞衡誌)》

· 《정일당잡지(貞一堂雜識)》

· 《정조실록(正祖實錄)》

· 《제민요술(齊民要術)》

· 《좌소산인문집(左蘇山人文集)》

· 《주식방문》

· 《주식시의(酒食是儀)》

· 《주역(周易)》

· 《증보산림경제(增補山林經濟)》

· 《철종실록(哲宗實錄)》

· 《청이록(淸異錄)》

《청장관전서(靑莊館全書)》

《택당집(澤堂集)》

《퇴계선생문집(退溪先生文集)》

《풍석전집(楓石全集)》

《하당선생문집(荷塘先生文集)》

《해동농서(海東農書)》

《해사일기(海槎日記)》

《형재시집(亨齋詩集)》

《형초세시기(荊楚歲時記)》

■ 국문 문헌

· 강경훈, 〈중암(重菴) 강이천(姜彛天) 문학 연구: 18세기 근기(近畿) 남인(南人), 소북
　　　문단(小北文壇) 전개와 관련하여〉, 동국대학교 대학원 박사학위청구논문,
　　　2001.

· 강명관, 〈담정 김려 연구(1): 생애와 문체 문제를 중심으로〉, 《사대 논문집》 제9집,
　　　1984.

· 강인희·이경복, 《한국식생활풍속》, 삼영사, 1984.

· 경북대학교출판부 편집부 편, 《음식디미방(고전총서 10)》, 경북대학교출판부, 2003.

· 고동환, 〈조선 후기 서울의 인구 추세와 도시 문제 발생〉, 《역사와 현실》 제28권,
　　　1998.

· 국립민속박물관 편, 《조선대세시기Ⅲ: 경도잡지·열양세시기·동국세시기》, 국립민속
　　　박물관, 2007.

· 국사편찬위원회 편, 《쌀은 우리에게 무엇이었나》, 두산동아, 2009.

· 김귀영, 〈해제: 음식으로 보는 조선시대〉, 《수운잡방》, 글항아리, 2015.

· 김균태, 〈이옥의 문학사상연구〉, 《현상과 인식》 제4집, 1977.

· 김동진, 《조선의 생태환경사》, 푸른역사, 2017.

· 김려 지음, 박준원 옮김, 《우해이어보: 한국 최초의 어보》, 다운샘, 2004.

· 김문기, 〈소빙기의 성찬(盛饌): 근세 동아시아의 청어어업〉, 《역사와 경계》 96호,
　　　2015.

· 김미영, 〈전통의 오류와 왜곡의 경계선-〈음식디미방〉의 '맛질 방문'을 중심으로〉, 《비

교민속학》, 46집, 2011.

김민호, 〈사상의학(四象醫學)을 통해 본 조선시대 어진(御眞) 연구〉, 고려대학교 대학원 석사학위청구논문, 2011.

김사엽, 〈규곤시의방(閨壺是議方)과 전가팔곡(田家八曲)〉〈자료〉,《영서 고병간 박사(瀛西高秉幹博士) 송수기념논총(頌壽紀念論叢): 인문사회 편》, 경북대학교, 1960.

김상보,《한국의 음식생활문화사》, 광문각, 1999.

김영진, 〈이옥(李鈺) 문학과 명청(明淸) 소품(小品): 신자료의 소개를 겸하여〉,《고전문학연구(古典文學硏究)》제23집, 2003.

김영진, 〈해제〉, 전순의 찬,《산가요록》, 농촌진흥청, 2004.

김영혜,《《규합총서》의 편찬과 필사(筆寫) 양상에 관한 고찰〉, 성균관대학교 대학원 석사학위청구논문, 2016.

김유 지음, 김채식 옮김,《수운잡방》, 글항아리, 2015.

김정호,《조선의 탐식가들》, 따비, 2012.

김종오·오준호·김남일, 〈조선의 왕실 차(茶) 처방(處方)(다음茶飮)의 운용-승정원일기의 내용을 중심으로〉,《한국한의학연구원논문집》제15권 제3호, 2009.

김태홍, 〈신선로(神仙爐)의 조리사적(調理史的) 고찰〉,《가정문화연구(家庭文化硏究)》6권, 1988.

김한별, 〈19세기 전기 국어의 음운사 연구: 〈의성 김씨 학봉 종가 언간〉을 중심으로〉, 서강대학교 대학원 박사학위청구논문, 2016.

김혈조, 〈연행 과정의 식생활〉,《한국실학연구(韓國實學硏究)》20, 한국실학학회, 2010.

노혜경, 〈영조 어제첩에 나타난 영조 노년의 정신세계와 대응〉,《장서각》제16집, 2006.

농촌진흥청,《증보산림경제II》, 농촌진흥청, 2003.

농촌진흥청 농업과학기술원,《한국의 전통향토음식 7-전라남도》, 교문사, 2008.

농촌진흥청 편,《전통지식 모음집: 생활문화 편》, 농촌진흥청, 1997.

댄 주래프스키 지음, 김병화 옮김,《음식의 언어》, 어크로스, 2015.

도민재, 〈회재(晦齋)《봉선집의(奉先雜儀)》의 예학사적(禮學史的) 의의-16세기 제례서(祭禮書)와의 비교를 중심으로〉,《동양고전연구(東洋古典硏究)》제72집, 2018.

라연재, 〈근대 요리책의 계통과 지식 전승-출판인쇄본《부인필지》,《조선요리제법》,《조선무쌍신식요리제법》을 중심으로〉,《민속학연구》제42호, 2018.

박준원,《우해이어보》소재〈우산잡곡(牛山雜曲)〉연구〉,《동양한문학연구》제16집,
　　　2002.

박채린·권용민,《《주초침저방(酒醋沈菹方)》에 수록된 조선 전기(前期) 김치 제법 연
　　　구-현전 최초 젓갈김치 기록 내용과 가치를 중심으로〉,《한국식생활문화학
　　　회지》32(5), 2017.

배영동,《《음식디미방》저자 실명 '장계향(張桂香)'의 고증과 의의〉,《실천민속학연
　　　구》19호, 2012.

백두현,《《주초침저방(酒醋沈菹方)》의 내용 구성과 필사 연대 연구〉,《영남학(嶺南
　　　學)》제62호, 2017.

백주희,〈J. S. Gale의 노가재연행일기영역본(老稼齋燕行日記英譯本) 일고(一考)〉,《한
　　　국어문학국제학술포럼》제27집, 2014.

빙허각 이씨 지음, 정양완 옮김,《규합총서》, 보진재, 1975.

성봉현·김학수·원창애·이욱·이민주·주영하·허원영·정수환·손계영,《17세기 충청
　　　도 선비의 생활기록: 조극선의 인재일록과 야곡일록》, 한국학중앙연구원출
　　　판부, 2018.

심경호,〈서유본〉,《한국민족문화대백과사전 개정증보》, 한국학진흥사업성과포털,
　　　2008.

앨프리드 W. 크로스비 지음, 김기윤 옮김,《콜럼버스가 바꾼 세계》, 지식의숲, 2006.

염정섭,《《산가요록》농서 부문의 편찬 과정과 서술 방식〉,《지역과 역사》28호, 2011.

영창서관(永昌書館) 편집부 찬,《조선무쌍신식요리제법(朝鮮無雙新式料理製法)》, 영
　　　창서관, 1924.

왕런샹 지음, 주영하 옮김,《중국음식문화사》, 민음사, 2010.

유몽인 지음, 신익철·이형대·조융희·노영미 옮김,《어우야담》, 돌베개, 2006.

윤서석,《한국식품사연구(韓國食品史硏究)》, 신광출판사, 1974.

이가원,《한국한문학사》, 민중서관, 1961.

이기지 지음, 조융희·신익철·부유섭 옮김,《역주 일암연기》, 한국학중앙연구원출판
　　　부, 2016.

이성우,《고려 이전의 한국식생활사연구》, 향문사, 1978.

이성우,《조선시대 조리서의 분석적 연구》, 한국정신문화연구원, 1982.

이성임,〈조선 중기 양반관료의 '칭념(稱念)'에 대하여〉,《조선시대사학보》29, 2004.

이숙인·김미영·김종덕·주영하·정혜경,《선비의 멋 규방의 맛: 고문서로 읽는 조선
　　　의 음식문화》, 글항아리, 2012.

- 이시필 지음, 백승호·부유섭·장유승 옮김,《소문사설, 조선의 실용지식 연구노트: 18세기 생활문화 백과사전》, 휴머니스트, 2011.
- 이언적 지음, 김순미 옮김,《조선시대 최초의 제사 지침서: 풀어쓴《봉선잡의》》, 민속원, 2016.
- 이옥 지음, 실시학사고전문학연구회 역주,《역주 이옥전집》, 소명출판, 2001.
- 이옥 지음, 실시학사고전문학연구회 옮김,《완역 이옥전집》1~5, 휴머니스트, 2009.
- 이익주,《이색의 삶과 생각》, 일조각, 2013.
- 이종묵,《한시 마중: 생활의 시학, 계절의 미학》, 태학사, 2012.
- 이종봉,〈전순의의 생애와 저술〉,《지역과 역사》28호, 2011.
- 이현우,〈이옥 소품(小品) 연구〉, 성균관대학교 대학원 박사학위청구논문, 2002.
- 장 앙텔므 브리야사바랭 지음, 홍서연 옮김,《브리야 사바랭의 미식 예찬》, 르네상스, 2004.
- 장철수,《《규합총서》의 민속학적 의미〉,《규합총서》, 한국정신문화연구원, 2001.
- 전라남도농촌진흥원,《향토요리모음》, 농촌진흥청농촌영양개선연수원, 1979.
- 전순의 찬,《산가요록》, 농촌진흥청, 2004.
- 전순의 찬, 한복려 엮음,《다시 보고 배우는 산가요록》, 궁중음식연구원, 2007.
- 정해숙·이수학·우강융,〈함경도 지방의 전통 가자미식해의 소금 첨가 수준에 따른 숙성 중 맛 성분의 변화에 관한 연구〉,《한국식품과학회지》제24권 제1호, 1992.
- 정해은,〈조선 후기 여성 실학자 빙허각 이씨〉,《여성과 사회》8권, 1997.
- 조극선,《인재일록 I 정서본》, 한국학중앙연구원출판부, 2012.
- 조극선,《인재일록 II 정서본》, 한국학중앙연구원출판부, 2012.
- 조흥국,〈조선왕조 초기 한국과 인도네시아의 마자파힛 왕국 간 접촉〉, 서강대학교 동아연구소,《동아연구》55권, 2008.
- 주영하,〈1609~1623년 충청도 덕산현(德山縣) 사대부가의 세시 음식: 조극선의《인재일록》을 중심으로〉,《장서각》38집, 2017.
- 주영하,《밥상을 차리다: 한반도 음식 문화사》, 보림, 2013.
- 주영하,〈부안 김씨가 해삼을 한양에 보낸 이유〉,《우반동 양반가의 가계 경영》, 한국학중앙연구원출판부, 2018.
- 주영하,《식탁 위의 한국사: 메뉴로 본 20세기 한국 음식문화사》, 휴머니스트, 2013.
- 주영하,《차폰 잔폰 짬뽕: 동아시아 음식 문화의 역사와 현재》, 사계절, 2009.
- 주영하,〈한 사대부 집안이 보여준 다채로운 식재료의 인류학: '음식디미방'과 조선 중기 경상도 북부 지역 사대부가의 식재료 수급〉,《선비의 멋 규방의 맛: 고

문서로 읽는 조선의 음식문화》, 글항아리, 2012.

주영하·오영균·옥영정·김혜숙,《조선 지식인이 읽은 요리책-거가필용사류전집의 유입과 역사》, 한국학중앙연구원출판부, 2018.

차경희, 〈노가재공댁《Jusikbangmun(주식방문)》과 이본(異異)의 내용 비교 분석〉, 《한국식생활문화학회지》31(4), 2016.

최덕경, 〈대두(大豆)의 기원과 장(醬)·시(豉) 및 두부(豆腐)의 보급에 대한 재검토- 중국 고대 문헌과 그 출토 자료를 중심으로〉,《역사민속학》제30호, 2009.

최헌섭·박태성,《최초의 물고기 이야기: 신우해이어보》, 경상대학교출판부, 2017.

한국학중앙연구원장서각고문서연구실,《안동 김씨·의령 남씨·진주 유씨·여주 이씨 (安東 金氏·宜寧 南氏·晉州 柳氏·驪州 李氏) 전적(典籍)》, 한국학중앙연구원, 2005.

한국학중앙연구원 편,《의성 김씨 김성일파 종택 한글 간찰》, 태학사, 2009.

한미경,《《사소절》현전본에 대한 연구〉,《한국문헌정보학회지》제49권 제3호, 2015.

한정호, 〈김려의 〈우산잡곡〉 연구〉,《영주어문》제35집, 2017.

허균 지음, 정길수 편역,《나는 나의 법을 따르겠다-허균선집》, 돌베개, 2012.

허원영,《《인재일록》을 통해 본 선물(膳物)의 내용과 성격〉,《17세기 충청도 선비의 생활기록: 조극선의 인재일록과 야곡일록》, 한국학중앙연구원출판부, 2018.

홍석모 지음, 장유승 역해,《동국세시기 동아시아 문화의 보편성으로 조선의 풍속을 다시 보다》, 아카넷, 2016.

황문환·임치균·전경목·조정아·황은영 엮음,《(조선시대) 한글 편지 판독자료집 2》, 역락, 2013.

황혜성 외,《한국민속종합조사보고서》제15책 향토음식편, 문화공보부 문화재관리국, 1984.

■ **국내 웹사이트**

고려대학교 해외한국학자료센터(kostma.korea.ac.kr)
한국고전번역원 한국고전종합DB(db.itkc.or.kr)
한국학중앙연구원 한국고문서자료관(archive.aks.ac.kr)

■ 영문 문헌

Bourke, John Gregory, "Primitive Distillation among the Tarascoes", *American Anthropologist 6.1*, 1893.

Bruman, Henry J., "The Asiatic Origin of the Huichol Still", *Geographical Review 34.3*, 1944.

Goody, Jack, "Industrial Food: Towards the Development of a World Cuisine", *Cooking, Cuisine and Class*, Cambridge University Press, 1982.

Needham, Joseph, Ho Ping-yu, and Lu Gwei-djen. "Spagyrical Discovery and Invention: Apparatus, Theories and Gifts", *Science and Civilization in China*, *vol. 5: Chemistry and Chemical Technology*, *part 4*, Cambridge: Cambridge University Press, 1980.

Norton, Mercy, "Tasting Empire: Chocolate and the European Internalization of Mesoamerican Aesthetics", *The American Historical Review*, *Vol.111*, *No.3*, 2006.

Notaker, Henry, *A History of Cookbooks: From Kitchen to Page over Seven Centuries*, Oakland, California: University of California Press, 2017.

Pilcher, Jeffrey M.(ed), *The Oxford Handbook of Food History*, Oxford, New York: Oxford University Press, 2012.

Teulon, Fabrice, "Gastronomy, Gourmandise and Political Economy in Brillat-Savarin's Physiology of Taste", *The European Studies Journal Vol. XV*, *No.1*, 1998.

Valenzuela-Zapata, Buell, Solano-Perez, Park, "'Huichol' Stills: A Century of Anthropology: Technology Transfer and Innovation", *Crossroads – Studies on the History of Exchange Relations in the East Asian World 8*, 2013.

Weatherford, Jack, *Genghis Khan and the Making of the Modern World*, New York: Crown, 2004.

■ 중문 문헌

李华瑞,〈中国烧酒起始探微〉,《历史研究》1993年 第5期.

· 苏东民,〈馒头的起源与历史发展探析〉,《河南工业大学学报·社会科学版》5(2), 2009.

· 王芳,〈火锅的来历〉,《新长征》2012年 12月.

· 曾维华,〈馒头, 包子与蒸饼〉,《文史知识》2016(1), 2016.

■ 일문 문헌

· 石毛直道 編,《論集 東アジアの食事文化》, 平凡社, 1985.

· 篠田統,《中国食物史》, 柴田書店, 1974.

· 日本風俗史学会 編,《図説江戸時代食生活事典(新装版)》, 雄山閣出版, 1996.

· 朝鮮酒造協會 編,《朝鮮酒造史》, 朝鮮酒造協會, 1935.

식재료·음식·요리법

ㄱ

ㄴ·ㄷ

문헌

일반

조선의 미식가들

주영하 지음

1판 1쇄 발행일 2019년 7월 29일

발행인 | 김학원
편집주간 | 김민기 황서현
기획 | 문성환 박상경 임은선 김보희 최윤영 전두현 최인영 정민애 김주원 이문경 임재희 이화령
디자인 | 김태형 유주현 구현석 박인규 한예슬
마케팅 | 김창규 김한밀 윤민영 김규빈 김수아 송희진
제작 | 이정수
저자·독자서비스 | 조다영 윤경희 이현주 이령은(humanist@humanistbooks.com)
조판 | 홍영사
용지 | 화인페이퍼
인쇄 | 청아디앤피
제본 | 정민문화사

발행처 | (주)휴머니스트출판그룹
출판등록 | 제313-2007-000007호(2007년 1월 5일)
주소 | (03991) 서울시 마포구 동교로23길 76(연남동)
전화 | 02-335-4422 팩스 | 02-334-3427
홈페이지 | www.humanistbooks.com

ⓒ 주영하, 2019

ISBN 979-11-6080-278-8 03910

• 이 도서의 국립중앙도서관 출판예정도서목록(CIP)은 서지정보유통지원시스템 홈페이지(http://seoji.nl.go.kr)와 국가자료공동목록시스템(http://www.nl.go.kr/kolisnet)에서 이용하실 수 있습니다. (CIP제어번호: CIP2019027638)

만든 사람들

편집주간 | 황서현
기획 | 최인영(iy2001@humanistbooks.com)
편집 | 엄귀영 이영란 조건형
디자인 | 김태형